Le Poids de l'eau, Anita Shreve, 1997
Mauvaise mère, A. M. Homes, 1997
Appelle-moi, Delia Ephron, 1997
Objets dans le miroir, Katharine Weber, 1997
Un été vénéneux, Helen Dunmore, 1998
De l'autre côté du paradis, Dawn Turner Trice, 1998
Les Consolatrices, Nora Okja Keller, 1998
Le Don de Charlotte, Victoria Glendinning, 1999
L'Africaine, Francesca Marciano, 1999
La Femme perdue, Nicole Mones, 1999
Ils iraient jusqu'à la mer, Helen Dunmore, 2000

CÉLESTE
ET LA CHAMBRE CLOSE

KAYLIE JONES

CÉLESTE
ET LA CHAMBRE
CLOSE

Traduit de l'américain
par Valérie Malfoy

belfond
12, avenue d'Italie
75013 Paris

Titre original :
CELESTE ASCENDING,
publié par HarperCollins Publishers, Inc.,
New York.

Si vous souhaitez recevoir notre catalogue
et être tenu au courant de nos publications,
envoyez vos nom et adresse, en citant ce livre,
aux Éditions Belfond,
12, avenue d'Italie, 75013 Paris.
Et, pour le Canada, à
Havas Services Canada LTEE,
1050, boulevard René-Lévesque-Est,
Bureau 100,
Montréal, Québec, H2L 2L6.

ISBN 2-7144-3699-4

À Kevin,
tous les chemins mènent à toi

I

Au lycée, j'avais une amie nommée Sally Newlyn qui savait pourquoi le projet de Dieu pour le monde avait capoté. Durant l'un de ses épisodes schizophréniques, elle me raconta que Dieu avait fait don à l'humanité d'un nombre fini d'âmes. Il les avait lâchées dans le ciel, où elles gravitaient en silence jusqu'au moment où un nouveau-né avait besoin d'elles. Dieu avait prévu que ces âmes se réincarneraient afin qu'à chaque génération le genre humain gagne en bonté et en sagesse. Mais il avait sous-estimé la propension de l'homme à se multiplier, et voilà pourquoi, sur notre planète aujourd'hui, des millions d'êtres erraient, cherchant en vain une âme.

Assises en tailleur dans une cabane abandonnée que nous avions découverte dans les bois, nous nous échangions une Thermos de rhum-Coca. Je l'écoutais avec une attention extasiée, car souvent elle prononçait des vérités importantes quand elle avait cessé de prendre ses médicaments. Ses yeux étaient fiévreux ; je tendis la main vers son front pâle, mais il était froid au toucher.

— C'est ça mon problème, Céleste, me dit-elle à

l'oreille d'une petite voix pressante, tandis que ses larmes coulaient. On ne m'a pas donné d'âme.

— Oh, Sally, fis-je, l'attirant dans mes bras et la serrant très fort, comme si cela pouvait empêcher ses démons d'approcher.

J'étais en seconde année de fac quand elle s'est tuée.

J'ai appris son suicide un matin de décembre, après qu'un vieil ami m'eut contactée par téléphone, à la résidence universitaire. Ensuite, je suis restée longtemps seule dans le réfectoire, à écouter le silence. J'aurais voulu me secouer, mais je ne pouvais pas bouger. Je me souvenais de ce que Sally m'avait dit autrefois au sujet du projet de Dieu, et je n'arrivais pas à chasser cette pensée de mon esprit.

J'ai commencé à scruter les visages des autres, cherchant dans leur regard une lueur de leur âme. Cela devint une manie ; je me représentais l'intérieur de leur tête comme une chambre – un peu comme le décor de *Fin de partie*, la pièce de Beckett – sans portes, mais avec deux fenêtres ouvertes sur le monde. Si je pouvais meubler cette chambre, ou du moins saisir la vue qu'on avait des fenêtres, un petit coin de leur âme m'était révélé.

Je me rappelais les yeux de Sally et en eux je voyais toujours une serre chaude et ensoleillée, toute pleine de plantes rares et très parfumées, fragiles et exigeant des soins constants. Mais, avec la maladie, la lumière dans ses yeux s'était peu à peu affaiblie, et dans la serre de ma mémoire les plantes étaient mortes, racornies.

J'avais dix ans à la mort de ma mère, et même si je me souvenais bien d'elle, je n'avais pas une notion très nette de cet événement. Pour m'épargner de la peine, mon père avait truffé mon cerveau enfantin d'histoires rassurantes qui s'étaient incrustées dans mon imagination, ne laissant que peu de place à la vérité. Dans les yeux de ma mère, je croyais voir un exotique boudoir français, avec une méridienne mauve, des tapisseries en soie où figuraient des demoiselles dénudées recouvrant les fenêtres, une lingerie osée dépassant d'un cabinet, de vieux livres reliés de toile éparpillés partout, et, dans un coin, un bar pour les nombreux amis qu'elle aurait pu avoir dans la vraie vie, mais n'avait jamais eus.

À vingt-huit ans, je me suis retrouvée dans un logement petit et sombre, à New York, toute seule. Ayant perdu presque tous ceux qui représentaient quelque chose pour moi, j'ai affronté la chambre de mon âme pour la première fois. Dans les miroirs, mes yeux étaient parfaitement vides. Les murs et le sol de mon âme étaient nus. Ses fenêtres donnaient sur un puits d'aération sale, un mur de brique.

Et puis j'ai rencontré Alex à une fête, sur un yacht, comme au cinéma.

Durant les six derniers mois, j'avais réussi à m'accrocher à mon poste d'enseignante à Columbia ; à l'école publique de Harlem où j'animais un atelier d'écriture ; et à mon épicier coréen : lieux familiers et destinations programmées.

Quand enfin vint l'été et que je fus délivrée de mes obligations scolaires, je m'enfermai dans mon appartement et entrepris de constituer mon premier recueil de nouvelles.

Parfois, le soir, j'allais au bout du couloir voir ma voisine Lucia. Lucia était dans les affres d'une histoire d'amour avec Sammy, un rocker qui accompagnait des groupes en tournée. Elle l'avait rencontré sur le tournage d'un de ses clips vidéo.

Jamais ils ne sortaient ensemble de l'appartement. Cette liaison durait – avec des hauts et des bas, mais surtout des hauts – depuis plus de trois ans. Je savais toujours quand il était là, parce que Lucia cessait de répondre au téléphone et que la musique faisait un tel chambard que sa porte en vibrait.

Pendant de longues périodes, elle ne faisait aucune allusion à lui, et soudain elle recommençait à l'attendre.

— Sammy ne devrait plus tarder, disait-elle de sa grosse voix.

Cet été-là, nous nous cachions, attendant que l'orage passe, comme deux banlieusards qui ont oublié leur parapluie. Nous regardions de vieux films vidéo et buvions du vin ou du cognac jusqu'aux petites heures du jour. Au coin de la rue, il y avait un bar que j'aimais bien, un endroit petit et sombre. Un soir que nous étions là-bas, après un certain nombre de cognacs, elle me fit promettre de l'accompagner à une fête donnée pour le 4 Juillet. La firme Slimbrand avait loué un yacht privé qui faisait le tour de Manhattan. Lucia, qui avait réalisé plusieurs films publicitaires pour eux, avait reçu une invitation dorée. C'était une soirée habillée. L'an dernier, me dit-elle, il y avait eu des vedettes de l'écran et de la scène, un groupe classé au Top-40, et des flots de champagne.

Je promis, et oubliai. Mais le 3 juillet, elle téléphona pour me rappeler ma promesse. Je répondis que j'avais d'autres projets.

— Ouais… traîner au lit en lisant des poèmes d'Emily Dickinson ?

Elle poussa un gros soupir dans l'écouteur.

— J'aime Emily Dickinson.

Il y eut un long silence. Puis elle dit de sa voix de bûcheron, sans colère, comme on constate un état de fait :

— Tu devrais voir un psy, Céleste.

C'était impensable ; dans ma famille, nous étions têtus et endurants, et encaissions les « coups durs » en silence, tête haute.

C'est ainsi que je mis ma plus belle robe d'été, décolletée, non cintrée, en soie émeraude, que j'avais achetée pour le mariage d'une cousine, mes escarpins Evan Picone réservés aux grandes occasions, et les longs rangs de perles de ma mère, qui prenaient des reflets roses à la lumière. Blindée par plusieurs rasades de Stoli glacé, j'attendis le coup de sonnette de Lucia. Elle arriva promptement, ténébreuse et sensuelle, avec sa grande bouche écarlate ; elle portait une robe noire en Spandex qui accentuait la rondeur de ses seins et de ses larges hanches, des bas résille et de gros escarpins noirs et vernis, comme Minnie.

Au moment de poser le pied sur ce yacht, j'aurais voulu faire demi-tour et redescendre la passerelle en courant. Le pont supérieur était entièrement vitré et ressemblait à une volière encombrée d'oiseaux rares. On largua les amarres ; Lucia et moi, nous nous dirigeâmes vers le bar. En chemin, elle croisa le cadre supérieur qu'elle connaissait de chez Slimbrand, en smoking, tandis que je dénichais un serveur chargé d'un plein plateau de coupes de champagne étincelantes. L'orchestre attaqua des succès de chez Motown. Incapable d'entendre un seul mot de ce que Lucia et son cadre se disaient, je sortis. Les fenêtres éclairées de Manhattan formaient un splendide halo dans le ciel indigo. Un homme grand, large d'épaules, apparut à côté de moi, coudes appuyés avec aisance au garde-fou. Ses cheveux blond foncé étaient coiffés en arrière depuis son large front. De petites lunettes miroitaient sur l'arête de son nez, au-dessus d'une bouche substantielle, ferme, et d'une mâchoire carrée. Dans son costume à fines rayures, il semblait d'une assurance parfaite, content de la place qu'il occupait sur cette terre.

— Spectaculaire, non ?

Je regardai par-dessus mon épaule pour voir à qui il s'adressait, et constatai que c'était moi.

— Saisissant. Je n'avais jamais bénéficié de ce point de vue.

— J'ai beau être né à Manhattan, je pense encore que c'est le plus beau « skyline » du monde.

13

— Et Singapour ? Je n'y suis jamais allée mais, sur Discovery Channel, c'est impressionnant.

— On ne peut pas comparer. Je m'y rends très souvent pour affaires. Alex Laughton...

Il me tendit la main et sourit. Il avait une poigne ferme et le regard franc. Ses dents étaient parfaites, aucune ne sortait du rang, et très blanches.

À l'intérieur, l'orchestre jouait *Respect*.

Je n'avais pas l'habitude de rencontrer des hommes comme lui. En fait, il y avait belle lurette que je n'avais plus de contacts avec la gent masculine. Je me rendais à des rendez-vous de substitution avec mon meilleur ami Branko, qui était aussi familier et prévisible que Noël.

— Céleste Miller, dis-je, en lui serrant la main.

Je portai la coupe à mes lèvres, mais elle était vide.

Un serveur passa avec un plateau de flûtes pétillantes, et Alex échangea vivement mon verre vide contre deux pleins. Un peu nerveuse, je me mis à bredouiller. Je déclarai que j'allais rarement à de telles soirées. Il me demanda ce que je faisais.

— J'enseigne la littérature anglaise à Columbia et j'y anime un atelier d'écriture. J'ai obtenu mon doctorat là-bas il y a quelques années. Aujourd'hui, je suis professeur auxiliaire. Une fois par semaine, je vais à Harlem initier les enfants d'une école publique à l'écriture. Mais, en fait, je suis écrivain.

— Qu'est-ce que vous écrivez ?

Ses lunettes captaient les lumières de la ville et miroitaient.

Lucia arriva, s'excusant de m'avoir abandonnée, et expliqua que son type de chez Slimbrand était intarissable. Il pensait lui confier une nouvelle campagne.

— Que dites-vous de ce slogan...

Elle le chanta gaiement, d'une voix aiguë :

— « Plastic c'est fantastique ! »... Ce sont les concurrents de Playtex... Des applicateurs en plastique.

— Lamentable, décréta Alex.

Il se présenta. Lucia le toisa et, me trouvant en bonne compagnie, retourna discuter affaires avec son cadre.

Je demandai ce qu'il faisait dans la vie.

— Je suis dans la banque… directeur général dans le groupe F & A chez Griffin Silverstein.

— F & A ?

— Fusions et acquisitions, dit-il vaguement.

Non qu'une explication plus détaillée m'eût aidée à éclaircir ce point. Il y eut un silence embarrassant.

— Ma mère est médecin pour Feed the Children. Elle travaille surtout en Afrique centrale. C'est un peu un boulot comme le vôtre, j'imagine.

— En gros, oui, répondis-je avec un rire ironique. Pour vous, cadres de Wall Street, Harlem c'est la jungle.

Il baissa les yeux, rougit, et hocha la tête en murmurant :

— Bien fait pour toi, Alex, espèce d'imbécile.

— Pardon, dis-je vivement. C'est seulement que… je n'ai jamais eu le moindre problème là-bas.

Après une pause, Alex demanda de nouveau :

— Qu'est-ce que vous écrivez ?

— Des nouvelles. Quelques-unes ont paru dans des revues. Des revues littéraires.

Je fus gênée d'avoir ajouté cela, comme si ce n'était pas assez, comme si je m'excusais.

— Je ne connais pas d'écrivain. Vous devez être calée pour enseigner à Columbia.

Je me gardai de signaler qu'écrire n'était pas une condition sine qua non pour enseigner, que l'université traitait ses professeurs auxiliaires comme des esclaves et que nous restions pourtant reconnaissants à l'administration de cet emploi. J'étais contente de l'avoir impressionné.

Alex m'apprit qu'il était enfant unique, que, sa mère et lui étant souvent en voyage, leurs routes se croisaient rarement ces derniers temps. Elle avait divorcé deux fois.

Quand elle était en Amérique, elle fondait sur la capitale comme la peste, râlant contre les horribles conditions de vie des masses prolétaires. Alex l'admirait. Il disait admirer les femmes ambitieuses et indépendantes – même si, politiquement parlant, sa mère et lui n'étaient pas du même bord.

— Je n'ai pas voté depuis Carter, fis-je.

Cela parut le chiffonner.

— C'est votre droit, votre droit constitutionnel, affirma-t-il en me regardant avec attention dans les yeux. C'est ce qui fait la grandeur de notre pays.

— Où vit votre père ? demandai-je, pour changer de sujet.

— Dans le New Jersey. Mais il pourrait tout aussi bien habiter l'Alaska. Il y a longtemps que je vole de mes propres ailes, ajouta-t-il sereinement.

— Moi de même.

Le yacht fit le tour de la statue de la Liberté, qui brillait comme une tour d'émeraude dans les eaux lisses et noires. Des feux d'artifice tombaient du ciel comme si des anges vidaient leurs coffres à trésors, et, au loin, Manhattan scintillait tels ces palais dans les livres de contes de fées que ma mère me lisait le soir.

Je faillis m'étrangler quand, juste au-dessus de nos têtes, une fusée éclata et siffla dangereusement en approchant du fleuve. Alex me pressa contre sa poitrine. Il avait une eau de toilette virile – épices et cuir. Je me sentais toute petite.

— Je t'ai remarquée tout de suite, me dit-il à l'oreille. Je te prenais pour une Européenne, une Française peut-être.

— Mais je suis à moitié française, dis-je, surprise.

Un serveur passa tout près, et Alex saisit encore deux flûtes de champagne. Nous portâmes un toast au 4 Juillet. Je serrai ma flûte, et, la tête dans un nuage, les larmes

menaçant de couler, j'enfouis mon visage dans ses pectoraux musclés avant de pousser un profond soupir.

— Pardon. Mon meilleur ami, Branko...

Ma voix mourut, les mots justes hors de ma portée.

Alex caressa mes cheveux et me garda contre lui, tandis
que les lumières de la ville défilaient. Je me sentais en
sécurité, comme lorsque ma mère m'emmenait sur la
grande roue et que nous hurlions dans la nuit, serrées
l'une contre l'autre.

Le serveur repassa, et ma main rafla un autre verre.

Nous avons dû parler et parler, mais ce que nous avons
dit alors m'échappe, perdu dans un tourbillon de champagne. Le temps fila, pareil à un rêve, et soudain le yacht
accosta. Les passagers commencèrent à sortir en titubant.
Alex me guida dans la foule, le long de la passerelle, et
jusque sur le trottoir noir et luisant. Lucia se tenait là et
nous regardait d'un air amusé.

Alex nous emmena d'urgence loin du quai, déclarant
qu'il serait impossible de trouver un taxi. En effet, les
invités se jetaient dans la rue en levant les bras en l'air. Je
me demandais s'il allait me proposer de prendre un verre,
d'aller chez lui. Je n'aurais pas dit non. Il nous fit marcher
encore un peu, puis s'avança sur la chaussée déserte et
siffla très fort. Comme à son commandement, un taxi vira
au coin et stoppa devant nous sur les chapeaux de roue.
Alex nous ouvrit la portière. J'hésitai, ne sachant que faire
ni que dire. J'étais certaine de ne jamais le revoir.

— ... Veux-tu me donner ton numéro ?

— Tu as un stylo ?

— J'ai une mémoire photographique pour les chiffres,
dit-il avec un sourire confiant.

Je fis ce qu'il me demandait. Il se pencha pour
m'embrasser lèvres ouvertes, nullement intimidé par le
regard curieux de Lucia. Un baiser passionné qui dura
plusieurs secondes. Il fit un pas en arrière – « Gare à la
robe ! » –, claqua la portière et appuya sa main contre la

vitre pendant quelques instants. Je vis sa silhouette diminuer et se fondre dans l'obscurité.

Lucia me traitait de trouillarde. Moi, je pensais que je n'entendrais plus jamais parler de lui.

Le lendemain matin, une douzaine de roses rouges arrivaient, accompagnées d'un mot : « De la part d'Alex Laughton. »

Il devait avoir cherché mon nom et l'initiale de mon prénom dans l'annuaire, puis le numéro correspondant à celui que je lui avais donné. Avec un patronyme aussi répandu que Miller, ce n'était pas un mince exploit à New York.

Je retournai me coucher, débranchant le téléphone comme toujours. À mon réveil, trois heures plus tard, le répondeur avait compté trois appels.

— J'aurais peut-être dû te dire que j'ai été marié, me déclara-t-il le lendemain soir, un vendredi, au dîner.

Il avait choisi une rôtisserie californienne dans l'Upper East Side. L'établissement était immense et brillamment éclairé par une rampe de spots. J'avais du mal à l'entendre dans le brouhaha des couverts et des voix.

— Tu as des enfants ?

La question évidente.

Il fit signe que non. Soulagée, j'espérai que mon visage ne me trahissait pas.

J'avais mis beaucoup de temps à me préparer. Alex ne savait pas combien de fois j'avais appelé Lucia, qui était partie en tournage. Elle avait fini par s'énerver et me conseiller de me ressaisir. Candace, mon ex-colocataire, me manquait cruellement. Dans le temps, Candace m'aurait déniché une robe. Elle aurait même été fichue de venir, si je n'avais pas été de taille à affronter toute seule ce rendez-vous. Dans l'austère chambre que nous avions autrefois partagée, je m'étais regardée rapidement dans la glace, m'attendant presque à la voir surgir par-derrière pour m'arranger les cheveux. « Où es-tu, merde ? » Une bouffée d'air conditionné passa au-dessus de moi tel un battement d'ailes, me faisant frissonner.

J'avais demandé à Alex de venir me chercher. J'avais peur de me rendre seule au restaurant, mais jamais je ne le lui aurais avoué. Je réalisai qu'il ne se doutait pas de ce à quoi il s'engageait. Il croyait que nous étions deux personnes normales partageant un bon repas. Je tendis la main vers ma vodka Gibson ; le délicat pied à facettes du verre reflétait la lumière comme un diamant quand on le faisait tourner. L'alcool crépita agréablement au fond de mon gosier, réchauffant ma poitrine et mon estomac. J'aurais voulu faire cul sec, mais m'en abstins. Qui savait quel genre de buveur était Alex, si même il commanderait un second cocktail, du vin, ou encore de l'eau plate ? Il me serait impossible de tenir tout le dîner à l'eau. Je résolus de commander du vin au verre.

Alex me racontait que son épouse avait été mannequin à mi-temps tout en tâchant de finir son droit à Fordham. Elle s'appelait Mimi.

— Que s'est-il passé ?

— Je me le demande encore. Ça n'a pas marché…

Depuis, il était devenu « monogame en série ».

— C'est mieux que polygame en série, observai-je en laissant échapper un rire.

Il parut déconcerté. Je me repris.

— Je souhaite me caser, dit-il, sérieux comme un pape. Je veux des enfants.

Je jetai un coup d'œil embarrassé à mon reflet dans la baie vitrée. J'avais l'air équilibrée et raisonnable, peut-être même belle à ses yeux, dans mon pull de coton vert clair et ma longue jupe. Une grande brune passa derrière moi dans le verre fumé de la fenêtre. Elle portait une robe émeraude, collante et sans manches. Ses membres étaient minces et tendus, et elle arborait des boucles d'oreilles en émeraude assorties à son foulard. C'était sans doute un mannequin. J'avais toujours désiré être plus grande, fine d'attaches, avoir les cheveux raides ; en fait, tout ce que je n'étais pas. Me tournant vers Alex, je me sentis fondre sous son regard.

Je pris une dernière gorgée de mon cocktail et embrochai le petit oignon avant de le fourrer dans ma bouche. J'avais encore soif. Alex avait fini son rhum-tonic. Il appela le serveur et commanda une bouteille de chardonnay californien. Merci, mon Dieu. Mon soulagement était tel que, sur le moment, j'en perdis le fil de la conversation.

Le vin couleur topaze arriva. On nous servit. Je fis mine d'attraper mon verre, mais le geste me sembla trop avide et je le reposai sans y avoir goûté.

Je lâchai étourdiment, la bouche sèche, que je n'avais aimé qu'une seule fois dans ma vie, que mon chagrin avait duré de longues années, et qu'avec cet individu j'avais perdu un morceau de moi-même que je n'avais jamais été capable de remplacer.

— Comment s'appelait-il ? demanda Alex, les extrémités des oreilles rougissant.

Comme il était lourd, le fardeau que je trimballais. J'ignorais si j'aurais l'énergie ou l'enthousiasme de tout recommencer. Je ne voulais pas en parler, et secouai la tête.

— Je vais prendre soin de toi…

Il tendit la main par-dessus la table et prit la mienne, m'invitant à dîner chez lui le samedi. Il ajouta qu'il m'appellerait quand il serait prêt à quitter son bureau.

— Tu travailles le samedi ?

— Pas toujours.

J'attendis auprès du téléphone jusqu'à ce qu'il appelle, à neuf heures du soir. Sa secrétaire, Lorraine, avait commandé un dîner pour deux, qui nous attendrait chez le concierge. J'imaginais que je passerais la nuit là-bas.

Son appartement était situé au trente-huitième étage d'un immeuble de l'Upper East Side, et la vaste cuisine d'un blanc étincelant donnait sur un salon-salle à manger si long et large qu'on aurait pu y installer un bowling. Les hautes fenêtres étaient orientées au sud-ouest, offrant une vue splendide sur l'horizon de Manhattan et Central Park. Un large balcon faisait tout le tour de l'appartement. Alex ouvrit une porte vitrée coulissante et sortit au-dehors. Je ne pouvais le suivre, c'était trop haut et j'avais un vertige terrible. Je restai à l'intérieur pour faire ma tournée d'inspection. Il y avait quelques gros livres d'art posés sur la table basse chinoise et un album traitant de l'histoire du tennis, mais c'était tout.

Il avait fait installer une rampe de spots au plafond, qui mettaient délicatement en valeur les tapis orientaux sur la moquette vert mousse, les tapisseries et rouleaux chinois aux murs, les meubles sombres en merisier, gravés de feuilles de bambou dorées et de dragons belliqueux. Les canapés, somptueux et confortables, étaient d'un vert plus soutenu que la moquette.

— Pas mal, lançai-je, croyant qu'il s'était fait aider par un décorateur.

— J'ai presque tout acheté à Hongkong…

Voyant que je ne le rejoignais pas à l'extérieur, il rentra et ferma la porte.

— … Mais c'est du vrai. Tout vient de Chine.

Un meuble de rangement noir, aux lignes pures, occupait tout le mur du fond, à l'intérieur duquel se trouvaient un téléviseur d'un noir satiné, un magnétoscope, une platine, un lecteur de disques compacts, une guitare électrique et un énorme ampli – ainsi que tout ce qui va avec ce genre d'équipement. Les télécommandes s'alignaient comme de petits cercueils sur la télévision. Chez moi, il n'y avait qu'un petit poste noir et blanc, pas le câble, ni le moindre petit cercueil.

— Tu joues de la guitare électrique ? demandai-je, surprise.

— Maintenant, plus tellement.

Lorraine, sa secrétaire, avait commandé une salade de crabe avec toutes sortes de légumes et crudités. Ne sachant s'il avait du vin chez lui, ou si sa secrétaire aurait eu le bon sens d'en commander quelques bouteilles, j'avais apporté un coûteux bordeaux blanc qui provenait des vignobles de ma grand-mère. En général, les Américains dédaignent les bordeaux blancs, mais ma grand-mère m'avait jadis appris que c'était l'un des meilleurs crus de France. J'espérais qu'Alex m'interrogerait sur mon choix, mais il se contenta de nous servir généreusement, sans un coup d'œil pour l'étiquette.

Dans son grand lit colonial, mes lèvres cherchèrent voracement sa grande bouche. Une bouche de rapace, de prédateur. Son corps était fort et lisse, et il était gracieux, sûr de lui. Un athlète. En fait, je venais d'apprendre qu'il avait été champion de tennis à Yale et à Choate, après avoir été un footballeur remarqué à l'école préparatoire.

Il aimait autant que moi embrasser, lécher, sucer. On se défendait pas mal ensemble. Et même fort bien. Il ne parlait pas, ne faisait pas de bruit. Aucun. Moi j'aimais m'extérioriser, particulièrement dans un appartement aussi grand et sûr, aux murs si épais qu'il n'y avait pas de voisin notable dans quelque direction que ce fût. Plusieurs heures s'écoulèrent, et toujours pas un mot, pas un son de sa part, sinon le sifflement de sa respiration, un tressaillement de son dos large.

Le samedi suivant, après le brunch, nous allâmes nous promener dans Columbus Avenue. Je fis halte devant un chausseur italien pour admirer les escarpins d'été.

— Tu serais craquante avec ces rouges, me dit Alex dans un murmure qui me fit frissonner de la gorge jusqu'à l'aine.

— Je n'ai jamais porté de souliers rouges.

Il me prit par le bras.

— Pourquoi ne pas les essayer ?

— Mais ce n'est pas dans mes moyens !

Dans la boutique, je remarquai que les femmes le regardaient. Il s'installa avec aisance dans un fauteuil et me demanda de parader devant lui avec les chaussures rouges.

— Je n'ai rien pour aller avec !

Il sortit de son portefeuille une carte Visa platine.

— On te trouvera quelque chose.

— Vous, vous avez déniché une perle, chuchota la vendeuse accroupie, en levant ses grands yeux sur moi.

II

Pour mon anniversaire, il prit son vendredi et son lundi, et nous nous envolâmes pour les Bermudes afin d'y passer un long week-end. En deux ans, Alex ne s'était pas accordé un seul jour de maladie ou de congé, et récemment on l'avait prié de profiter un peu des vacances qui lui étaient dues.

Dans notre spacieuse chambre du White Bone Beach Hotel, nous fûmes accueillis par les flashes rouges du bouton d'appel du téléphone.

— Merde.

Alex laissa tomber sa veste sport sur le lit et composa le numéro de son travail.

— Oui, George. La lettre est parvenue au conseil d'administration... quoi, mercredi ? Quel est le cours aujourd'hui ? Toujours vingt, et nous avons fait une offre d'achat à vingt-cinq...

J'allai ouvrir la fenêtre. À une trentaine de mètres se trouvaient une grande terrasse et une piscine en forme de haricot d'un bleu électrique ; un peu plus loin, des marches de pierre escarpées conduisaient à l'océan bleu-vert et à une plage d'un blanc de squelette. Le soleil tapait en dépit du vent, et il y avait encore des parasols et des chaises de plage, ainsi que des gens qui nageaient dans le ressac bouillonnant. Un bar au toit de chaume pourvoyait aux besoins des clients qui bronzaient dans les chaises longues.

— Appelle l'avocat de la compagnie, demande s'ils ont reçu notre lettre. Demande s'il y a une réponse.

J'attendis un peu, mais Alex avait envoyé promener ses mocassins et s'était allongé sur le lit. Il n'avait pas du tout l'air prêt à lâcher le téléphone. J'ouvris mon sac, sortis mon maillot de bain et le second volume d'*À la recherche du temps perdu*, de Marcel Proust – une agréable lecture de vacances, me semblait-il alors. J'avais secrètement espéré impressionner Alex non seulement par ma perspicacité intellectuelle mais aussi par mes dons linguistiques. Je me changeai sur place, dans l'espoir de le distraire. C'est à peine s'il jeta un coup d'œil dans ma direction.

— Dis-leur que nous sommes prêts à sortir un communiqué de presse. Nous nous battrons. Nous allons faire passer une foutue annonce dans le *Wall Street Journal* pour leur forcer la main ! On va les tenir par les couilles !

Une fois en maillot de bain, mon peignoir noué sur les hanches, ma lotion solaire et divers objets indispensables dans mon sac de plage neuf, je lui fis signe que je partais. Il leva un index en l'air. Voulait-il que j'attende ? J'attendis.

— Appelle-les, George, et découvre ce qu'ils ont à dire. J'attendrai ici. Tu me rappelles après et on prendra une décision à ce moment-là. Quoi d'autre ?

Quinze minutes plus tard, comme il était toujours au téléphone, je sortis, refermant la porte un peu plus violemment que nécessaire.

Sur la plage, il y avait un très gentil serveur qui portait une veste sport bleue sur une chemise blanche et un nœud papillon, un bermuda à rayures bleues et blanches, des chaussettes noires qui montaient jusqu'aux genoux et des souliers vernis. Il avait l'air d'être sorti de chez lui le matin même en oubliant son pantalon. Chaque fois qu'il apparaissait avec son plateau et un piña colada frais pour moi, j'avais envie de rire. Au bout d'un moment, ma colère disparut complètement.

Le soleil rasait l'horizon quand Alex se pointa dans son long caleçon de bain noir. Il avait quelques centimètres de graisse autour de la taille, mais il était magnifique à voir. Avec son léger bronzage de l'été, ses gros biceps et ses pectoraux, son fessier moulé et ses jambes musclées, il faisait tourner les têtes féminines. Quand il s'assit au bord de ma chaise longue, je glissai la main dans un pan de son caleçon. Il m'attrapa le poignet et me repoussa.

— Arrête. On pourrait nous voir.

— Est-ce que tu vas t'excuser d'avoir gâché la journée ?

— Tu en as bu combien ?

Il désignait mon verre vide.

— Seulement deux.

Ah ! La *Recherche* de Proust était près de moi ; je ne l'avais pas ouverte. De nombreuses années de pratique m'avaient appris à éviter de mal articuler et à contrôler mes muscles, de sorte que la plupart des gens ne se rendaient compte de rien.

— C'est un bon livre ?

— Génial ! dis-je avec conviction.

Quand mon ami le serveur fut de retour, Alex commanda deux piña colada.

— Alors, George a-t-il résolu ce qu'il était censé résoudre ?

— Non. Ils ne savent rien faire sans moi, je te jure.

Après un silence, il ajouta :

— Demain, je joue au golf. Je voulais faire de la plongée sous-marine, mais il paraît que le poisson a fui le coin.

— Comme tu veux, dis-je, lugubre. Moi je resterai ici avec notre gentil serveur qui a oublié de mettre son pantalon ce matin.

Alex ne rit pas. Nos piña colada arrivèrent.

— Alex, qu'est-ce qu'il y a ?

— Rien. Je ne suis pas habitué à être en vacances, c'est tout.

Nous bûmes nos piña colada, puis deux de plus.

Plus tard, en me changeant pour dîner, je compris pourquoi Alex n'avait pas ri. Lui aussi portait un bermuda, et lui aussi avait l'air d'avoir oublié son pantalon.

— Où as-tu acheté ça ? dis-je en retenant un fou rire.

— La dernière fois que je suis venu ici.

— C'était quand ?

Il hésita.

— Ma lune de miel.

— Putain, Alex, on n'aurait pas pu aller ailleurs ?

— Ce n'était pas le même hôtel, fit-il en ajustant son faux col. Et arrête de jurer comme un charretier.

— Oh, excuse-moi. Toi tu peux jurer à ta guise au téléphone avec George, mais moi je ne peux pas dire « Putain » dans ma propre chambre d'hôtel ?

— C'est différent. C'est le boulot.

Ce devait être le début d'une longue nuit.

Après le dîner, il me donna un petit écrin noir qui contenait une paire de cabochons en rubis.

— C'est superbe, Alex. Comme tu as bon goût…

— J'ai envoyé Lorraine chez Tiffany à l'heure du déjeuner. Elle adore ce genre de commission.

Je compris que cette secrétaire était certainement celle qui avait recherché mon numéro de téléphone dans l'annuaire afin de trouver mon adresse et de m'envoyer une douzaine de roses à longues tiges. Cela ne me plaisait pas trop, mais je crus plus prudent de me taire. Et je pris un nouveau digestif.

Bien plus tard, nous nous retrouvâmes dans la discothèque, ouverte à tout vent sur la plage, sous un toit de chaume. Une grosse boule argentée suspendue à la poutre maîtresse arrosait la piste de danse déserte de petits ronds lumineux. Il devait être deux ou trois heures du matin ; nous étions les derniers clients, et la barmaid australienne, une blonde qui était également ivre, nous racontait des blagues. Soudain, la musique s'arrêta et la lumière revint ; dans l'éclat cru des projecteurs, la piste jonchée de mégots, les cendriers pleins, les verres vides, les taches poisseuses offraient un spectacle lamentable. Alex m'entraîna par le bras sur le sentier qui menait à la terrasse et à la piscine.

— Oh, Alex, si on plongeait tout nus ! Il n'y a personne.

Alex regarda autour de lui.

— Non.

— Rabat-joie, dis-je, et je me dégageai sèchement.

Je sautai dans le grand bain tout habillée. Le monde semblait si calme et si paisible au fond que j'envisageai d'y rester. Je me demandai si Alex allait plonger pour me sauver. Quand mes poumons commencèrent à réclamer de l'oxygène, la panique me força à refaire surface. J'agrippai le rebord du bassin, haletante. Alex était parti.

Je me revois très vaguement, plusieurs heures plus tard, debout sous une douche tiède, les bras tendus contre les carreaux pour me retenir ; puis Alex surgit derrière moi, nu et le sexe bandé. Il me soulève et me retourne, se fraie un chemin en moi en me cognant le dos et la tête contre le mur. Après nous sommes par terre, humides ; ensuite je me retrouve plaquée sur le lit, à plat ventre, tandis qu'il se tient debout derrière moi.

Le lendemain, j'étais aussi courbatue qu'après un rodéo.

— Je trouve que nous avons un mode de communication formidable, dis-je en examinant ma figure enflée dans la glace.

Il était prostré sur le lit, un oreiller sur la tête.

Quelques semaines plus tard, début novembre, nous regardions un film au lit, tard dans la nuit : *A Kiss before Dying* ; Robert Wagner s'apprêtait à pousser sa fiancée enceinte du toit d'un bâtiment public.

— Tu trouves pas ça incroyable ? dit Alex. Elle ignore tout du type qu'elle aime !

— Eh oui !

Nus, nous avions repêché un drap pour nous y entortiller. Tout l'appartement était imprégné de son odeur, cette eau de toilette virile. Oreillers, draps, torchons, et maintenant même moi.

Les barquettes du traiteur chinois étaient posées sur un plateau, sur la table de chevet, et nos vêtements éparpillés un peu partout. Alex venait de rentrer du bureau, et moi j'étais arrivée directement du bar où Lucia et moi avions passé plusieurs heures.

— Comment se fait-il que tu ne dises jamais rien, que tu ne fasses aucun bruit, quand on baise ?

— Parle autrement. Tu m'énerves.

— D'accord : quand tu me tringles. Comment se fait-il que tu ne dises jamais rien ?

Maintenant, il était fâché ; sa figure était congestionnée et une ride barrait son front. Je lui donnai une tape sur le bras.

— Allez, rigole !

Peut-être que Lucia et moi avions abusé du cognac. Je prenais des risques.

— Ça remonte à mes années d'internat à Choate,

répondit-il en remuant, mal à l'aise. On apprend la discrétion.

Je ris, pensant au jeune Alex Laughton interrompu dans son coït à Choate.

— Ah ! Tu faisais donc des cochonneries avec les autres garçons...

— Écoute, je n'aime pas quand tu parles ainsi...

— Pardon.

— Et si tu venais habiter ici ? Je te trouverais là à mon retour. Tu n'aurais pas à traverser la ville tard le soir.

Je déglutis et repris ma respiration.

— Si tôt ?

— Pourquoi pas ? C'est tellement mieux chez moi, fit-il en toute simplicité.

Alex n'aurait jamais passé la nuit chez moi. C'était trop petit, et trop « bohème ».

— Je peux arranger cet appartement. Et pourquoi payer deux loyers ? Je ferais fabriquer une bibliothèque pour tes centaines de livres. Avec une niche au milieu pour ton bureau. On transformera la chambre d'ami en un bureau sympa. Tes étagères en planches et en parpaings, ça fait étudiante, Céleste.

C'était à mon tour d'être fâchée. Quelle importance, si je ne pouvais pas m'offrir des étagères sur mesure ? Je faisais ce que je voulais de ma vie.

— C'est un peu rapide pour moi. Tu me prends de court.

Un voile de politesse tomba sur ses yeux. Il s'écarta et conserva entre nous un espace de trente centimètres jusqu'à la fin du film. Je pris peur.

— J'ai besoin d'un peu de temps.

Comme le générique défilait, j'ajoutai :

— Mieux vaut peut-être que je rentre chez moi.

— Comme tu veux, dit-il, d'une voix indifférente que je ne reconnaissais pas.

Je pris mon temps pour chercher ma veste, et lui donner

la possibilité de me retenir, de me prendre dans ses bras, mais il n'en fit rien.

Même chez moi, son odeur persistait. Elle imprégnait mes gants de toilette, mes oreillers. Excédée, je me ruai dans le couloir et frappai chez Lucia. Elle était en chemise de nuit. La lumière dans son dos éclairait l'étoffe en coton, exposant les formes sombres de ses cuisses larges, de ses gros seins ronds.

— Hello, dit-elle d'une voix lugubre. Qu'est-ce qu'il y a ?

— J'ai envie de prendre un verre.

— D'accord, je m'habille.

Au bar, assise à la place que j'avais quittée quelques heures plus tôt seulement, le courage me revint. Je réchauffai un cognac Martell, tournant le verre ballon dans ma paume, admirant la flamme ambrée. Dès la première gorgée, la brûlure familière se fraya un chemin depuis ma gorge jusqu'à l'œsophage, toucha mon estomac, puis une sensation de grâce souffla sur moi. Bon débarras. De toute façon, nous n'étions pas du même monde.

— Et si on restait jusqu'à la fermeture ? proposai-je à Lucia.

— Qu'y a-t-il, Céleste ? Qu'est-ce qui t'arrive ?

— Rien. J'en ai marre de lui. C'est un pisse-froid.

— Ça, on ne peut pas en dire autant de Sammy, fit-elle, avec le plus grand sérieux.

Entre minuit, heure où j'avais quitté Alex, et dix heures et demie du matin, heure de mon retour, mon répondeur avait noté dix appels. À onze heures, Alex laissa enfin un message. Allongée dans mon lit, je l'écoutai parler. Une image transperça la douleur et le brouillard : je dansais

31

au son du juke-box, plaquée contre un sculptural Porto-ricain, au milieu d'un tourbillon de lumières. Ayant passé les mains sous mon chemisier, il était sur le point de dégrafer mon soutien-gorge, quand Lucia m'avait saisie par le bras et entraînée à l'extérieur.

Je tournai vivement le dos à ce souvenir et tirai l'oreiller par-dessus ma tête.

— Céleste ? Rappelle-moi dès que tu peux… Écoute, je t'aime. J'espère que tu n'en doutes pas. N'oublie pas, c'est ce soir la fête en l'honneur du directeur général de la Chemical Bank.

Mon cerveau tambourinait contre les parois de mon crâne, cherchant à sortir.

À quatre heures, j'étais capable d'élaborer une pensée cohérente, et cette pensée fut celle-ci : on ne se conduit pas ainsi à mon âge. Je le rappelai.

Dix minutes plus tard, le téléphone sonnait de nouveau, mais je ne décrochai pas. *Hello, c'est Esteban, on s'est rencontrés cette nuit*, déclara une voix grave et râpeuse. Mon cœur me battait dans la gorge. Comment avait-il eu mon numéro ? Par moi ?

J'effaçai son message aussitôt.

Pour l'occasion, Alex m'avait acheté une robe en velours noir, moulante, à décolleté tulipe, assortie à un sac du soir et des escarpins. J'arborais les rangs de perles de ma mère à reflet rose et des boucles d'oreilles anciennes. Nous étions assis à une table ronde en compagnie de huit couples que je n'avais jamais rencontrés mais qu'Alex connaissait à travers son travail.

Je me contentais de me taire et de sourire à en avoir mal aux oreilles, sûre ainsi que personne ne pourrait démas-quer l'imposteur que j'étais. Heureusement, les serveurs nous servaient très libéralement du vin.

Mon voisin de gauche voulut savoir comment j'avais

connu Alex. Je lui rapportai la romantique histoire de la croisière sur le yacht. Il acquiesça d'un air approbateur. Sa femme se pencha pour me signaler avec une mine de conspiratrice qu'Alex était l'un des « meilleurs partis » de New York. Elle-même et son époux s'étaient efforcés de le caser depuis des années afin de le calmer. Son mari approuva. « Il travaille sept jours sur sept, dit-il avec un sourire apitoyé. Soixante, quatre-vingts heures par semaine sans problème. Nous, les types mariés et pères de famille, on le déteste ! »

Après le steak au poivre, pendant le champagne et les profiteroles, on nous projeta une vidéo sur la vie et l'œuvre de M. John Fairfax, Jr., directeur général de la Chemical Bank. Il était très généreux avec les musées et avait donné plusieurs millions de dollars au Metropolitan Museum of Art.

— Le Metropolitan Museum ! grommelai-je à l'oreille d'Alex. Merde, j'en connais des endroits où cet argent serait vraiment utile. Le programme pour lequel je travaille à Harlem, par exemple ! Et si on créait une fondation pour envoyer ces gosses à l'université ? Le Met... et puis quoi encore ?

— Chut ! fit Alex. (Ses verres de lunettes miroitaient à la lueur des chandelles. Je ne voyais pas ses yeux.) Les musées aussi ont besoin d'argent.

— Mieux vaut laisser les pauvres dans leurs ghettos, hein ?

— Arrête, Céleste. Ne t'en prends pas à moi. Je donne plein d'argent à Feed the Children. (Sa mâchoire se contractait. Je voyais bien que la tension montait.) Tu parles comme une communiste.

— Mais je suis communiste ! dis-je avec conviction.

Je n'avais jamais beaucoup réfléchi à la politique mais, à cet instant, je me sentais vraiment dans la peau d'une communiste. Le couple auquel j'avais adressé la parole baissa les yeux, gêné. Alex se mit à rire, un gloussement discret, houleux, que je trouvai très attirant. Il me pinça le genou sous la table, et je poussai un petit cri qui fit pivoter quelques têtes.

Je pris l'habitude de rester chez lui le matin, préparant mes cours, tâchant de me faire aux lieux. Il y avait dans le living un placard juste à côté du conduit du vide-ordures, et chaque sac qui tombait faisait le bruit d'un corps s'écrasant depuis l'étage supérieur.

Une nuit, m'étant réveillée en sueur d'un cauchemar, je m'assis dans la pénombre du salon et comptai les lumières rouges pour me calmer : le micro-ondes, le magnéto-scope, le décodeur, les petits points rouges du mixer élec-trique fixé au mur de la cuisine, le témoin rectangulaire du répondeur, et l'horloge de la machine à café. J'ouvris le réfrigérateur. Une bouteille de Moët-et-Chandon, une bouteille d'Évian, et d'antiques ailes de poulet rôti dans une barquette en plastique de traiteur-livreur. C'était comme si cet endroit avait été inhabité.

Je tombais sur les vestiges de son ancienne épouse, Mimi, dans les coins reculés de l'appartement. Il y avait des bâtons de rouge à lèvres et un petit miroir pour dame, avec au dos un motif floral, au fond du tiroir d'une coif-feuse ancienne qui avait appartenu à la grand-mère d'Alex. Je trouvai un minitaille-crayon à yeux ainsi que des échantillons de parfum – « Poison », justement – dans son armoire à pharmacie.

Un jour qu'il était au travail, mon épaule heurta un grand cadre en plastique rectangulaire accroché dans la salle de bains. Le cadre se cassa, et une petite liasse de photos s'échappa derrière celle où l'on voyait Alex et sa mère jouer au tennis dans un club. C'étaient des nus de Mimi. Sur l'une, elle posait, cambrée et montrant les dents, léonine, ses cheveux blonds démêlés et son eye-liner noir s'achevant en virgule aux coins de ses yeux bleu clair. Sa peau était pâle et son corps semblable à un roseau, ses seins avaient la taille idéale, de quoi remplir la main d'un homme. Comment Alex avait-il pu aimer quelqu'un d'aussi différent de moi ? Et pourquoi avait-il conservé ces photos ?

Peu de temps après, nous allâmes danser un samedi soir avec un ami d'Alex, un membre de son équipe de tennis à la fac. Dix ans plus tard, le type était toujours béat d'admiration pour lui et se collait à ses jambes comme une espèce de gros chien. Il avait de l'ecstasy et nous en offrit. J'attendis de voir la réaction d'Alex. Il avala la petite pilule blanche sans boire ni réfléchir. La mienne passa plus facilement avec une tequila.

Alex dansa merveilleusement, avec souplesse et grâce, parfaitement en rythme. Il bougeait à peine, mais ses mouvements étaient coulants, coordonnés. Sur la piste aussi, les gens s'écartaient devant lui.

En rentrant, je planais tellement que je ne pus dormir, même après avoir fait deux fois l'amour, et allumai Disco-very Channel pour regarder une émission sur les cachalots. Le monde me paraissait grandiose et magnifique.

— Bon d'accord, je m'installe chez toi. Mais ça t'embê-terait qu'on remplisse le frigo avec de la vraie nourriture ?

— Tu sais que je finis tard presque tous les soirs, dit-il d'une voix égale. Et il y a des impondérables. Parfois mon patron m'invite à jouer au golf ou à dîner.

— Le jour où j'aurai fait du veau Marengo, tu auras intérêt à rentrer à la maison ! répliquai-je en riant.

Il ne rit pas, et je lui flanquai une bourrade dans le bras.

— Je ne plaisante pas, Céleste.

— Détends-toi, veux-tu ? Merde, pourquoi me

35

demander de m'installer chez toi, si tu n'en as pas réellement envie ?

— Ne jure pas comme ça, ça m'ennuie. J'en ai envie, mais je veux que tu saches à quoi t'attendre.

— Je sais à quoi m'attendre, bordel !

— Qu'est-ce que tu peux être grossière, parfois…

— Grossière ? Grossière ? Va te faire foutre. Je viens de te dire que je m'installais chez toi. Ce n'est pas ce que tu voulais ? Décide-toi, imbécile !

J'attrapai mes vêtements à terre et me rhabillai.

Son concierge m'adressa un petit sourire narquois en me voyant tituber à travers le hall et déboucher dans la rue. Un taxi klaxonna.

D'habitude, Alex appelait toutes les heures, et si le répondeur était branché il raccrochait. Mais, ce jour-là, je ne reçus aucun appel. Une fois, je soulevai l'écouteur pour vérifier que j'avais bien raccroché. La nuit venue, mon anxiété avait largement augmenté, et j'arpentais mon appartement de long en large.

Quelqu'un frappa à la porte. Croyant que c'était Lucia, j'ouvris. C'était Ethel, la vieille dame sourde qui habitait à côté.

Le jour où, sept ans plus tôt, Candace et moi avions emménagé, Ethel avait ouvert sa porte, jeté un coup d'œil à l'extérieur, et dit : « Je suis en train de mourir du cancer, sinon je vous aurais aidées. » Croulant sous nos cartons, nous regardions fixement cette vieille femme ratatinée. La figure de Candace se marbra de rouge, comme chaque fois qu'elle s'efforçait de maîtriser ses émotions.

— Oh, pardon… désolée, dit-elle.

Et elle s'engouffra dans l'appartement, avec moi sur ses talons.

La porte refermée, elle se couvrit la bouche et se tint le

nez pour étouffer un fou rire nerveux, avant de glisser par terre en collant le dos au mur.

— Quelle horreur… Je ne devrais pas rire, mais franchement…

À présent, les serres de la vieille dame s'agrippaient au chambranle, tandis que son pied enflé glissait sur le seuil. Des odeurs de vodka rance et de bombe anticafards lui collaient à la peau. Elle me regarda avec colère, la figure toute crispée d'indignation.

— Quelle pitié, Céline, gazouilla-t-elle. Voilà trois semaines aujourd'hui que mon fils ne m'a pas téléphoné.

Son problème était toujours cataclysmique, et ce n'était jamais sa faute. Souvent, elle avait le delirium tremens. « J'ai un cratère au plafond et l'eau coule sur le parquet ! Ça grouille de rats ! On nous laisse vivre comme des nègres, ici ! »

Une fois, elle appela les pompiers en pleine nuit, et dans leur zèle ils arrachèrent la porte de ses gonds. De temps en temps, elle était à court de vodka, ce qui était présentement son souci.

— Céline… Ils m'ont encore coupé le téléphone. Ce soir, je reçois du monde. Vous voulez bien appeler le caviste ? Commandez-lui une bouteille de vodka. Smirnoff. Ce genre-là.

Comme je téléphonais, j'envisageai d'acheter une bouteille de Stoli pour moi et Lucia, avant de me souvenir avec un frisson de l'haleine d'Ethel.

Le jeune couple d'Allemands à l'étage se mit à se battre.

Je contemplai mon living encombré, le canapé futon déplié, les moutons dans les coins, les fenêtres sales, mes factures en souffrance. Nul message ne clignotait sur mon répondeur, car dernièrement j'avais négligé mes amis et ma famille. Au fond se dressait ma bibliothèque montée sur parpaings, si bourrée de livres que j'avais commencé à en entasser par terre. J'avais conservé tous les livres lus, même s'il en manquait quelques-uns prêtés par moi et jamais rendus. Jadis, quand je songeais à l'avenir, j'imaginais que j'aurais du succès, que je serais mariée et à l'abri. En me regardant dans le miroir minable pendu à la porte, je me demandai ce qui avait bien pu se passer. Qu'avais-je fait de mon temps ?

Alex avait promis de me fabriquer une bibliothèque qui occuperait tout un mur.

Lucia va bientôt rentrer, me disais-je. N'angoisse pas.

La pièce s'obscurcissait, le radiateur sifflait et cognait. Il y avait un grillage sur la fenêtre donnant sur l'échelle d'incendie, et la lumière de la rue projetait des formes en losange sur le sol. Ethel regardait *Live at Five*, et les voix superenthousiastes de nouveaux présentateurs filtraient à travers le mur. Je me souvins que j'avais toujours une bouteille de Stoli au freezer. J'allai me servir un petit verre, et pris une longue gorgée glaciale, sirupeuse.

Ça va mieux.

Et après ?

À l'époque où je terminais mon doctorat de littérature comparée à Columbia, j'avais trouvé un travail à temps partiel comme opératrice de saisie dans de grands cabinets d'avocats, la nuit. Mon père, lui-même homme de loi, me fit remarquer un jour en pouffant, frappé par l'ironie de la chose :

— Dire que tu as tout fait pour t'écarter du barreau, et te voilà secrétaire dans un cabinet !

Je le toisai avec calme, tandis que mon cœur battait à tout rompre.

— Tu ressembles tant à ta mère, parfois, que tu me fais peur, avoua-t-il en regardant ailleurs d'un air coupable. Tu sais, je suis prêt à te payer ton droit. Tu n'as qu'à te décider.

Il avait dit cela avec magnanimité, et, sur le coup, je faillis disjoncter en réalisant que je n'aimais pas du tout l'homme qui m'avait donné ses gènes. Puis il hocha la tête, comme si l'affaire le dépassait totalement. Mon œsophage brûlait de rage comme après une soupe chaude trop vite avalée.

Dieu merci, ta mère t'a laissé de l'argent, me répétais-je à moi-même, alors que la vieille, l'innommable peur resserrait son emprise. Elle m'avait désignée comme légataire universelle de la grosse police d'assurance qui m'aidait à vivre depuis plus de dix ans, mais l'argent commençait à manquer.

Tu pourras toujours vendre sa bague avec l'émeraude. Tu peux toujours vendre ses perles.

Et ensuite ? Dans quelques mois, j'aurais trente ans.

Pendant de longues années, j'avais enseigné à Columbia tout en compilant des notes pour ma thèse sur les œuvres de deux rescapés des camps de concentration – Primo Levi, qui refusa de périr à Auschwitz, et Varlam Chalamov, qui survécut au camp sibérien de Kolyma créé sous Staline. J'avais souvent envisagé de tout quitter, de prendre un travail à plein temps, mais ces deux écrivains m'en avaient empêché. Si deux aussi grands auteurs avaient pu résister aux pires conditions de vie que le monde peut offrir, en gardant intacte leur âme – *et en nous donnant des livres aussi beaux* –, qui étais-je pour renoncer ? Je n'étais qu'une petite fille riche trop gâtée qui n'avait jamais eu à se battre dans la vie. Quel droit avais-je de renoncer ?

Ils avaient décrit la brutalité et la mort, mais aussi les dons improbables de la vie – un buisson épineux chargé de baies ridées, gelées, que Varlam Chalamov avait cueillies de ses doigts tremblants dans une aride étendue de neige ; un tuyau d'où s'échappaient des gouttelettes d'eau pure et que Primo Levi avait découvert quand, tout autour de lui, les gens mouraient de soif. Parfois, ces dons provenaient des actes de générosité d'autres détenus, gestes imprudents qui leur coûtaient la vie. Dans un tel désert, certains jours la moindre lueur de dignité humaine les avait maintenus en vie, et ils avaient, selon moi, le mieux dépeint les ténèbres en décrivant ces lueurs-là.

Je m'étais mise à écrire bien des lettres à Primo Levi dans mon italien rudimentaire, mais elles me semblaient si banales et si peu convaincantes que je ne les avais jamais envoyées. Je ne pouvais pas écrire à Varlam Chalamov car il n'aurait pas pu recevoir mes lettres. Il fut interné à Moscou, dans un asile de fous, jusqu'à sa mort en 1982. Cinq ans plus tard, en avril, Primo Levi mourait.

Durant des années, le journal télévisé m'avait fait trembler : enfants des ghettos brûlés vifs dans des immeubles en flammes transformés en souricières ; enfants violés par leur propre père, blessés par les cigarettes de leur mère. À la mort de Primo Levi, je cessai de suivre les infos pour chercher à enseigner comme bénévole dans un quartier défavorisé. Après avoir bataillé contre la bureaucratie pendant huit mois, l'opportunité d'enseigner à Harlem m'échut par hasard. Je travaillais là-bas depuis maintenant trois semestres, et j'en étais plus fière que de n'importe quoi. Mais aujourd'hui, rien de tout cela, pas même les gamins aux visages ouverts, et à la poésie si fraîche et magnifique, ne pouvait m'apporter la paix, car, une fois de plus, la peur avait refermé sur ma gorge ses mains griffues.

Je songeai à l'appartement chaud, clair, ensoleillé d'Alex, où rien ne fuyait jamais et où les parquets étaient bien droits. Il vivait dans un monde où les déserts n'existent pas, où la souffrance et la peur ne sont que des obstacles à surmonter, comme on corrige une myopie avec une jolie paire de lunettes.

Sa vie se poursuivrait sans moi, à peine perturbée ; New York regorgeait de femmes qui ne seraient que trop heureuses de prendre ma place. Fureur et jalousie me retournaient l'estomac, ma bouche était sèche, mes genoux engourdis.

Il faisait presque nuit et Lucia n'était toujours pas rentrée.

Je me rappelai ce qu'elle avait dit l'hiver dernier, dans un moment de cafard carabiné :

— J'ai déjà trente-trois ans. Je vis dans cette turne depuis dix ans ! Je ne veux pas être encore là à quarante ans, à me bagarrer avec cet ivrogne de gardien pour ce foutu chauffage !

Je retournai me servir une autre bonne rasade. Les heures s'écoulèrent. À dix heures, j'entendis les nouvelles depuis l'appartement d'Ethel. Il m'était impossible d'affronter les heures noires avant l'aube. Aucune quantité de Stoli ne pouvait plus calmer mes peurs. D'une main tremblante, je cherchai le téléphone.

— Allô ? dit Alex.

Il y avait une pointe d'anxiété dans sa voix, et je sus que tout allait s'arranger.

J'étais groggy, abrutie de soulagement. Soudain il n'y avait plus de peur, plus de trou noir, et je ne me rappelais plus la cause de notre dispute. Devant moi, je ne voyais rien, sinon une croisière tranquille sous un ciel d'azur.

Je fis la connaissance d'Aurelia, la mère d'Alex, le soir de la Saint-Sylvestre. Nous étions allés à une soirée sur la 5ᵉ Avenue dans l'appartement d'un riche cousin par alliance, qui avait récemment vendu son magazine économique à un conglomérat pour une somme astronomique. Son épouse avait décoré le vaste living avec une collection d'œuvres d'artistes célèbres – Magritte, Calder, Duchamp. Derrière les tableaux, les murs étaient rouge foncé. Les divans et fauteuils robustes, tapissés d'un tissu d'un vert luxuriant à fleurs rouges. De longs rideaux vert sombre en velours, frappés de fleurs de lis dorées, formaient des drapés de chaque côté des grandes fenêtres qui révélaient une vue splendide sur le Met et le parc. Il n'y avait pas un seul livre dans tout l'appartement, mais du Dom-Pérignon à volonté. Je me tenais avec Aurelia à une fenêtre, à commenter la vue, tout en me retenant subrepticement aux épais rideaux pour conserver mon équilibre sur mes hauts talons. Aurelia portait une veste à paillettes vert et bleu sur un pull à col roulé noir et un pantalon amincissant assorti. La lumière des spots ricochait sur ces paillettes, faisant danser de petites taches bleues et vertes sur son visage et son cou.

Soudain, elle déclara :

— Alex est fou de vous. Il était si seul. Avec ses horaires, il n'a pas souvent l'occasion de sortir. Un vrai bourreau de travail, comme sa mère... (Elle sourit.) Préparez-vous à une surprise...

Sur ce, Alex fendit la foule et marcha vers nous d'un air très déterminé. Me prenant par le bras, il m'entraîna vers la fenêtre, derrière les tentures. Il avait programmé son arrivée pour qu'il ne restât plus que trois minutes avant le compte à rebours. Il m'embrassa avec conviction tout en glissant la main dans son veston pour en retirer un petit écrin de velours. L'écrin resta dans ma main, un coin s'enfonçant dans ma paume pendant qu'Alex me tenait serrée contre lui. Quand il me relâcha, je découvris un gros solitaire rond qui jetait ses feux contre le fond de velours noir. *Oh, posséder de telles choses*, me souffla mon cerveau.

— Épouse-moi, me souffla Alex à l'oreille. Je te cherchais depuis si longtemps.

— Là aussi, c'est ta secrétaire qui a choisi ? lui demandai-je en souriant pour montrer que je plaisantais.

Je ne pouvais pas résister.

— En fait, elle m'a accompagné. Dis oui, Céleste.

— Quel âge a cette Lorraine, au fait ?

— Elle est grand-mère, fit-il, esquissant un sourire.

Je devinais la présence de sa mère derrière les rideaux ; elle semblait retenir son souffle.

— Oui, dis-je, totalement submergée.

Mon cerveau disait : *Pourquoi moi ? Pourquoi moi ?* Tandis que la foule commençait à compter les secondes en hurlant, il m'embrassa encore, sans attendre minuit. Quand nous émergeâmes de notre cachette, nous étions fiancés. Alex rayonnait.

— Il voulait vous faire une surprise, mais je lui ai dit de ne pas braquer les projecteurs sur vous, déclara Aurelia avec un sourire radieux.

Ses yeux bleu foncé étaient insondables.

Début février, quelques jours après l'annonce de nos fiançailles dans le *Times*, le téléphone sonna à huit heures quinze du matin. Alex était parti travailler quelques heures plus tôt. Je dormais comme une bûche.

— Ici Mimi… vous êtes qui ?

Après avoir raccroché, j'ai songé à des réponses coupantes, comme : « C'est Alex. J'ai oublié de te dire… j'ai changé de sexe. » Mais sur le coup, j'étais si stupéfaite que je répondis simplement :

— Céleste.

— Ah…

D'une voix pointue, essoufflée, elle entreprit de m'expliquer qu'elle voulait venir chercher ses guirlandes lumineuses de Noël.

— C'est pas déjà passé, Noël ? dis-je, l'esprit embrouillé.

— C'est pour une fête, chérie. Mais je ne peux pas monter à l'appartement parce que j'ai un ordre de protection contre Alex.

Un ordre de protection ? Que me chantait-elle ?

Je marmonnai que je laisserais les guirlandes au concierge.

Je les mis dans un sac en plastique, avec tous les

sous-produits féminins que j'avais trouvés sur place depuis mon emménagement, deux mois plus tôt.

Ayant repris mes esprits, j'appelai Alex au travail.

— C'est quoi, ce foutu ordre de protection contre toi ?

— Je n'aime pas quand tu jures, Céleste.

— Dis-moi ce qui se passe, merde !

Il poussa un profond soupir.

— Ce n'est rien. Quand nous avons rompu, j'étais tellement en rogne que j'ai fait un trou dans le mur. Ce n'est rien. Elle a dramatisé.

— D'accord, dis-je, peu convaincue. Mais tu aurais pu m'en parler. Je n'avais pas besoin de l'apprendre par elle.

— Elle est toujours nerveuse, fit-il, comme si ça expliquait tout.

III

La deuxième semaine d'avril, il fit si chaud qu'on battit les records. La plupart du temps, je restais dans la fraîcheur et le silence de l'appartement, à regarder le monde suer derrière les doubles vitrages. En face, entre deux buildings, il y avait un petit jardin public avec quelques bancs où des hommes d'affaires venaient déjeuner en bras de chemise. Je me demandais ce que chacun d'eux faisait pour gagner sa vie, et s'il était heureux.

Le vendredi soir, Alex me conduisit dans sa BMW, un reluisant tank noir, chez mon père et Anna, qui habitaient dans le Connecticut. C'était une voiture de grande personne, et, calée contre ces sièges châtains de cuir souple, je me sentais comme une petite fille. J'avoue avoir apprécié l'air impressionné d'Anna, qui agitait la main à la porte d'entrée, quand l'automobile stoppa en faisant crépiter le gravier.

Ma belle-mère fut enthousiasmée par ma « prise ». Elle qui avait toujours su avec certitude que je ne saurais jamais me débrouiller. Voilà des jours qu'elle me tannait au téléphone, prétendant qu'il était temps de faire les retouches à ma robe de mariée, même si les noces étaient prévues dans deux mois et demi. Elle semblait estimer que si les invitations étaient postées, la robe achetée et le vin commandé, les chances que l'événement ait lieu en seraient grandement accrues.

Leur grande maison à bardeaux se dressait sur une colline surplombant le détroit de Long Island. On nous servit des cocktails et un en-cas tardif sur la large véranda, face aux eaux lumineuses. De l'autre côté du bras de mer, les lumières de la rive nord de Long Island clignotaient. Après cette journée étouffante, une agréable brise s'était levée, et chacun était rafraîchi et détendu.

— Ma parole, jamais je n'avais vu un mois d'avril pareil... et toi, chéri ? demanda Anna à mon père.

Il parut méditer cette question, comme s'il avait été de la plus haute importance de fournir une réponse précise et définitive. Telle était son habitude dans toutes les conversations, une habitude certainement contractée au cours d'une carrière d'avocat qui avait duré plus de trente années. Enfin, il secoua la tête et affirma que non, jamais il n'avait vu un pareil mois d'avril.

— Je me demande ce que cela présage pour juillet, poursuivit Anna, soucieuse.

Déjà, elle imaginait mon mariage sous la pluie. La cérémonie se déroulerait dans le jardin, puis tout le monde se retrouverait au cercle de voile pour la réception.

Le samedi matin, Anna me conduisit chez sa couturière. La robe était une antiquité, un fourreau de dentelle coquille d'œuf qui moulait mon corps par-dessus une combinaison en soie. Anna l'avait repérée chez un antiquaire et m'avait immédiatement contactée. Alex n'était pas enchanté par l'idée, mais Anna avait vu juste. Elle avait insisté pour que je laisse la robe dans le Connecticut afin de faire procéder aux retouches, se figurant sans doute que je ne m'en serais occupée moi-même à New York qu'à la dernière minute, et encore.

Debout derrière moi, Anna surveillait les opérations dans la glace tandis que la couturière piquait ici et là des épingles. Perchée sur un escabeau, face à mon reflet, je contemplais pour ma part la jolie mariée dans ce grand miroir. Elle avait l'air parfaitement équilibrée et raisonnable, et j'avais l'impression de suivre le film d'une autre vie. En fait, une étrange et cuisante sensation d'embarras m'accablait.

— Les perles de ta mère seront divines avec cette robe, disait Anna. Si j'étais toi, chérie, j'irais avec un petit bout d'étoffe dans l'une de ces boutiques spécialisées dans la teinture des escarpins de satin, et je serais parée. Que dirais-tu d'un voile ?

— Pas question.

— Mais c'est indispensable !

Elle s'était jetée dans les préparatifs de ce mariage avec la même passion qu'elle avait manifestée autrefois pour la contraception, le droit à l'avortement et le golf. Elle n'avait pas d'enfant.

— Mais quelle tête de mule ! s'exclama-t-elle, croisant les bras et rejetant la tête en arrière. Quand tu avais… dix ans, je crois, je t'ai emmenée à Central Park, au manège. Tu es montée là-haut, et je t'ai attendue. Qu'est-ce que j'ai attendu ! Tu ne voulais plus redescendre ! Tu te souviens ? Et comme tu as braillé quand je m'en suis mêlée ! Même à l'époque, tu ne voulais jamais m'écouter… Bon, puisque tu ne veux pas de voile, n'en parlons plus. Que dirais-tu d'un petit diadème en fleurs ?

Je la regardai dans le miroir, déconcertée. Je ne me rappelais pas être jamais allée au manège avec elle. Je me souvenais vaguement de la présence de ma mère, et du manège, mais pas d'Anna. Curieusement, cette pensée me fit frissonner.

47

— Je ne suis jamais allée au manège avec toi, dis-je d'une voix guindée qui sortait de la jolie mariée équilibrée dans le miroir, et que je ne reconnus pas. Anna fronça les sourcils, le sourire figé.

— Qu'est-ce que tu racontes, Céleste ? Bien sûr que si.

Le lendemain matin, je fus réveillée en sursaut, dans la chambre où j'avais dormi pendant la moitié de ma vie, par le cri des mouettes et le vrombissement des tondeuses à gazon. Toujours hantée par le manège de Central Park. Aucune réminiscence du jour dont parlait Anna ne me revint. Je revoyais bien d'autres journées de cette époque, mais les images étaient un peu floues.

Qui étais-je, alors ? Quels étaient mes espoirs et mes craintes ?

Ces murs ne pouvaient me le dire, car, après ma deuxième année de fac, j'avais entièrement débarrassé étagères et placards dans un moment de grande résolution. Une fois pour toutes, je voulais enterrer la puérile et vulnérable Céleste que je n'avais jamais beaucoup appréciée. Sans cérémonie, j'avais tout mis dans des cartons que j'avais flanqués au grenier. Et maintenant que je tâchais de me représenter à l'âge de dix ou douze ans, je n'avais pas le moindre souvenir des livres que j'avais lus, des jouets qui m'avaient plu, des habits que j'avais portés.

Alex se retourna et me chercha, ouvrant les yeux. Je baisai son épaule.

— Où tu vas ? me demanda-t-il en se redressant, passant la main dans ses beaux cheveux blond foncé.

— Au grenier.

— Pour quoi faire ?

— Je ne sais pas. Je reviens.

Là-haut, tout était tranquille, confiné. Le soleil matinal pénétrait par les lucarnes en rayons obliques qu'on aurait dit opaques et tangibles. Des grains de poussière dansaient dans la lumière. Les cartons ne furent pas difficiles à dénicher. Ils étaient exactement là où je les avais laissés.

En ouvrant le premier, je tombai sur mon gros album de contes de fées relié ; les frères Grimm, Andersen, *Ma Mère l'Oye*. Dessous, il y avait les *Fables* de La Fontaine, et toutes les éditions françaises de *Tintin* et d'*Astérix le Gaulois*, spécialement commandées par ma maman française qui redoutait que je grandisse trop comme une Américaine ; puis mes *Bobbsey Twins* et mes *Nancy Drew*. Je ne me rappelais pas une seule intrigue des *Nancy Drew*, seulement de vagues images de maisons hantées. Dans un autre carton s'entassaient mes poupées et mes ours. Ils avaient l'air tristes, serrés les uns contre les autres et suffoquant dans le noir. Je les sortis et fis une tentative dénuée d'enthousiasme pour lisser ces fourrures, ces cheveux, ces vêtements.

Dans une autre boîte, je découvris mes posters : personnages du *Seigneur des anneaux* ; un Cat Stevens pieds nus ; une Carly Simon en minijupe et une Carole King frisottée. Soigneusement pliés, il y avait mes jeans taille basse à pattes d'éléphant, mes T-shirts en batik et mes perles indiennes. J'exhumai la vieille sacoche kaki de l'armée qui me servait de cartable, brodée de papillons, de fleurs et d'un énorme insigne de la paix. Au fond, je trouvai ma robe du bal de promotion, une robe longue en tulle bleu pâle sous plastique, avec le petit bouquet de roses blanches et de gaillets que m'avait donné mon chevalier servant, Sebastian MacKenna. Près de la robe, il y avait un grand coffret à bijoux offert par ma mère et qui, une fois ouvert, jouait un petit air tandis qu'une minuscule ballerine virevoltait devant le miroir. La petite serrure avait depuis longtemps perdu sa clé. Je fis jouer le couvercle, mais la ballerine ne dansait plus. Ce coffret était plein de lettres de Sebastian, glissées dans leurs enveloppes et retenues par un ruban.

Dessous étaient rangées celles de son frère, Nathan.

— Tu prends racine ?

Alex se tenait dans un fuseau de lumière. Je refermai discrètement la boîte.

— Pardon. Je pensais à tout ça. Ça faisait des années que je n'étais pas allée voir.

— Le mariage rend nostalgique.

Il s'accroupit et posa la main sur mon épaule. Son regard tomba sur les T-shirts en batik éparpillés.

— Ah, ces looks... Ma mère voulait m'acheter des boots comme les Beatles, mais j'ai préféré des mocassins, pour ressembler à papa. Conformiste à douze ans.

Il contempla le carton de livres.

— Tu devrais les garder. Un jour, tu pourras les lire à nos enfants et dire : « Autrefois, c'étaient les miens. »

Des enfants ! Quelle idée. Niaisement, je souris.

Alex fouilla au fond du carton et, tel un tricheur, sa main repêcha un volume qui n'y était pas un instant plus tôt : le *Sandpiper* 1977, le bottin du lycée. Comment pouvais-je ne pas l'avoir vu ? Je lui arrachai le solide album relié de toile bleu marine et le plaquai contre ma poitrine.

— Hé, laisse-moi voir ta photo !

Une courte lutte s'ensuivit, et un cadre en carton à doublure dorée glissa à l'extérieur. Dans le nuage de poussière soulevé par notre chahut, je vis Alex le ramasser et déplier la photo d'école qui représentait Sally Newlyn, Sebastian MacKenna et moi-même.

Sebastian se tenait au milieu, l'air d'un homme d'affaires responsable avec son costume et son feutre gris. À son bras droit, Sally, la peau d'un blanc laiteux contre le velours cramoisi de sa longue robe qui lui allait parfaitement. C'était l'ancienne robe de bal de promotion de sa mère, conservée dans un placard pendant plus de vingt ans. Au-dessus de son oreille, épinglé à une barrette, le petit bouquet de roses rouges que Sebastian lui avait donné dépassait. De beaux cheveux noirs et raides tombaient sur ses épaules. Son visage ovale, révélant de toutes petites éphélides brunes sur le nez et les joues, est radieux, son sourire immense, au bord du fou rire. Je suis à l'autre bras de Sebastian, souriant avec coquetterie pour l'appareil photo dans ma robe bleu pâle, submergée par ces falbalas, mes roses blanches épinglées au-dessus du sein. Ma coiffure à la Farrah Fawcett ressemble à un palmier, avec ses blondes frondaisons qui retombent en dégradés autour de mon visage.

— Vous étiez sortis tous les trois ensemble ?

— Oui. Une semaine avant la fin des cours, Sally était encore à l'hôpital… toutes les filles avaient déjà un cavalier.

Des images de cette soirée m'envahirent : la piste de danse bondée, la bouteille de vodka dans le sac à main de Sally, le tourbillon des lumières quand nous dansions à trois, sauf pour les slows, que Sally et moi dansions à tour de rôle avec Sebastian. Vivement, j'ajoutai :

— On a bien rigolé. Jusqu'au moment où les footballeurs ont arraché les urinoirs dans les toilettes des garçons et où on nous a tous virés du country club.

— C'est qui, le croque-mort ?

— Sebastian MacKenna. Aux dernières nouvelles, il était pilote dans la marine de guerre. Il s'est engagé après l'université. Son père travaillait pour Exxon. Sa famille a déménagé. Ça leur arrivait souvent.

Nous sommes restés assis, en silence, pendant que la poussière retombait autour de nous. Une affreuse anxiété m'étreignit le cœur. L'album était posé sur mes genoux. Je l'ouvris à la première page.

SALLY NEWLYN, JUIN 1977.

— Ce n'est pas le tien, dit pensivement Alex, en désignant l'inscription.

— Si, forcément, répondis-je, avant de réaliser avec un frisson que Sebastian et moi avions acheté un seul bottin, comme un acte de foi et un gage d'attachement éternel. À la fin de l'année, il l'avait gardé. C'était inconcevable que j'aie pu embarquer celui de Sally par erreur.

L'année suivante, quand j'étais rentrée de la fac à Noël, Mme Newlyn avait téléphoné pour m'informer que sa fille était retournée à l'hôpital. On avait dû lui mettre la camisole de force parce qu'elle s'arrachait les cheveux et boxait les murs, criait qu'elle avait laissé son album chez moi et qu'il fallait absolument le récupérer. Sur ce point, le médecin avait été catégorique : il fallait le retrouver.

Mme Newlyn avait retourné sa maison de fond en comble et me demandait de chercher dans la mienne. Il y avait une certaine froideur dans sa voix qui datait de la première crise de Sally. J'avais l'impression qu'elle m'en voulait, ou du moins qu'elle aurait préféré que ce malheur tombe sur moi plutôt que sur sa gentille petite fille. J'avais cherché partout ce bottin, mais en vain.

— Ce n'est pas possible, dis-je à Alex, en haussant le ton. Il n'était pas là. Je sais qu'il n'était pas là.

Il me regarda étrangement.

— Tu as dû le ranger machinalement. Où est le drame ?

— Non !

Tandis que je demeurais là, frappée de stupeur, Alex reprit l'album et commença à tourner silencieusement les pages. Il tomba sur une belle photo de Sebastian, grand, cheveux filasse, dans sa tenue de base-ball, en position sur le diamant, la batte brandie par-dessus son épaule. En travers de ses jambes légèrement fléchies sous l'uniforme blanc, il avait marqué de son écriture penchée de gaucher : « Chère Sally – je sais que cette année a été dure pour toi, mais n'oublie pas que nous t'aimons pour toujours. »

Toutes les dédicaces se ressemblaient : « Chère Sally, tu es la plus gentille, la plus adorable des filles, et j'espère que dorénavant tout ira bien pour toi. » « Chère Sally, tu te rappelles quand tu as couru le mile en 5 min 12 s ? C'était super. » Plus loin, une photo pleine page représentait notre plage locale, grise dans la lumière de l'hiver, et la mer presque noire. Très haut, les mouettes planaient, « V » blancs sur fond de ciel foncé. Sur cette photo, l'équipe éditoriale avait reproduit un poème que j'avais écrit au cours de l'année pour le *Sandpiper Press*. Ça parlait d'une fille qui marche seule sur une plage, l'hiver, regardant l'océan houleux et cherchant à l'imaginer par un jour d'été.

— C'est un joli poème, dit Alex.

Dessous, j'avais écrit : « Ma chère Sally, je suis sûre que tout va s'arranger pour toi, aussi ne t'en fais pas. Tu peux compter sur moi. N'oublie pas : *"Winter, spring, summer or fall/ all you got to do is call/ and I'll be there/yes I will/you got a friend"*, Carole King. » Cela me semblait idiot, aujourd'hui, d'attribuer ces vers à Carole King, comme si le monde entier avait pu m'accuser de plagiat.

Alex feuilleta le volume dans l'autre sens, revenant aux portraits des terminales. Il cherchait dans les N. À la place de Sally, il y avait un carré blanc. Elle avait fait son autoportrait : une tête hérissée de baguettes, des yeux énormes, globuleux et barrés d'une croix, et un zéro transpercé d'un trait au milieu du front. Elle signait ses billets et ses lettres par ce symbole. J'avais trouvé cela chic et profond de sa part. Sous le cadre vide, la légende disait : Sally Newlyn, championne d'athlétisme, la plus populaire. Indisponible pour les photographes.

— Elle était absente quand on a pris ces photos. Un

truc au cerveau… Elle a passé presque toute la seconde moitié de sa terminale à faire des aller et retour à l'hôpital.

— Tu veux dire qu'elle était folle ?

J'ai regardé Alex, son beau visage, si limpide dans sa compréhension des choses, comme s'il avait roulé tel un torrent de montagne sur toutes les embûches de la vie. Nos enfances n'étaient pas sans ressemblances – il avait eu une belle-mère ; j'avais eu une belle-mère. Sur le plan matériel, nous n'avions jamais manqué de rien. À dix-sept ans, on nous avait offert une voiture, et que sais-je encore. Mais lui, il n'avait jamais perdu un être cher, et ça, à mon avis, ça faisait une grande différence dans notre perception du monde.

Je réfléchis. Les médecins avaient collé des étiquettes sur la maladie de Sally, et ces étiquettes changeaient, de même que son traitement. Au début, c'était « déséquilibre », et on l'avait mise sous lithium. Comme ça ne marchait pas, ils avaient parlé de « dépression chronique » et lui avaient donné un genre de remontant. Finalement, rien ne semblant agir, ils l'avaient qualifiée de « schizophrène », lui prescrivant de nouvelles drogues qui la faisaient grossir et la rendaient léthargique. Chez nous, on ne se complaisait pas dans le malheur. Elle était malade – c'était un fait, mais ses parents, nos professeurs et nos amis se comportaient comme si elle souffrait d'un mal rare mais guérissable. Nous avions tous peur du mot « fou ».

C'était, me rappelai-je avec un frisson, le mot que mon père jetait à ma mère dans ses crises de rage : *Sale garce ! Tu es folle, Nathalie, tu t'en rends compte ?*

Traiter quelqu'un de fou, c'était comme le traiter de drogué, de tapette ou de putain.

— Oui, je crois qu'elle était folle, dis-je, en me sentant coupable, car je me souvenais qu'au milieu de ses accès de désespoir et de démence elle disait les choses les plus géniales, inspirées et inattendues.

Elle avait prédit mon avenir avec une précision qui, aujourd'hui, me semblait renversante.

— Qu'est-elle devenue ? demanda Alex.

Je ne lui avais jamais parlé de Sally, ni de cette période de ma vie. Comme je réfléchissais à ce que j'allais bien pouvoir dire, toutes sortes d'images me revinrent à toute allure et me coupèrent le souffle.

— Elle s'est tuée, fis-je, sur un ton qui se voulait neutre. Elle a sauté d'un pont à New Haven et atterri sur l'autoroute.

— Quelle horreur de faire ça.

— Non. (Je sentis que je devais la défendre.) Elle a fait ce qu'elle croyait juste. Je trouve qu'il faut du courage.

— Sur l'autoroute... Merde.

Je n'appartenais à aucune église. Je n'étais pas baptisée. Mais, après avoir appris pour Sally, je m'étais rendue dans une église catholique pour allumer des cierges et prier Dieu à genoux. « S'il vous plaît, si Vous existez, laissez-la entrer au paradis. » Il me semblait scandaleux, horriblement injuste, qu'elle puisse endurer le purgatoire pour l'éternité après avoir tant souffert dans sa vie.

— Je ne sais pas. Peut-être que ce n'était pas prémédité de sa part. Peut-être qu'elle se baladait tout simplement et puis...

— Personne ne se balade pour le plaisir au-dessus d'une autoroute.

— Qu'est-ce que tu veux dire, Alex ? demandai-je sur ce ton menaçant qui lui faisait toujours peur.

Il me regarda comme si j'étais au bord de la crise de nerfs. Quand je sentais venir les larmes, j'allais m'enfermer en courant dans la salle de bains. Après, je le retrouvais assis sur le canapé, lisant son journal comme si de rien n'était. Je ne pouvais pas supporter qu'il me voie dans cet état. Je voulais changer. En fait, je voulais devenir comme lui – sereine, rationnelle, objective. Il ne m'avait jamais vue pleurer.

— Pardon, dit-il.

Ses yeux étaient sombres et brillants, et j'ai pensé que peut-être il comprenait, que peut-être il n'avait pas été entièrement épargné par les vraies souffrances. Nous sommes restés longtemps assis, immobiles.

Jusqu'à la fin de la journée, des images de Sally, de ma mère, de Sebastian et de son frère Nathan se présentèrent à ma mémoire, comme lorsque de vieux amis qu'on n'a pas vraiment envie de voir débarquent à l'improviste, et qu'on se terre chez soi, feignant de n'être pas là. Mais ils revinrent à la charge, surtout cette nuit-là dans l'appartement, alors que je cherchais le sommeil. Sur ce sujet, aucun mot n'avait plus été plus prononcé, et pourtant Alex et moi avions fait l'amour presque violemment, balançant draps et couvertures par terre. À présent, il dormait comme une bûche. Au bout d'un moment, je me levai discrètement pour gagner la cuisine, me souvenant qu'il y avait encore une demi-bouteille de vin blanc dans la porte du frigo. Je me servis un verre à ras bord et allai m'asseoir dans le living, devant une fenêtre, pour tâcher de faire la paix avec ceux que je croyais avoir oubliés depuis longtemps.

IV

Les critiques de ma Française de mère sur l'Amérique avaient débuté comme une plaisanterie entre nous, « pour rompre le silence », disait-elle, de notre grande maison. Quand j'avais huit ans, un brin de colère et de déception avait infiltré sa bonne humeur, et mon père, qui passait de longues heures à travailler à New York, et qui était silencieux et distrait à la maison, se mit à s'éloigner de plus en plus de nous. Un jour, il prit un studio en ville et commença à ne rentrer que durant les week-ends. Il s'enfermait alors dans son bureau pour n'apparaître qu'aux repas, moments sûrs et ritualisés où Mathilde, la cuisinière française, apparaissait avec ses plateaux pour nous servir, et où ma mère n'aurait jamais crié, car elle considérait qu'il n'était pas *comme il faut* de mêler le personnel aux conflits familiaux.

J'avais dix ans à l'époque ; mon frère Jack, treize. Jack se fichait complètement de nous et ne rentrait que pour se changer et dormir. Ma mère avait perdu toute autorité sur lui, abandonné tout espoir. Elle parlait sans arrêt de m'emmener en Europe en laissant mon frère et mon père.

— C'est quoi un pays où il n'y a que le sport qui compte ? disait-elle avec son fort accent français. Le ballon est l'unique religion des Américains. Ils ne savent pas communiquer autrement. Ils préfèrent s'asseoir en rang d'oignons pour ne pas avoir à se regarder dans les yeux, et se flanquer de grandes claques dans le dos...

« Ton frère est déjà formé, comme ton père : il n'y en a que pour les filles, les voitures et le jeu, le jeu, le jeu ! J'ai rencontré ton père sur une piste de ski à Grenoble. Ah, j'étais si jeune et belle. Tout le monde rêvait de l'Amérique. Dieu que j'étais bête ! Et lui, il était si beau avec ses dents blanches d'Américain. Vois comme ses gènes sont costauds. De vous deux, il n'y a que toi qui me ressembles un peu.

Je suis allée me resservir dans la cuisine. La bouteille était presque vide ; je l'ai terminée. Puis je l'ai cachée au fond de la poubelle, sous des sacs en plastique, me demandant si Alex remarquerait quelque chose. En retournant m'asseoir dans mon fauteuil, j'ai aperçu mon reflet dans la vitre noire. Avec cette chemise de nuit pâle, mes cheveux ébouriffés, mon verre de vin à la main, je ressemblais tant à ma mère que je suis restée figée devant cette apparition.

Je me suis assise et j'ai fermé très fort les yeux, luttant contre les larmes.

Ma mère arpente la cuisine dans son peignoir bleu pâle taché, des épingles de sûreté de toutes tailles fixées aux revers. Ses cheveux forment une tignasse de boucles épaisses, couleur d'un champ fraîchement labouré. Les doigts du soleil passent à travers la jungle qui pousse devant la grande fenêtre et se réfractent dans les glaçons de sa boisson ambrée. Moi, au milieu de la pièce, perchée sur mon haut tabouret, devant le billot de boucher, je l'observe. Le cendrier déborde.

Sa voix me chuchote :

— Tu n'es pas encore trop vieille pour t'ouvrir l'esprit. Écoute, si tu ne veux pas devenir une athlète, je leur dirai d'aller au diable. Je te signerai un mot d'excuse pour le cours de gymnastique. Ce monde est trop petit. Rien n'existe pour eux au-delà de ces murs !

Déjà, j'avais compris que ma mère était atrocement malheureuse, que mon père ne l'aimait pas comme elle l'aurait voulu, qu'elle n'avait pas d'amis dignes de ce nom dans notre quartier. Elle était malheureuse, et personne d'autre ne semblait l'être ou, en tout cas, ça ne se voyait pas. J'ai commencé à me sentir gênée à l'école, au milieu de ces enfants sains, heureux, qui s'étaient si facilement intégrés et paraissaient n'éprouver aucun doute. Et Sally Newlyn, athlète et championne de course, qui portait les couleurs de l'école et allait aux fêtes de Halloween telle la statue de la Liberté, était l'enfant que je détestais et enviais le plus.

Je suivais ma mère dans la maison l'après-midi. Elle traînait de pièce en pièce, le verre toujours à la main, inspectant les choses, tableaux, vases, cendriers, de très près, puis se reculant pour les contempler à distance, en clignant des yeux.

— Tout ça... (Elle fit un large geste, une cigarette se consumant entre ses doigts tachés, les cendres tombant sur le tapis clair.) Tout ça, c'est du vent. N'oublie pas ce que je te dis, Céleste. Ah, rentrons en France. Je veux rentrer.

Mais ça ne devait jamais se produire. Elle fulminait impitoyablement contre sa propre mère qui trônait « tel le rocher de Gibraltar » dans son château près de Bordeaux.

— Cette vieille crèvera sans m'avoir revue.

Elle s'était attiré les foudres du « Rocher » en épousant mon père, « un vulgaire Américain ». Peu importait à ma grand-mère si les aïeux de papa avaient fait partie des premiers colons : par nature, tous les Américains étaient de la racaille. Ma mère et moi avions tâté le terrain lors d'un séjour de deux semaines à Bordeaux l'été précédent, et cela s'était soldé par un désastre. Pour ma mère, l'idée de rentrer au domicile maternel représentait un échec, et donc lui répugnait. Elle n'avait jamais travaillé, c'était impensable, et son projet d'aller avec moi en Italie, à Florence, Venise, Rome, devait donc rester un vœu pieux.

Printemps. J'aime marcher sous la pluie, entre l'arrêt du bus et la maison, le long de notre barrière, entendre les gouttes crépiter sur les feuilles vertes et fraîches du jardin. J'ouvre la porte de la cuisine. Dans la maison, tout est éteint. J'appelle ma mère et j'entends ma petite voix résonner à travers ces vastes pièces. Il est arrivé quelque chose. J'ai peur de monter. Je déambule, allumant toutes les lampes, jusqu'à ce que le rez-de-chaussée entier resplendisse de lumière.

Mon père rentra de New York inchangé, apparemment semblable à lui-même, mais fatigué. Il ne me regarda pas dans les yeux ; je pensai que je lui rappelais peut-être des choses qu'il aurait préféré oublier.

— Où est maman ? demandai-je à cet étranger, en le fusillant du regard.

— Ta maman était faible du cœur. Elle a eu une crise cardiaque. Mais ne t'inquiète pas, elle n'a pas souffert. Elle est tout simplement montée au ciel pour rendre visite à Dieu.

Il y eut des obsèques, bien sûr. Nos voisins et amis furent épatés par notre courage, la volonté de notre famille d'aller de l'avant. Quelques jours plus tard, à l'école, je me tenais près de mon casier, à rire coquettement d'un truc qu'un garçon mignon avait dit, quand Sally s'avança vers moi dans son impeccable jupe plissée (elle portait dessous un short pour se prémunir précisément contre ce genre de garçons excités) et me dit, d'une petite voix scandalisée :

— Tu ne devrais pas rire comme ça… qu'est-ce qui te prend ? Il n'y a pas une semaine qu'on enterrait ta mère.

— Va te faire voir, répliquai-je, et je la toisai froidement tandis que son visage virait à l'écarlate.

Puis elle tourna les talons et repartit au pas de charge en faisant la moue.

Mon père avait dû abandonner son studio, car maintenant il rentrait tous les soirs. Je me mis à arroser la jungle de ma mère, et à observer cet homme en silence.

Incapable de nous témoigner de l'affection, il décida de nous enseigner une certaine discipline. Il déclara à mon frère et à moi qu'il comptait sur certains changements. Dîner à sept heures tapantes.

Tel était le nouveau refrain :

— Comment s'est passée ta journée, Céleste ? me demandait-il au moment du repas, en regardant l'assiette que Paloma, notre nouvelle gouvernante, avait déposée devant lui.

Mathilde nous avait quittés, tout de suite après ma mère.

Il avait pris un martini ou un whisky, et une bouteille de vin français était posée sur la table. Ma mère avait fait collection de vins rouges, et mon père semblait résolu à vider sa vaste cave le plus vite possible. Nous avions droit à quelques gouttes dans notre verre d'eau. J'essayais toujours d'en avoir davantage, principalement parce que c'était défendu, et parce que j'aimais la couleur et la magie secrète de cet élixir rubis qui rendait mon père chaleureux et tendre envers le monde.

— Eh bien, Céleste ?

— Ça va, papa. Tout va bien.

— Et toi, jeune homme ? demandait-il à Jack.

— Ça baigne...

Et, pour contenter mon père, Jack ajoutait une information sur le football ou sur un nouvel organisme qu'il avait étudié au microscope en sciences naturelles.

— Formidable, disait mon père, en opinant avec soulagement, et il se mettait à manger.

Au bout d'un moment, il se détendait, ses rides devenaient moins marquées, moins agressives. Comme par magie, la lueur vague et froide disparaissait de ses yeux. Il parlait de son cabinet d'avocat en des termes qui m'évoquaient les mathématiques, matière que j'avais déjà commencé à négliger.

Une à une, les plantes de ma mère se racornirent. Il n'y avait rien à faire.

Un mois passa ; j'eus un accident à bicyclette et me cassai la jambe. Un jour, une grande dame blonde et mince apparut dans ma chambre et s'assit pour me lire un *Nancy Drew*.

— Qui êtes-vous ?

— Mme Smith. Mais tu peux m'appeler Anna.

— Vous vous y connaissez en plantes, madame Smith ?

— Anna. Un peu, pourquoi ?

Elle me sourit, sa curiosité piquée.

— Toutes les plantes de ma mère dans la cuisine sont en train de mourir.

— Je vais voir.

Elle tapota mon plâtre, se leva, lissa sa jupe et s'en alla. Quelques instants plus tard, elle était de retour, cette fois avec un grand verre givré qui sentait le Schweppes au citron.

— Tu les as trop arrosées... Tu veux que je te lise une histoire ? J'espère que nous allons devenir amies, toi et moi.

Elle me lut un *Nancy Drew* en entier. Cela dura toute la journée. De temps en temps, elle s'écriait gaiement : « Récréation ! » et descendait remplir son verre.

Bientôt, les plantes ressuscitèrent. Elle remplaça même celles qui étaient mortes. Mais la cuisine avait perdu son air de jungle ; elle ressemblait plutôt à un jardin anglais, avec ses plantes en fleurs soigneusement arrangées, et qui étaient autant de variations sur la même couleur.

Avant la fin de l'année, mon père l'avait épousée.

Ma mère m'avait dit un jour, alors que j'étais confrontée à un prof de maths particulièrement tyrannique, qu'il valait mieux flatter ceux qui ont le pouvoir de gouverner notre vie. Quand Anna emménagea chez nous, je fis l'impossible pour gagner sa confiance. J'en vins rapidement à compter sur elle pour contourner les menus obstacles de la vie quotidienne, comme devoir racheter des chaussures, retrouver un livre de classe, ou faire mes devoirs à la maison. Mais nous ne sommes pas devenues amies.

Apparemment, ma mère n'avait pas donné à Jack le même conseil, car, à compter du moment où Anna eut franchi le seuil de notre maison dans son tailleur blanc de mariée, avec son bibi orné de pâquerettes, ce fut la guerre.

J'en vins à la voir comme une délicate reine de contes de fées, retranchée derrière les murs d'une forteresse magique. Elle semblait épier le monde à travers des meurtrières, d'où elle décochait des flèches empoisonnées sur ses ennemis. Elle croyait jouir d'une vue panoramique du monde depuis son château, et personne n'aurait pu la détromper.

Jack s'engouffra dans la cuisine à l'heure du dîner comme une tornade noire, crasseux du foot, et alla droit au frigo. J'étais assise derrière le billot de boucher, à lire mes *Tintin* pour la millième fois. Je le vis boire directement au carton de lait. Ses doigts imprimèrent des traînées noires sur la surface blanche. J'en restai bouche bée, car la saleté contrariait Anna plus que tout. Il n'était manifestement pas pressé, espérant sans doute que sa belle-mère allait entrer et le prendre sur le fait. Comme elle ne venait pas, il remit la brique vide dans le frigo et entreprit de se préparer un sandwich, déchirant les films en plastique de la viande froide et les abandonnant sur la paillasse avec les pots de mayonnaise et de moutarde ouverts. C'est alors qu'Anna poussa la porte battante, provoquant un courant d'air, un grand verre où tintaient des glaçons à la main.

— Oh, le macho ! Je suis aux anges, *Jacques*, d'observer tant de grâce et de charme ! s'exclama-t-elle.

Et Jack, qui ne détestait rien moins que d'être appelé par le nom français qui parait son acte de naissance, rota, sourit et sortit avec son sandwich, laissant des taches de saleté et de graisse sur la porte, et un sillage de jambon et de mayonnaise au sol.

Je la vis tendre le bras vers le freezer et en sortir la bouteille de gin avec un théâtral moulinet du bras. Elle en versa une bonne dose dans son verre. Plusieurs glaçons suivirent avec un « floc » sonore.

— Dieu sait que j'ai essayé, marmonna-t-elle, repoussant ses cheveux du plat de sa main tremblante, et s'envoyant de l'autre une bonne gorgée de gin.

Un an après, Jack prit l'habitude de boire de la tequila au goulot dans le living, en la défiant du regard. Il laissait des étuis de préservatifs vides dans le cendrier de la voiture. Anna se plaignit à mon père, qui se contenta de rire en disant que les garçons seront toujours les mêmes. Tandis que l'esprit de rébellion s'accentuait chez Jack – il quitta l'équipe de football et se mit à sécher les cours –, le ton d'Anna devenait de plus en plus mielleux, voire exubérant. Moi, en tant que spectatrice, je me demandais s'il aurait tenu pour une victoire qu'elle pleure ou tente de le frapper. Mais elle continuait à faire comme si ce n'était pas la guerre, tout en lui décochant des flèches emmiellées.

J'étais calme, réservée, et je n'avais que peu d'amis. À l'école, je traînais avec nos correspondants français et les précoces « contestataires » qui, à douze ans, chantaient des chansons incendiaires sur le Vietnam. Je n'excellais qu'en langues et en littérature. Quand Sally – la chouchoute de tous – me voyait arriver dans le couloir, elle faisait un demi-cercle pour m'éviter et passait le nez en l'air. Ses parents avaient un drapeau américain sur l'antenne de leur break. J'avais entendu dire que son frère se battait au Vietnam, comme capitaine dans les marines. Le dimanche, sa famille allait à l'église épiscopale. Sa mère, une petite brune aux allures de farfadet, était membre des DAR[1], du comité des parents d'élèves, du PTA[2], et participait bénévolement à toutes les œuvres de bienfaisance. Sally était la meilleure athlète féminine du lycée et pouvait battre presque tous les garçons à la course.

---

1. Daughters of the Amerian Revolution : association nationale regroupant les descendants des patriotes américains de la révolution, fondée à Washington le 11 octobre 1890. *(N.d.T.)*

2. Parent-Teachers Association : association de parents susceptibles de remplacer des professeurs qui manquent. *(N.d.T.)*

Je la détestais, principalement parce que j'aurais voulu courir aussi vite.

En gymnastique, j'avais toujours été nulle. Ce n'était pas tant un manque de coordination de ma part que la peur terrifiante d'échouer, d'être stupide, ou ridicule. Nous étions jugés sur nos résultats et mon notable manque de pratique m'était un handicap insurmontable. J'étais toujours choisie en dernier quand on formait les équipes, alors que Sally se retrouvait toujours capitaine, en général de l'équipe gagnante.

Plusieurs années passèrent dans cette attitude de mutuel évitement jusqu'au jour où, au début de la seconde, notre classe emménagea dans la nouvelle école, un gigantesque édifice de plain-pied en brique rouge qui s'étalait sur la plus haute colline de la ville. Elle avait été construite, à grands frais, dans un style italien autour de cours intérieures, en sorte que chaque classe avait vue sur un jardin. Sally et moi fûmes horrifiées de découvrir que nous étions voisines. Pendant l'année entière, nous partagerions tous les cours, excepté les matières facultatives.

Le premier jour, je la saluai d'un air froid et guindé. Elle fit de même, et bientôt cela devint notre habitude dans les couloirs. Nous étions tels deux singes d'espèces différentes se fusillant du regard entre les barreaux de leurs cages mitoyennes. À force d'être assise auprès d'elle jour après jour, je compris que ce n'était pas un faux jeton. Elle détestait les cancans. Quand d'autres filles parlaient d'une « salope » ou d'une « allumeuse », ce qui couvrait assez bien l'éventail des possibilités, Sally regardait ailleurs, gênée, et disait : « Oh, tu pourrais pas fermer ton robinet… ? »

Un matin, elle se pencha pour effleurer du doigt le papillon brodé sur mon jean.

— Comme c'est joli ! Tu l'as fait toi-même ?

— Oui.

Et j'ajoutai, pour une raison incompréhensible :

— Je t'en ferai un, si tu veux.

— Si je pouvais porter des trucs pareils ! Ma mère en aurait la rougeole. Merci quand même.

Nous nous regardâmes, et il y avait des sourires sur nos visages. Nous n'avions plus peur l'une de l'autre, et, dès cet instant, je me sentis rachetée, comme si j'avais franchi une sorte de seuil pour entrer dans un monde bon et lumineux.

Plus tard ce jour-là, en éducation physique, on nous fit aligner dans le froid automnal pour une partie de ballon. Je me tenais à la périphérie du groupe, frissonnante, les bras croisés sur la poitrine. Sally, capitaine comme toujours, n'avait l'air aucunement affectée par la température dans son T-shirt et son short. Elle sélectionna pour son équipe les meilleures sportives, d'effrayantes amazones aux membres musclés, et, soudain, cria mon nom.

— Quoi ? Tu es complètement piquée ? s'exclama une grosse vache.

— Ouais, qu'est-ce que t'as ? renchérit une autre d'une voix grave.

J'allai rejoindre leur camp sur la pointe des pieds, penchant la tête d'un air coupable, tandis que ces athlètes m'épiaient avec mépris.

— Écoute, me souffla Sally, ton problème à toi, c'est sûrement la trouille. C'est pas sorcier ! Tu n'as qu'à taper dans le ballon, c'est marrant ! Et si tu rates, c'est pas grave.

Puis elle fendit les airs, braillant des ordres et chassant de ses yeux ses cheveux noirs. Ses pieds et jambes semblaient aussi coordonnés que ses mains et ses bras ;

elle pouvait sautiller autour du ballon tout en le faisant avancer, l'envoyer dans la direction qu'elle voulait, et même marquer un but en tournant le dos au goal. Elle n'arrêtait pas de me faire des passes, mais je me figeais invariablement sur place.

— Allez, shoote ! Shoote, Céleste !

Je tentai de donner un bon coup dans le ballon. Comme ma jambe s'envolait, je vis mon pied pendre au bout, mou et inutile. Le ballon alla mourir dans les jambes du capitaine de l'équipe adverse.

— Bon, au moins tu auras essayé. C'est bien ! s'écria Sally.

Nous ne parlions pas beaucoup en dehors des cours de gym, mais là j'étais devenue sa protégée. À la Toussaint, nous devions nous illustrer dans l'une des quatre disciplines de gymnastique – barres parallèles, sol, cheval-d'arçons, ou poutre. Sally passa des séances entières à m'aider dans mes exercices à la poutre. Elle avait l'impression que j'avais un bon équilibre.

Le jour de l'examen, le professeur, une grande femme noire à l'air morose, se tenait sur la touche, bras croisés, pendant que Sally dirigeait mes efforts sur mon perchoir. Je réussis une pirouette moyennement assurée, quelques bons pas chassés, et une maigre et instable culbute sans tomber. J'obtins mon premier B+ en gym.

Après cela, je vis Sally débouler sur le tapis de sol, exécutant des galipettes avant et arrière, des roues et des grands écarts dans toutes les directions. Elle avait apporté un petit magnétophone, et la chanson *Tiny Dancer* d'Elton John se répercutait contre les murs du gymnase. Ce qui lui manquait en grâce, elle le compensait par la pure puissance de ses membres. Elle pouvait sauter plus haut que n'importe qui et ne craignit pas de tenter un saut périlleux. Elle atterrit sur ses deux pieds avec un grand « boum », et un air de farouche concentration sur le visage. J'en restai pantoise, confondue par ma propre admiration.

— Tu ne prends pas de douche ? me demanda-t-elle après le cours, au moment de se rhabiller.
— J'en ai pris une ce matin, rétorquai-je, honteuse.
— Ah, toi t'es bien française ! me dit-elle avec un étrange sourire.
— Toi non plus, tu n'en as pas pris.
— J'ai mes règles.
Sur ce, elle sortit un très gros Tampax de son cartable, claqua la porte de son casier et partit aux toilettes. Peu après, elle était de retour, pinçant les doigts et les reniflant avec une grimace dégoûtée.
— J'ai horreur de cette odeur. Même les tampons parfumés, ça ne chasse pas l'odeur. Je me suis lavé les mains un milliard de fois ! C'est dégueu d'être une fille.

— *Voolay... Voolay voo oon glassay ?* Zut, j'y arriverai jamais, râla Sally.
Nous étions en classe, quelques jours plus tard, et elle était vautrée sur son manuel de français, à s'arracher les cheveux.
— C'est quand, ton interro ?
— Demain. Je déteste ces langues étrangères. Mon père va peut-être être muté à Paris, t'imagines ? On va me forcer à parler « grenouille ».
— Moi je parle français. Je peux t'aider.
— C'est vrai ? Super.
Elle m'invita à passer chez elle après la classe et à dîner là-bas.
Nous flânâmes par les petites rues tranquilles et sinueuses. Elle m'apprit qu'elle voulait devenir coureur de fond et participer aux jeux Olympiques. Elle était dans

l'équipe de cross-country et courait sept, parfois huit kilomètres chaque jour après l'école. Elle courait pieds nus, m'apprit-elle, comme les Indiens. Mais, aujourd'hui, elle avait séché pour que je puisse l'aider à parler « grenouille ». Le moniteur ne la laissait pas courir plus de sept kilomètres par jour, parce que ses os étaient encore en train de pousser, et il voulait qu'elle soit la championne du mile au printemps.

— Tu as déjà fumé des cigarettes ? me demanda-t-elle.

— Oui, quelquefois, avec mon frère Jack.

— Ah, qu'est-ce qu'il est mignon, ton frère ! J'aimerais bien essayer de fumer. Rien qu'une fois. Pour voir. Il paraît que la première fois on plane.

Elle me raconta que, outre son frère aîné qui était capitaine dans les marines, elle avait une grande sœur qui était mariée et avait un bébé. Une fois que nous fûmes chez elle, une agréable maison au milieu des arbres, elle alla chercher du lait et des gâteaux dans la cuisine et m'emmena dans sa chambre sous le toit. Elle glissa une cassette de Carly Simon dans son petit magnétophone et me montra un album plein de photos de sa nièce Suzy, âgée de cinq mois, et qui était née avec trois mois d'avance.

Sally me fit un massage facial, suivant par-dessus son épaule les instructions dans un livre et utilisant une crème au concombre achetée dans une boutique de produits diététiques en ville.

— Et ton interro de français ?

— Patience... Ma mère dit que ce truc des points de compression, c'est de la rigolade, mais moi j'y crois.

Mon premier massage facial fut enivrant. Dans ma famille, on ne se touchait jamais. Cette familiarité, qui semblait si naturelle à Sally, me fit regretter de n'avoir pas de sœur. Je me sentais très vulnérable, allongée sur ce lit, les yeux clos, tandis qu'elle déformait mon visage pour lui donner toutes sortes d'expressions singulières.

Puis elle me fit les ongles avec un petit nécessaire,

polissant et limant chacun d'eux, coupant les petites peaux autour des lunules.

— Il faut toujours qu'on voie les lunules.

— Pourquoi ?

— Parce que ça fait chic. C'est ce que dit ma mère.

Carly Simon chantait : « *We have no secrets/We tell each other most everything/About the lovers in the past/And why they didn't last...* »

— Comme elle l'aime..., dit-elle d'une voix songeuse. Moi je me sens amoureuse, mais de personne en particulier, tu sais. Juste amoureuse. La semaine prochaine, je me fais percer les oreilles. J'en ai envie depuis longtemps, mais ma mère dit que ça fait moche quand on est trop jeune. Que ça donne l'air d'une étrangère...

Elle ouvrit la bouche en grand, puis regarda si les miennes étaient percées.

— Avant, je te détestais, tu sais, dit-elle les yeux baissés.

Ses joues étaient rouges et luisantes, comme des pommes.

— Oui, je sais.

— Je te prenais pour une crâneuse. Et puis, tu n'as pas eu l'air triste quand ta mère... enfin, tu sais. C'était comme si tu te fichais de l'opinion des autres. Aujourd'hui, je trouve que tu es la personne la plus intéressante que je connaisse. Tu as des supervêtements, et tu vas ton chemin, comme si tu n'avais pas de temps à perdre pour des bêtises. Les garçons aiment ça, tu sais, ils aiment les filles qui ne font pas attention à eux... J'ai découvert le diaphragme de ma mère, chuchota-t-elle soudain. Je fouillais dans ses dessous, pour rire. Tu en as déjà vu un ? C'est grand comme un saladier, je te jure ! Comment ça rentre là-dedans ?

Elle rit, embarrassée, la figure toute plissée de rides. Puis elle cilla.

— Quand je les imagine en train de faire la chose, ça me donne envie de vomir.

Elle me regarda comme si elle attendait une réponse.

Je tâchai d'imaginer mon père et Anna en train de « faire la chose », et l'idée n'avait vraiment rien de ragoûtant. J'acquiesçai de la tête.

Elle me parla de son frère qui était dans les marines. Ses parents recevaient de lui des lettres très étranges et ils étaient inquiets.

— C'est un secret, m'avertit-elle, un doigt sur ses lèvres.

J'opinai solennellement.

— Les troupes commencent à se retirer, mais comme il a une mission importante à Saigon, il doit rester. Mon père a fait la Seconde Guerre mondiale, il a débarqué à Omaha Beach cinq jours après le jour J. Les lettres de mon frère sont très, très bizarroïdes ! Dans la dernière, il disait que la guerre est une *erreur* ! Tu imagines ! Il demande à mon père d'ôter le drapeau américain de l'antenne de notre voiture ! Qu'est-ce qu'on devrait faire, selon toi ? me demanda-t-elle, très sérieusement.

— Je n'en ai aucune idée.

— Je leur ai dit de le faire. Et s'il mourait là-bas ? Mais tu sais ce qu'a dit ma mère ? « Tout le monde va le remarquer ! » C'est vrai, non ? Tout le monde remarque toujours *tout* dans cette ville.

Je me contentai de hausser les épaules et retournai la cassette.

V

Le jour de la rentrée après les vacances de Noël, il y avait un nouveau en classe. Le professeur nous annonça qu'il s'appelait Sebastian MacKenna et qu'il venait de France. Il avait la prunelle d'un brun velouté, un doux regard, et des cheveux blonds, lisses et soyeux. Il ressemblait un peu à Robert Redford dans *Nos plus belles années*. Il était légèrement rondouillard, mais cela ne faisait qu'ajouter à son charme. Je le trouvais irrésistible.

— Sebastian, c'est pas banal comme prénom, déclara Sally en se penchant sur son pupitre.

— Ma mère lisait un roman et elle est tombée amoureuse d'un personnage qui s'appelait Sebastian.

Il prononçait toutes les consonnes, ses voyelles étaient pointues. Il semblait sûr de lui, bien élevé, un peu timide.

— Qu'est-ce que tu faisais en France ?

— Mon père travaille pour Exxon. Nous voyageons beaucoup. À Londres, nous avons fréquenté une école de garçons pendant trois ans, mon frère et moi. Ça nous change !

Il rougit.

— Ma mère était très heureuse là-bas, étant anglophile de longue date.

Sally me regarda, et je la regardai. Anglophile, un mot nouveau pour nous.

À la récréation, je vis mon frère et un autre garçon se faufiler dans les bois pour fumer.

— C'est mon frère Jack, dis-je à Sebastian, en le désignant du menton.

— Ça, c'est marrant. Il est avec mon frère.

Nous étions encore ensemble, Sally, Sebastian et moi, quand ils sortirent des bois, un moment plus tard.

— Hé, Bass, ça marche ta première journée ? demanda son frère.

Il était un peu plus grand que Sebastian, brun, et ses yeux ressemblaient pour la forme à ceux de son cadet, mais ils étaient d'un étrange vert noisette, semés de paillettes dorées, et il y avait en eux une pointe de malice et de provocation. Il avait une bouche rose, des lèvres sûrement douces, et un nez qui n'était pas petit mais légèrement retroussé. Il portait un jean délavé troué aux genoux, et une pièce était posée en plein sur le renflement de l'entrejambe. Je dus me forcer à détourner les yeux.

Il poursuivit d'un air entendu :

— Je vois que tu t'es déjà fait de nouvelles copines.

Je compris au regard de mon frère qu'ils avaient fumé plus que de simples cigarettes. Une odeur étrange, âcre, subtile et insaisissable émanait de leur personne. J'étais sur le point de faire la grimace, car je croyais que la marijuana entraînait les gens à consommer des drogues plus dangereuses, ainsi qu'on nous en avait informés en classe. Mon frère remarqua mon expression revêche et se montra plus prévenant que d'ordinaire.

— Nathan, voici Céleste… et Sally.

— Mesdames…, déclara Nathan, avec une petite courbette mais sans nous quitter des yeux.

Au bout d'un moment, il ajouta, se frottant les mains sèchement :

— Ça va barder… Fini la bonne vie, les « A » peinards ! Sus à ce putain de diplôme !

Une rumeur commença à circuler dans l'école, selon laquelle Nathan avait obtenu un score génial au test du QI, mais nous soupçonnions qu'il en était peut-être à l'origine. Néanmoins, son éducation britannique lui avait donné une telle avance que, selon Jack, Nathan pouvait en remontrer à ses professeurs sur tous les sujets.

C'était certainement vrai en français, seul cours que nous partagions. Il avait lu tous les livres de la liste, et restait confortablement calé contre sa chaise, les jambes très écartées, à pianoter sur son bureau avec un crayon, posant à Mlle Spiegel des questions en français auxquelles elle était incapable de répondre.

Les deux frères étaient tous les deux gauchers, mais Nathan écrivait en majuscules d'imprimerie, même en français. Cela dérangeait beaucoup Mlle Spiegel, qui prétendait qu'il y avait un type d'écriture spécifique à la France. Elle avait forcé toute la classe à l'apprendre. Mon écriture française était exactement comme celle de ma mère, ce qui m'effrayait et me consternait.

Un jour, elle rendit à Nathan un devoir sur Sartre et l'existentialisme avec un B+ griffonné en rouge. Elle lui avait retiré des points à cause de l'écriture. J'entendis un gros bruit de papier froissé et me retournai par curiosité. Nathan avait fait une boulette de son devoir entre ses mains solides. La tenant avec révérence, il la lança et, au terme d'un arc gracieux, la boulette atterrit dans la corbeille à papier de Mlle Spiegel. Son visage était dénué de la moindre expression.

Je ne me voyais pas faire une chose pareille – et s'il avait raté son coup ?

Sebastian était la coqueluche des parents. Enseignants, mères de famille, agents de la circulation – tout le monde l'appréciait. Il avait un visage sain et honnête, un regard calme et concentré qui donnaient envie de s'en remettre entièrement à lui. Sally et moi lui avions demandé de nous acheter des cigarettes Eve – si chics avec leur bague de fleurs pâles autour du filtre –, et bien sûr la vendeuse du drugstore l'avait cru quand il avait dit que c'était pour sa mère. Nous allâmes tous les trois à vélo jusqu'à une clairière, au bout d'un chemin de terre, et nous fumâmes jusqu'à en avoir le vertige et ne plus sentir la terre gelée sous nos pieds. Puis Sally et moi l'embrassâmes à tour de rôle, la bouche ouverte, comme au cinéma.

Je vis bien que Sebastian m'avait embrassée plus longtemps, et que les muscles de son dos et de ses bras se détendaient avec Sally, ce qui n'était pas le cas avec moi. Mais il était facile de prétendre que son affection était équitablement répartie entre nous.

Un après-midi, nous allâmes chez lui. Mme MacKenna nous prépara du thé glacé et disposa des petits gâteaux sur une assiette. Elle était toute menue, jolie comme une poupée de porcelaine. Sa voix était basse et posée, ses gestes précis et raffinés. Sebastian lui ressemblait beaucoup ; il avait son teint et ses yeux brun foncé. Il l'appelait « Mère ».

M. MacKenna, ainsi que nous l'avions découvert par Sebastian le même jour, était encore en Angleterre, à « fignoler certains détails ». Quand je lui avais demandé pourquoi ils l'avaient précédé en Amérique, Sebastian m'avait répondu que c'était à cause de l'école.

Le living bleu pâle était encombré de sièges de style

inconfortables. Sur le piano demi-queue, quelques photos scolaires montraient les garçons petits, à côté d'un unique portrait de toute la famille. Je mourais d'envie de les examiner, croyant qu'un grand secret me serait révélé. Les visages juvéniles de Nathan et Sebastian souriaient dans le vide ; il y avait un écart entre leurs dents de devant. La photo des quatre MacKenna était un récent portrait officiel, probablement pris en studio. Les trois hommes, le père au milieu, étaient campés autour de Mme MacKenna assise dans un fauteuil ; elle était la seule à sourire. M. MacKenna était bronzé et jeune d'allure. Nathan avait hérité de son regard espiègle. Le nez de Nathan, cependant, lui venait de sa mère. Je fus frappée du fait que Sebastian avait le nez de son père, un appendice assez proéminent et viril, sans rien de délicat.

Un vendredi soir, Sally prit un litre de rhum chez sa sœur, et nous le bûmes avec du jus d'orange, tous les trois, dans une cabane abandonnée que nous avions découverte dans les bois. Quand il commença à pleuvoir à verse, Sally se leva, arracha ses vêtements et s'élança sous la pluie battante. Je restai avec Sebastian, abasourdie, tandis que sa voix psalmodiait à tue-tête un chant indien de son invention, que le vent portait jusqu'à nous.

— Oh, Bass, allons-y, dis-je en me déshabillant.

— Si on attrape la mort, tu viendras pas m'accuser.

Et, se levant, il tira sur sa chaussure de tennis en s'appuyant au mur.

Je ne sentais plus le froid, seulement la pluie crépitant sur ma peau, lorsque le monde entier s'illumina comme en plein jour à la faveur d'un éclair. Il n'y avait plus de peur, plus de notion de danger. Braillant le chant de Sally, je dansais en rond, les bras écartés.

— J'existe, merde ! beugla Sally au ciel éclairé.

— J'existe ! hurlai-je.

La cime des arbres se balançait, noire et fantasmagorique contre le flash de l'éclair.

— J'existe !

Aussitôt après, elle rentra dans la cabane, suivie par Sebastian. Je demeurai seule sous la pluie. Mon sang battait dans mes artères avec une violence que je n'avais jamais soupçonnée.

Quand je rentrai enfin, ils étaient tous deux rhabillés et j'attrapai vivement mes vêtements. Sally, mal assurée sur ses pieds, gémit :

— Je ne boirai plus jamais d'alcool de ma vie.

— Moi si ! m'écriai-je. C'était génial !

Un jour que Jack et Nathan étaient dans la chambre de mon frère, la porte entrouverte, je traînai à l'extérieur, tâchant de surprendre leurs paroles.

— Hé, Céleste ! Viens, entre ! cria Nathan.

J'entendis mon frère grommeler.

Sachant que ce n'était qu'une grâce qui pouvait être abrogée à tout moment, je me tins assise bien sagement sur la chaise de bureau de Jack, sans froncer le nez en respirant l'odeur de chaussettes sales et de bière rance qui émanait des tas de vêtements par terre. Ils fumaient des cigarettes et buvaient de la bière. L'odeur douce et âcre de la fumée remplissait l'atmosphère, et je compris qu'ils avaient fumé de l'herbe et que j'en entendrais parler par Anna plus tard. Nathan se mit à disserter philosophiquement sur les nénés d'Olivia, une terminale si maquillée qu'elle paraissait vingt-cinq ans. Il disait qu'elle faisait d'excellents pompiers.

— C'est parce qu'elle est catholique. (Il était étendu sur le lit de mon frère, les mains croisées derrière la tête.) Tant qu'il n'y a pas pénétration, ce n'est pas un péché mortel. Ces catholiques, quand elles se laissent convaincre, elles font les meilleurs pompiers !

— Qu'est-ce que c'est, un pompier ?

Nathan me regarda, et Jack se mit à rigoler.

— C'est quand on taille une pipe, dit Nathan, sans ciller.

— Tu mens.

— Mais non, pas du tout… Céleste, fit-il avec un rire perçant, sais-tu que nous sommes faits l'un pour l'autre ? Nous sommes nés le même jour.

— Menteur !

Il se redressa et sortit son passeport de sa poche arrière. Il devait le garder sur lui comme carte d'identité, car il n'avait pas encore de permis de conduire. Le document était froissé et moulé par son derrière. Comme je le prenais, nos doigts entrèrent en contact. Je ressentis un coup au cœur, pas si différent de la décharge électrique que j'avais reçue le jour où j'avais fourré un couteau dans le grille-pain, à l'âge de cinq ans, sauf que ça n'était pas désagréable.

Je tournai les pages jusqu'à sa photo, m'efforçant de calmer le tremblement de mes mains. Et soudain, sur la page, me souriant d'un air candide, un Nathan plus jeune apparut, en funèbre veste de sport noir et cravate. Son anniversaire tombait le 15 octobre. Il avait exactement deux ans de plus que moi. M'attendant à ce qu'il réclame son bien à tout moment, je le feuilletai rapidement, cherchant à en tirer une logique, à le connaître. Il y avait des pages et des pages de tampons colorés – Paris, Rome, Istanbul, Marrakech, Londres…

Un certain nombre de semaines plus tard, je le rencontrai par hasard sur un rocher, derrière l'école. Il venait de commencer à neiger, et, profitant de l'interclasse, j'étais discrètement sortie pour contempler le spectacle. Nathan était perché tout seul sur ce rocher, en vieux jean et gros tricot noir, à fumer une cigarette. Les flocons blancs voletaient çà et là et se posaient sur ses cheveux et son pull. Il semblait préoccupé, peut-être même triste. Jamais je ne l'avais vu ainsi.

— Salut, Nathan...

Il leva les yeux et me sourit faiblement. Je m'immobilisai à quelques pas de là, les mains jointes. C'était un jour froid et sans vent, et ni lui ni moi n'avions de manteau.

— Ça va ?

— Je crois que mes parents sont en train de rompre. Sebastian ne le sait pas. Mais il doit s'en douter.

Il tira une bouffée de sa Marlboro, puis l'écrasa contre la pierre. Ensuite, il dépiauta ce qui restait de sa cigarette et dispersa le tabac à ses pieds. Il ôta aussi le filtre et l'éparpilla.

Après cette méticuleuse opération, il me regarda gravement et déclara :

— Ils ne nous disent pas grand-chose. Mon père est censé rentrer dans quelques semaines, mais ce matin ma mère avait l'air de dire que ce ne serait pas définitif.

— Je ne dirai rien, je te jure.

J'avais du mal à respirer. Je voulais qu'il me croie.

— Ça fait longtemps que je t'observe... Eh bien, sais-tu que tu es, et de loin, la plus jolie fille de l'école ? dit-il comme on constate un état de fait. C'est marrant parce que je ne crois pas que tu le saches. La plupart des filles aussi jolies que toi sont des emmerdeuses. Tu fais peur aux garçons.

Hors d'haleine, je répliquai :

— Sebastian n'a pas peur de moi.

Nathan se contenta de me regarder avec cette mine sévère, les lèvres arrondies dans un sourire. Ses yeux paraissaient particulièrement verts sur ce fond blanc.

La gorge nouée, je lui avouai quelque chose que je n'avais jamais dit à personne : peu m'importait l'apparence que je pouvais avoir à l'extérieur, parce qu'à l'intérieur je n'existais pas.

— Je ne sens pas mes contours dans l'espace !

— C'est comme moi. Certains jours, j'ai l'impression d'être un fantôme, comme si ma propre famille ne me voyait pas.

Il se leva pour se dégourdir les jambes.

— Qu'est-ce que ça caille...

Je le suivis jusqu'à l'école. À proximité d'une de ses innombrables petites portes, il s'arrêta, me prit le bras et m'entraîna derrière le bâtiment. Il y avait une couche de neige sur les cailloux qui crissait sous nos pas. Il m'accula dans un coin, là où le sol était jonché de mégots. Sa langue, délicate et pleine de force à la fois, explora l'intérieur de ma bouche, et il me sembla que je pouvais la sentir jusque dans mes pieds. Au bout d'un moment, il me regarda.

Je crus qu'il allait parler, mais il changea d'avis. Secouant la tête, il s'en alla et retourna en classe sans un regard en arrière.

Ce coin-là devint pour moi un endroit magique, et même les vieux mégots prirent une place dans mon cœur, car eux et les flocons de neige étaient les uniques témoins de cet instant d'absolu ravissement.

Un long, long temps s'écoula, et même s'il me considérait avec une étincelle différente dans le regard, jamais il ne fit allusion à ce qui s'était passé.

— Tu veux venir ?

Sebastian se tenait avec moi à l'arrêt du bus.

— Sally est à l'entraînement.

— Je sais. Tu veux venir quand même ? Il n'y a personne à la maison. Nathan a son entretien pour Harvard.

— Tant mieux ! dis-je.

Et mon cœur défaillit.

Traversant le sombre couloir lambrissé de la maison des MacKenna, je fis halte devant la porte close de Nathan. Sebastian posa une main timide sur mon épaule et me fit pivoter, si bien que je me retrouvai le dos au battant. Sa langue rencontra la mienne, tourna, guettant ma réaction.

Je l'embrassai pendant un certain temps. Puis je détournai la tête et m'appuyai sur son épaule.

— Je peux voir sa chambre ?

Il se recula pour me contempler.

— Pour quoi faire ?

— Simple curiosité.

Résigné, Sebastian poussa la porte et se tint de côté comme un vieux gardien de musée ennuyé. J'avais des remords, mais pas au point de renoncer.

La chambre de Nathan était bizarrement nue, à l'exception d'un mur tapissé de livres classés par auteur. Je n'avais jamais vu autant de bouquins à la fois. J'allai en lire attentivement les titres, et mes yeux se posèrent sur les S – *Dernière Sortie pour Brooklyn*, par Hubert Selby Jr. ; les sonnets et pièces de Shakespeare ; *L'Archipel du Goulag*, par Soljenitsyne ; *Les Confessions de Nat Turner*, par William Styron ; *Les Voyages de Gulliver*, par Jonathan Swift. Mes yeux naviguèrent, s'arrêtant ici et là. Je vis un roman de Katherine Ann Porter ; *La République* de Platon, des poèmes de Sylvia Plath. Nulle logique ne se dégageait de ce choix. Je n'avais lu aucun de ces livres, sauf quelques pièces de Shakespeare parce que j'y avais été forcée en cours d'anglais, mais j'avais entendu parler de presque tous ces écrivains, à l'exception de Hubert Selby Jr. et de Sylvia Plath. Plus tard, au cours de mes années d'université, je mettrais un point d'honneur à lire chacun des auteurs dont je me souvenais d'avoir noté la présence dans la bibliothèque de Nathan.

Son lit était recouvert d'une couverture bleu foncé et de draps bleu clair. Sur sa table de chevet, il y avait *Le Dernier Tango à Paris*.

— Oh, mince ! dis-je, me rappelant Sebastian. Il s'en
fiche, alors, de l'avis de vos parents ?

— Sûrement, répondit Sebastian, morose.

Je me penchai sur ses albums, qui occupaient presque
toute la largeur d'un rayonnage. Il avait des disques de
Lou Reed, David Bowie, Herbie Hancock, Jefferson
Airplane, dont j'avais entendu les succès à la radio, mais
aussi des choses complètement inattendues par des
groupes comme les Beach Boys, et les Supremes, qui à
l'époque n'étaient pas à la mode, même pour moi dont les
connaissances étaient incroyablement limitées.

Nathan semblait plus énigmatique que jamais.

J'avais atrocement envie de fouiller dans sa penderie, de
voir ses sous-vêtements et ses chaussettes, et de découvrir
son journal intime, mais je savais que c'était exclu, et que
Sebastian en serait irrémédiablement contrarié.

— Allons dans ta chambre, fis-je, fébrile, insatisfaite.

Je le laissai toucher mes seins. Je déboutonnai mon
corsage et restai allongée sur le dos, les yeux fermés. Ses
mains étaient hésitantes, timides. Je sentais qu'il méritait
ce cadeau. Je l'aimais énormément et n'avais aucun désir
de le blesser. Pourtant, c'est à Nathan que j'ai pensé
quand ses lèvres frôlèrent les miennes.

Le soir, j'avais hâte d'être au lit pour rejouer le fantasme
que j'avais inventé pour Nathan et moi. C'était exactement comme lorsqu'on regarde un film : c'est un beau
jour de printemps, la clairière où se trouve le cabanon est
parsemée de fleurs. J'arrive à bicyclette, cherchant un coin
tranquille pour lire. Nathan traverse la clairière dans ma
direction. Il sourit, me fait signe. Je saute de mon vélo et
m'avance vers lui. Presque comme la première fois à
l'école, il me prend par le bras et m'entraîne vers la
cabane. Une fois à l'intérieur, il me plaque contre le mur
et m'embrasse avec violence. Soulevant mes jambes, il s'en

ceint la taille. Je sens sa verge durcir contre ma braguette ;
il déboutonne mon chemisier, sa bouche douce et humide
baise mon cou, mes seins ; mais comme je ne sais pas exactement où aller à partir de là, la vision se fond dans le noir.

Désirant plus, tellement plus, je reprends tout par le
début, ajoutant des dialogues – Nathan dit qu'il m'aime
plus que tout au monde, que jamais il ne cessera de
m'aimer. Je lui dis que mes sentiments sont les mêmes.
Quand on en vient à l'amour physique, mon imagination
est surmenée, et une fois de plus la vision s'évanouit.

À la fin du printemps, Jack emmena une cargaison
d'élèves en voiture jusqu'à une ville voisine pour voir Sally
courir le mile dans le cadre des championnats d'État. Une
fois à ma place, je gardai les yeux rivés sur elle, comme si
j'avais eu la capacité de la faire gagner par la pure puissance de ma volonté. Quand les concurrentes se prépa-
rèrent derrière la ligne de départ, Sally était tellement
concentrée qu'elle semblait nue, comme si elle s'était
dépouillée de la moindre parcelle de correction et de bien-
séance et se fichait vraiment de tout. Ses yeux fixaient un
point éloigné, tandis que son nez se fronçait et que sa
bouche était tordue en cul-de-poule. Au coup de pistolet,
elle bondit en avant, le torse légèrement déporté, balançant si fort bras et jambes qu'on aurait dit un film d'elle-
même défilant en accéléré. Elle s'arracha du peloton de
tête au premier tour de piste.

Les spectateurs criaient et sautaient dans les gradins
quand elle franchit la ligne d'arrivée. Le speaker annonça
son temps – 5 min 12 s. Sally avait battu le record national
des juniors. On disait que, dans quelques années, elle
serait sûrement candidate aux jeux Olympiques. Je me
précipitai sur la piste pour l'embrasser, baiser ses joues
ruisselantes de sueur. Sa figure toute rouge ne montrait
que surprise et exultation. J'étais si fière que j'en oubliai

combien j'étais jalouse de son talent et de sa détermination.

En juillet, son père apprit qu'il était affecté à Paris pour un an. On expliqua à Sally qu'elle devait y aller, car c'était une chance exceptionnelle. Bien que ses parents aient promis de lui trouver un stade où s'entraîner, elle était inconsolable.

Elle fit irruption dans ma maison en sanglotant comme si quelqu'un était mort. Naturellement, je me changeai en pierre. Je ne pouvais souffrir ni les cris ni les larmes. Elle se jeta à plat ventre sur mon lit, pendant que j'allais m'asseoir sur le traversin.

— Je m'en fous de leur chance exceptionnelle..., pleurnichait-elle.

— Je suis sûre que ça va être super. S'il te plaît, arrête de chialer.

Elle leva les yeux sur moi, la figure défaite et sillonnée de larmes.

— Tu es la meilleure amie que j'aie jamais eue.

Sa tête retomba, secouée de sanglots convulsifs, et je me forçai à lui tapoter l'épaule en marmonnant des bêtises.

Sally à Paris et nos frères à l'université, Sebastian et moi passions tout notre temps ensemble. Un jour, dans le hall, il m'enlaça les épaules pour me confier un petit secret, et je ne m'écartai pas. Il laissa donc son bras, et nous commençâmes à nous promener ainsi. Ce n'était une nouveauté pour personne à part nous. Je lui avais souvent dit que je l'aimais, ajoutant aussitôt : Mais pas de cette façon-là.

Vers cette époque, son père rentra de Londres. J'étais parfois invitée à dîner le week-end. À mes yeux, M. et Mme MacKenna formaient le plus heureux, le plus stable des ménages, toujours souriant à table et se donnant du « chéri ». Nathan était parti pour Harvard, et mon échange avec lui à l'extérieur de l'école semblait avoir quitté la sphère de la réalité pour devenir pur fantasme.

Je poussai Sebastian à lui voler son exemplaire du *Dernier Tango à Paris.* Je lui en faisais lire des passages à voix haute quand nous étions seuls. Certains, sur la masturbation, me rendaient folle.

— C'est tout à fait normal de se masturber, énonça Sebastian d'une voix raisonnable.

— Tu le fais, toi ? Pas moi !

— Tu devrais.

Quand l'auteur décrivait l'orgasme féminin, je croyais que c'était du chiqué et je le dis à Sebastian. Mais il déclara que c'était vrai.

— Les femmes peuvent avoir des orgasmes, elles aussi.

— Tu saurais comment t'y prendre pour que ça m'arrive ?

— Probablement. Mais tu devrais essayer par toi-même.

Je contemplai son visage, lisse et aimable, ses cuisses belles et solides dans le pantalon en velours côtelé. J'aimais ce que voyaient mes yeux et je savais à présent que je l'avais tout à moi, que je pouvais lui faire tout ce que je voulais, des choses douces ou cruelles, car il encaisserait en silence et jamais ne me quitterait.

— Est-ce que tu m'aimes ?

— Je t'ai aimée depuis le premier jour, dit-il, catégorique.

— Alors, faisons l'amour.

Il resta là, sidéré, pensif, puis précisa :

— D'accord, mais il faut se préparer. Il ne faudrait pas faire de bêtise. Je devrais peut-être téléphoner à Nathan pour lui demander des renseignements sur les préservatifs

– bien sûr, sans dire que c'est pour toi, s'empressa-t-il d'ajouter.

— Non, ne fais pas ça.

Le nom de Nathan me nouait la gorge.

— Je devrai en acheter, mais je ne sais pas lesquels choisir, dit-il, songeur. C'est légal, hein, même si les deux partenaires sont mineurs ?

Il tira de sa poche un bouquet d'étuis en alu de toutes les couleurs et s'assit sur mon lit. La maison était presque entièrement dans le noir ; seule ma lampe de chevet était allumée. Mon père et Anna étaient partis passer un long week-end aux Bermudes, laissant seule leur adolescente de fille, si mûre et studieuse.

— Ceux-ci sont lubrifiés, dit-il sur le ton lénifiant du docteur sur le point de vous faire une piqûre. Pas ceux-là.

J'avais mis ma plus jolie chemise de nuit, celle avec les pâquerettes jaunes et le col en dentelle. J'avais plutôt l'impression d'être sur le point de subir une intervention chirurgicale qu'autre chose, et le ton de Sebastian n'arrangeait rien.

Lentement, il ôta ses vêtements et s'assit au bord du lit en me tournant le dos.

— Nathan dit toujours qu'on doit retirer ses chaussettes.

— Bass, il faut que je te dise une chose au sujet de Nathan.

Il me regarda de côté.

— Pas la peine. Ou c'est que tu me crois complètement aveugle, ou idiot.

La pénombre, son corps ténébreux si proche, sa tête nichée sous mon cou. Son odeur, douce, de shampooing. Le silence est effrayant, et nous ne faisons pas le moindre bruit. Ses gestes sont délicats, tendres ; je n'ai pas mal. Je ne ressens ni allégresse ni peine non plus. Demain, je me souviendrai de tout avec un détachement absolu. Je ne saigne pas, mais après, dans la salle de bains, je remarque que ces lèvres-là ont changé de forme ; elles ne sont plus plates et lisses mais saillantes à l'extérieur, comme pour donner un subtil baiser.

En avril, je poussais mon vélo dans l'allée des MacKenna quand j'aperçus une Volkswagen cabossée garée devant le garage. La portière à l'avant était ouverte, et en dépassaient une paire de jambes habillées de jean et un derrière. C'était Nathan.

— Salut, dis-je.

Vivement, il se redressa sur son siège.

— Céleste… ! J'ai perdu cette foutue pipe à kif. Comment ça va ?

Sa figure était si bronzée qu'elle était couleur de terre cuite ; la zone autour des yeux formait deux cercles blancs, à l'endroit des lunettes. Il y avait des habits, des serviettes, une bouteille de tequila vide et des cannettes de bière éparpillés sur la banquette arrière.

— Je suis rentré de Fort Lauderdale hier.

— C'est bien l'université ?

— Cool à tout point de vue, sauf le boulot. J'arrive pas à m'y mettre.

Il me regarda un long moment, avec des yeux inquisiteurs.

— Toi et Bass, vous baisez, non ?

J'ouvris la bouche pour parler, mais aucun son n'en sortit.

— C'est bien ce que je pensais. Ça se lit sur sa figure. Je l'ai vu tout de suite. C'est toi qui as dû l'initier, je me trompe ? J'espère que vous prenez vos précautions ?

J'acquiesçai.

— Parfait.

Il se remit à chercher sa pipe. La tête sous le tableau de bord, il ajouta :

— Moi qui croyais que ce serait moi. Mais je n'ai sûrement aucun droit d'être jaloux.

Sans savoir pourquoi, je fondis en larmes. Comme s'il avait senti ce qui se passait, il sortit aussitôt de sa voiture et s'approcha de moi et de ma bicyclette.

— Ça... ça ne me fait rien du tout, bafouillai-je.

Quand il fut tout près, je tendis le bras.

— N'approche pas.

J'étais aveuglée par mes larmes, impuissante. Jamais je n'avais pleuré devant quelqu'un.

— D'accord.

Il avait l'air effondré, comme s'il avait laissé tomber le masque qu'il arborait, en même temps que sa pipe à kif. Au bout d'un moment, il retourna à sa voiture, monta à l'intérieur, claqua la portière, et resta ainsi. Je m'approchai de sa vitre et me penchai vers lui.

— Tu n'es qu'un salaud, Nathan.

Sans attendre sa réaction, je fis demi-tour et pédalai aussi vite que possible vers la rue.

VI

Le jour où Sally rentra de Paris, elle parcourut neuf kilomètres en courant avec son équipe de cross-country.

Le vendredi de la même semaine, nous partîmes tous les trois dans la Volvo des parents de Sebastian. Serrés à l'avant, nous buvions du gin mélangé à du jus de fruits. Boire était notre distraction favorite le vendredi soir, la qualité et la quantité d'alcool dépendant grandement de ce que nous pouvions voler à nos parents sans être pris. Je n'aimais pas le gin, mais c'était la seule bouteille que Sebastian avait pu dérober dans le bar de sa mère cette nuit-là.

Sally était en train de nous parler du fils de l'ambassadeur américain, Jeffrey Davis, qu'elle avait rencontré à l'école à Paris et avec qui elle était sortie pendant toute l'année scolaire.

— Il avait un étage à lui tout seul, plus grand que notre appartement. Incroyable... mais j'ai un truc à vous dire..., déclara-t-elle, et elle éclata d'un fou rire aigu.

— Allez, accouche ! fit Sebastian, pour l'amadouer.

— Ben... on a fumé du hasch !

— Hou, la vilaine !

Il y avait un certain temps que, Bass et moi, nous avions fumé notre premier joint ensemble. C'était un petit bijou que lui avait donné Nathan – du Rouge Panama avec quelques gouttes d'huile de hasch. Sebastian avait eu des hallucinations, tandis que j'avais tout simplement pleuré, recroquevillée dans un coin de la vieille cabane.

— Et je l'ai laissé me peloter ! dit Sally avec dégoût.

J'avalai ma quatrième rasade et, soudain agressive sans raison, je lançai :

— Et alors ? Bass et moi, on couche ensemble.

Sally cessa de rire, son visage se figea dans une expression d'hilarité, puis se décomposa comme si on l'avait giflée.

— Vous rigolez, non ?

Nous étions silencieux. Sebastian détourna les yeux. Elle ouvrit sa portière, se pencha au-dehors, et vomit.

— C'est dégueulasse, gémit-elle. C'est vraiment, vraiment dégueu ! Mais plutôt vous que moi, c'est tout ce que j'ai à dire.

Sebastian avait beaucoup d'amis parmi les membres de l'équipe de base-ball qui auraient été ravis de sortir avec elle, mais ça ne l'intéressait pas. Elle entretenait une correspondance avec Jeffrey Davis, qui était retourné à Washington. Son père l'ambassadeur avait été forcé de démissionner, suite à un scandale impliquant l'alcool, un vol transatlantique et deux membres du personnel navigant de la TWA.

J'étais assise dans mon lit, par un après-midi d'automne, à consulter brochures et formulaires d'inscription à l'université, quand Sally entra en trombe, le short et le T-shirt trempés de sueur, pieds nus. Sa figure était pâle et tirée.

— Qu'est-ce qui se passe ? demandai-je, inquiète.

— Je sais pas. J'avais pas envie de courir aujourd'hui.

Elle avait parcouru environ sept kilomètres avec son équipe à travers la forêt, avant de choisir de quitter le groupe pour courir jusqu'à ma maison.

— Qu'est-ce qu'il y a ? Tu es malade ?

Elle s'assit sur le tapis et croisa ses jambes musclées, constellées de boue.

— Je suis contrariée et je ne comprends pas pourquoi.

J'avais peur qu'il ne s'agisse de Sebastian et moi, et je sentis que je me repliais sur moi-même, laissant mon esprit vagabonder.

— Tu te souviens que je t'ai dit il y a des années que ma nièce était née avec trois mois d'avance ? Eh bien, j'ai découvert hier que ce n'était pas vrai ! Marianne était enceinte quand elle s'est mariée.

Elle se releva et éclata en sanglots, les poings serrés.

— C'est dégoûtant le sexe ! Ces positions dégueulasses ! On souffle et on grogne et on crie, pendant que le cul d'un mec s'agite au-dessus de soi ! Comment tu as pu faire ça ?

Là-dessus, elle se mit à pousser des cris aigus parfaitement terrifiants et se jeta sur le tapis de toutes ses forces. Anna monta l'escalier en courant.

— Que se passe-t-il ? Qu'est-ce qu'il y a ?

Je lui adressai une grimace. La figure de Sally était déformée, et elle se balançait d'avant en arrière, hurlant comme un prisonnier torturé.

— Ma mère s'est coupée, brailla-t-elle. Par hasard !

J'étais tétanisée sur mon lit. Anna lui entoura les épaules et s'efforça de la calmer.

— Là, là...

— Des mensonges ! Rien que des mensonges ! Ils te mentent toute ta vie, ils te disent d'être une gentille petite fille bien obéissante, et un jour ils laissent échapper la vérité comme si ça n'était rien, rien ! Ma sœur me répugne. C'est une hypocrite ! Elle baisait avec Brad depuis le lycée !

Elle repoussa les bras d'Anna et se leva.

— Oh, et puis merde.

Et elle repartit en coup de vent, claquant la porte.

Anna me regardait.

— Tu crois que je devrais appeler Mme Newlyn ? Je déteste me mêler de ce qui ne me regarde pas.

— Je ne sais pas. Qu'est-ce que tu en penses ?

— Tu l'avais déjà vue dans cet état ?

Je fis non de la tête.

— Il vaut peut-être mieux que j'appelle Mme Newlyn.

Anna tira sur sa jupe en tissu écossais, lissa une boucle de cheveux derrière son oreille, redressa les épaules, et gagna la porte.

Sally devint apathique, maussade, indifférente à tout. Mais elle continua de courir.

Le vendredi d'après, elle but deux fois plus que nous. De temps en temps, elle riait toute seule de façon morbide. Assise auprès d'elle, dans la voiture des parents de Sebastian, je réalisai que ce n'était pas à sa sœur Marianne qu'elle pensait, mais à d'autres choses, si perturbantes que je ne risquais pas de comprendre, et ne voulais pas demander.

Le week-end suivant, elle se soûla à en tomber raide avec de l'Eggflip à une fête donnée un peu avant Noël. Elle nous entraîna, Sebastian et moi, au-dehors pour regarder les étoiles.

— Je vais vous prédire l'avenir, fit-elle d'une voix puérile. Bass… (Elle lui donna une bonne bourrade dans le bras.) Tu épouseras une gentille fille bien élevée et tu auras trois ou quatre enfants. Tu auras une bonne situation dans l'administration – un emploi chiant mais stable. Jamais tu n'épouseras Céleste, parce que Céleste ne fait

93

que commencer son voyage. Toi tu serais heureux avec elle, mais elle s'emmerderait à mort avec toi.

« Céleste, tu as de la chance que le premier ait été Sebastian et pas Nathan. Nathan t'aurait déjà plaquée à l'heure qu'il est, et tu serais méchante, en rogne, toute tordue de l'intérieur. Nathan deviendra célèbre ou il se tuera à coup de drogues ou d'alcool. Ce que tu cherches, Céleste, c'est le danger. Tu ne recherches pas encore la vérité, mais cela viendra. Sais-tu ce qu'on dit de ta mère ?

— Arrête ! Arrête ! hurlai-je.

Pendant un moment, j'eus le souffle coupé, et je compris que, eût-elle ajouté un seul mot, je lui aurais sauté dessus pour la faire taire de mes mains.

— Bon, d'accord. Mais je dois encore te dire ceci – tu seras avalée par une baleine comme Pinocchio.

Sur ce, elle tomba à genoux et vomit sur l'herbe gelée.

— Bon, dit-elle en se relevant. C'est tout pour ce soir.

Et elle s'éloigna d'un pas mal assuré.

Elle fut admise à l'hôpital psychiatrique de Clearwater le jour de Noël. Ses amis n'étaient pas autorisés à la voir.

— Elle parle sans arrêt de toi et de Sebastian, me dit Mme Newlyn, énigmatique au téléphone.

Je me demandai si Sally avait raconté à sa mère ou à ses médecins que Sebastian et moi faisions l'amour. Après un silence, Mme Newlyn ajouta :

— Elle est très contrariée par une chose, mais nous n'arrivons pas à découvrir quoi. Le docteur pense qu'elle a besoin de se couper quelque temps de ses amis, sa famille, et du train-train quotidien.

La froideur de cette voix réveilla un gros poisson qui se mit à frétiller dans mon ventre.

Quelques semaines plus tard, Mme Newlyn appela pour dire que Sally avait une carence en sel au cerveau et que bientôt, grâce au lithium, son état s'améliorerait. Tout le monde faisait comme si elle avait la grippe ou ce genre de maladie.

Sally reprit l'école en février et abandonna l'entraînement.
— Ce n'était pas pour moi que je courais. C'était pour tout le monde sauf pour moi.

Sally était revenue depuis une semaine quand elle m'aborda dans la cohue du couloir avec une expression indignée.
— Je parie que t'as pas dit à Bass que t'avais baisé avec Nathan dans la cabane, hein ? Je vous ai vus !
Elle hurlait, les poings serrés, comme un enfant rageur. On me dévisagea. J'étais paralysée. Comment pouvait-elle avoir *vu* mon fantasme, alors qu'en plus elle était à Paris ? Rougissante, je me tournai vers Bass. Une lueur de doute traversa son regard. Je me sentis coupable, comme si elle avait dit la vérité.
— Ça n'est pas arrivé ! Sally, tu as oublié de prendre tes cachets ?
Elle se cogna la tête contre son casier et resta là, immobile. La sonnerie retentit. Sebastian m'observait toujours, mais son regard s'était éclairé. Sally se tourna vers moi, de nouveau pâle et rassérénée, et ajouta :
— On va être en retard en classe.

Durant quelques jours, je retins mon souffle, priant pour que ces pilules agissent, pour que cette chose s'en aille et la laisse tranquille.
En cours d'anglais, au milieu d'une discussion sur *Robinson Crusoé*, Sally se tourna vers moi et hurla :
— Salope ! Tu m'as piqué mon fric !
Mlle Wilson et les élèves posèrent sur moi des regards interrogateurs, comme si pendant une fraction de seconde

c'était le monde à l'envers et qu'ils m'aient crue capable d'une chose pareille.

— Ça va pas la tête ? Comme si j'avais besoin de ton argent !

Mlle Wilson s'approcha, son *Robinson Crusoé* plaqué sur la poitrine en guise de bouclier.

— J'ai pas pris son argent, je le jure !

Mais Mlle Wilson avait d'autres soucis.

— Ça va, Sally ? Tu ne veux pas aller à l'infirmerie ?

— Qu'est-ce qu'il y a ? Vous croyez tous que je suis folle ? tonna Sally.

Quand l'écho de sa voix se fut dissipé, on n'entendait pas une mouche voler dans la classe.

Je compris à ce moment qu'aucun d'entre nous n'était prêt à affronter cette chose-là. Nous étions dépassés.

Elle sortit de Clearwater pour la deuxième fois en avril, et nous allâmes à une fête avec Sebastian. Sans prévenir, elle disparut, et je la retrouvai dans les toilettes pour dames, penchée de très près sur le miroir, appliquant apparemment du rouge à lèvres.

— Est-ce que tu veux rentrer, Sally ? demandai-je, soucieuse.

Quand elle se retourna, j'en restai bouche bée. Elle s'était transpercé la lèvre inférieure avec une épingle de sûreté. Du sang dégoulinait de cette épingle fermée sur son menton.

— Céleste ! Ça me fait plaisir de te voir…

Elle m'agrippa par les épaules et colla son visage baigné de larmes contre le mien.

— J'ai baisé avec un type chez les fous. Nous avons attendu que les infirmières et les autres marteaux soient endormis, puis on s'est glissés dans le même lit. Onk, onk, onk, comme des petits cochons. Mais ça n'a pas été aussi bien qu'avec le gros concombre que j'ai volé à la cuisine quand j'étais de service car, tu sais, on me donne des responsabilités là-bas, vu que je suis vachement normale comparée aux autres.

Paniquée, je sortis en courant chercher Sebastian, qui était justement derrière la porte.

— Aide-la, Bass, dis-je en ravalant mes larmes. Elle est complètement flippée.

Il entra dans les toilettes. Un troupeau de filles gloussantes en sortirent, affolées.

Quelques minutes plus tard, il apparut, ayant saisi Sally fermement par le bras. Elle avait l'air raisonnablement calme à présent ; la grotesque épingle de sûreté avait disparu. Le sang et les coulures de mascara avaient été effacés de son visage. Elle tenait une feuille de papier toilette contre sa lèvre.

— On rentre, dit-il posément. La soirée est terminée.

Mais, bien sûr, rien n'était terminé. Il y eut de nouveaux diagnostics, de nouveaux comprimés, de nouveaux médecins.

Elle retourna à l'école à la fin du printemps. C'était une journée radieuse, notre trio était une fois de plus réuni. Le dernier traitement de Sally l'avait rendue apathique et grosse. Nous étions assis sur les marches de la cafétéria, à prendre le soleil de midi. Sa figure arborait une expression satisfaite, détendue.

— Vous saviez, dit-elle d'une voix égale, que j'avais été adoptée ?

Elle expliqua simplement qu'elle était le fruit d'un inceste et que ce matin-là sa mère avait mis quelques gouttes d'arsenic dans son jus d'orange.

— C'est idiot d'utiliser de l'arsenic, ça sent l'amande. Tout le monde le sait. (Elle nous adressa une mimique exaspérée.) Tu ne me crois pas, fit-elle, en me scrutant. Je sais que Bass me croit, lui.

Sebastian paraissait navré dans son silence. Il se leva et alla chez le principal pour prévenir Mme Newlyn.

Sally avait cessé de prendre ses cachets parce que cela la fatiguait et la faisait engraisser, mais Mme Newlyn réussit à la faire changer d'avis, et la semaine suivante elle était de retour à l'école.

— C'est arrangé à présent, nous dit-elle. Oui, c'est arrangé. Tout va reprendre comme avant.

Elle n'avait pas de cavalier pour le bal de fin d'année, et comme on ne pouvait pas la laisser chez elle, y aller en trio semblait la seule solution. Sebastian l'invita dans les règles, en lui envoyant une petite carte ornée de roses.

Sa mère sortit la robe cramoisie du placard. Il y avait longtemps que je n'avais pas vu Sally aussi heureuse et calme que cette nuit-là. Jusqu'au moment où les footballeurs se mirent à chahuter et arrachèrent les urinoirs dans les toilettes des hommes. Des gardiens en uniforme se précipitèrent dans la salle pour nous encercler comme du bétail.

La figure de Sally se contracta dans une expression de rage désespérée. Elle marcha vers le premier footballeur venu et le gifla en pleine face.

— Comment osez-vous faire une chose pareille ? sifflat-elle entre ses dents. Vous ne savez pas qu'il vous faudra payer pour cela dans une autre vie ?

La veille de mon départ pour l'université de Little Ivy League, dans le Massachusetts, Sally m'appela pour me demander si elle pouvait passer. Elle avait fait une nouvelle rechute en juillet et était restée presque tout l'été chez elle avec sa mère, à regarder la télévision. Mme Newlyn prétendait que cela avait sur sa fille un effet merveilleusement calmant.

Ce jour-là, il pleuvait, et l'eau ruisselait du toit en faisant entendre un murmure consolant.

Elle s'assit sur mon lit avec l'album de l'année ouvert sur ses genoux.

— Tu vois toutes les gentillesses que les gens m'ont écrites ?

— Je sais. Tu as toujours été très populaire.

— Je pense que je vais faire une formation courte à l'université, passer mon diplôme, histoire de voir. Toi tu seras tout près. Et Bass sera à Columbia – pas trop loin. On pourra se retrouver et ce sera comme avant.

J'acquiesçai en détournant les yeux.

— Je vois des choses que personne d'autre ne voit, dit-elle.

— Je sais. Mais ne m'en parle pas, Sally. Je ne veux pas savoir ce que tu vois.

— Il faut que je te dise une chose... j'ai été amoureuse de Bass. Si amoureuse que j'ai cru en mourir. Mais j'ai vu comment il t'embrassait, comment il te regardait, et j'ai compris que je n'avais aucune chance. Comme j'ai été jalouse !

— Ne dis pas des choses pareilles. Quelle importance, maintenant ?

— Tu aimes toujours Nathan ? demanda-t-elle, cherchant mon regard.

Subitement, elle changea de sujet.

— Ma mère est une femme contrariée. Elle n'a jamais eu de vie personnelle. Toute la ville est pleine de femmes comme elle qui ont peur. Moi j'avais peur aussi, mais plus maintenant... Ma mère a des dons cachés, elle parle aux animaux. Tu étais au courant ?

Mon cœur défaillit.

— Sally, allons...

— C'est la vérité. Mais je n'aurai pas la même vie qu'elle. Je vais rejoindre les Volontaires de la paix.

— Ah, génial !

Elle me saisit le bras et me regarda sous le nez.

— Ne te case pas, Céleste. Pars à la recherche de ce que

tu veux. Fais-le pour moi, d'accord ? N'oublie pas ce que je t'ai dit : Tu as une âme très ancienne. Il faut la préserver.

— Entendu, Sally.

Durant les vacances de Noël, Mme Newlyn me contacta pour me signaler que sa fille était retournée à Clearwater. Ces mois passés loin de la maison m'avaient délivrée, et je ne voulais plus avoir la responsabilité cauchemardesque d'être la meilleure amie de Sally.

Elle me raconta que Sally était obsédée par son album perdu, qu'elle était certaine de l'avoir laissé dans ma chambre à sa dernière visite. J'étais également certaine d'avoir vu Sally mettre ce volume dans son cartable, et c'est ce que je répondis à Mme Newlyn. Mais je promis de le chercher, et je tins promesse. Il resta introuvable.

Mme Newlyn ne me pardonna jamais de ne pas l'avoir retrouvé, de ne pas être allée voir Sally à Clearwater, de ne pas lui avoir écrit.

C'est Sebastian qui m'appela à la résidence universitaire l'année suivante, en décembre, juste au moment des examens, pour m'annoncer la mort de Sally. Ses parents ne savaient pas ce qui avait provoqué son suicide.

J'espérais qu'elle n'avait pas pensé à moi en mal avant de mourir.

Sebastian avait été un meilleur ami. Il avait gardé le contact. Sa voix était légèrement distante au téléphone. Je ne pouvais pas lui en vouloir.

Dès que j'eus raccroché, le téléphone sonna de nouveau et, croyant que c'était encore lui, je décrochai.

— Céleste, c'est Nathan. J'ai appris pour Sally. J'ai pensé à t'appeler.

Je ne trouvai même pas étrange qu'il eût reconnu ma voix immédiatement.

— Comment vas-tu ?

— J'ai été collé à mes examens.

— Comment ça se fait ?

— Je sais pas. J'ai pris des vacances pour comprendre, mais ça n'a rien donné. Ça fait que, maintenant, on est tous les deux en deuxième année. Le destin, hein ?

Il y eut un instant de silence, au cours duquel je pus entendre sa respiration égale, et mon imagination vit ses lèvres pressées contre le téléphone. Je ressentis de nouveau comme une décharge électrique, et ma bouche devint sèche.

— Nathan, je crois que je suis flippée à cause de Sally. Je ne ressens plus rien.

— J'ai besoin de te voir, Céleste, reprit-il d'une voix douce.

— Pourquoi ? fis-je, troublée.

— Parce que je n'ai jamais cessé de penser à toi, et maintenant il est temps.

— Je suis en train de passer mes examens, dis-je, tentant désespérément de me raccrocher à quelque chose.

— Rejoins-moi quand ce sera terminé. Je t'en prie.

— D'accord. Demain.

Le lendemain, je prenais la route sous les flocons de neige. Je me sentais légère, libre, pleine d'agitation et de désir. Je n'éprouvais aucun remords vis-à-vis de Sebastian ou de Sally. Je les avais laissés derrière moi à la résidence universitaire, comme on se débarrasse d'un vieux manteau mité aux premiers signes du printemps.

VII

Nous étions en route pour le New Jersey, Alex et moi, afin de passer la nuit chez Chester et Babs, son père et sa belle-mère, qui donnaient une réception en l'honneur de nos fiançailles. Derrière les vitres teintées de la BMW défilait un no man's land d'usines et de lotissements. C'était une magnifique journée de printemps malgré ce morne paysage. J'avais un rhume carabiné. Ce matin-là, je m'étais réveillée avec la gorge en feu et les sinus bouchés ; à midi, le virus avait déclenché une offensive tous azimuts.

J'appuyai mon front à la vitre. Alex me disait qu'il m'aimait dans le tailleur de lin beige qu'il m'avait offert pour l'occasion. J'avais la tête comme prise dans une cruche d'eau tiède.

Le tailleur était luxueux, séduisant ; digne d'un cadre de Wall Street – la jupe juste au-dessus du genou, la veste ceinturée, aux épaules rembourrées. Je me sentais déguisée, mais ça ne me déplaisait pas. En général, je portais des jupes longues, des hauts vagues, ou des robes à la taille non marquée.

Alex pianota sur le volant, soupira. Son nouveau

téléphone cellulaire sonna. Il formait une bosse dans la poche de sa veste, comme un petit revolver.

— Quoi encore, George ?

George parla un certain temps, puis Alex déclara patiemment :

— Ça ne change rien. Qui veut conduire la mariée à l'autel doit d'abord la faire saliver. On ne peut pas la prendre de force. Fais-lui la cour.

De quoi pouvait-il bien parler ? Il écouta un instant et ajouta :

— Le parti majoritaire s'inquiète parce qu'il veut obtenir des postes de responsabilité pour ses gosses, c'est tout. Tu connais ces Latins. Ils ont la religion de la famille.

Apparemment, un accord important était sur le point d'être conclu en Argentine, et George, envoyé là-bas, n'avait pas l'air de pouvoir se débrouiller sans appeler toutes les trente minutes. Ça commençait à m'énerver.

— Et si tu raccrochais ? Tu crois qu'il en aurait une crise cardiaque ?

— C'est très sérieux, Céleste, fit Alex en contenant un soupir d'impatience. Le moment est mal choisi.

À George, il lança :

— On va leur mijoter quelque chose de plaisant ! Tu m'as compris, George...

— Pour moi aussi, le moment est vraiment mal choisi. Je suis malade comme un chien, dis-je à ma fenêtre.

Je pensai qu'il était peut-être nerveux à l'idée de voir réunis les parents et amis de son père. Cela n'était pas arrivé depuis le mariage de ce dernier avec Babs, quelque dix ans plus tôt. Peut-être lui était-il plus facile de planifier un important rachat d'entreprise au téléphone que de songer aux siens. Mais je gardai ces réflexions pour moi et posai la main sur sa cuisse.

Moi non plus, je n'avais pas revu mes parents depuis

longtemps, mais je me fichais pas mal de leur opinion. La seule fois où ils s'étaient retrouvés dans une même pièce – le côté paternel WASP et le clan maternel français, venu de Bordeaux et de Paris –, c'était aux obsèques de ma mère. Ma grand-mère française n'était pas venue. Elle avait écrit un billet lapidaire pour expliquer que son mari (le troisième) souffrait de la goutte et ne pouvait pas rester seul, mais moi j'étais certaine qu'elle en voulait encore à ma mère, après leur dispute de l'été passé. De toute façon, elle pouvait bien avoir ses raisons : ce jour-là j'avais décidé, à dix ans, que je ne la reverrais jamais.

Alex prétendait que tous les divorces et remariages dans sa famille ne l'avaient pas le moins du monde affecté.

Chester avait travaillé pendant trente ans à New York pour une grosse banque commerciale, mais on l'avait récemment incité à prendre une retraite anticipée. Depuis que j'étais avec Alex, j'avais vu sa mère à deux reprises, « entre deux avions » ; mais son père et sa belle-mère une seule fois, quand ils étaient montés à New York le lendemain de Noël et qu'ils nous avaient emmenés déjeuner.

On m'avait chargée de trouver un restaurant convenable, et j'avais choisi un établissement français dans le vent – mais pas trop, pour Chester et Babs, qu'Alex m'avait décrits comme un peu guindés et pas particulièrement amateurs de cuisine étrangère, surtout celles utilisant l'ail.

Par malheur, le jour fatidique, j'avais oublié l'adresse.

— Vraiment, excusez-moi, dis-je, à l'arrière de leur Buick. C'est quelque part par ici.

Babs saisit la balle au bond.

— Mais c'est parfait ! Comme ça, on fait un petit tour !

Elle avait de longs cheveux bruns entortillés dans un chignon qui tenait grâce à de gros peignes argentés.

— Ah, je me rappelle... Ce n'est pas sur la 3ᵉ mais sur la 2ᵉ Avenue.

— Quelle belle journée. Il fait au moins dix degrés. Où sont nos Noëls d'antan sous la neige ?

— Il fait dix-sept, dit Alex. Ça doit être le trou dans la couche d'ozone.

— Dix-sept, vraiment ? J'aurais juré qu'on avait annoncé dix à la radio.

— Dix-sept.

— Bon, soit. Qu'en dis-tu, chéri ? Ça te paraît possible ?

Elle se tourna vers Chester et, de ses longs ongles rouges, joua coquettement avec les cheveux dans son cou, qui avait exactement la forme du cou d'Alex.

Pendant que nous lisions attentivement le menu, Alex déclara :

— Ici, le poisson est bon. Pas trop aillé.

— Qu'est-ce que tu prends, mon cœur ? demanda Chester à Babs.

— Rien qu'une petite salade.

Elle sourit tristement au serveur et se massa distraitement les tempes.

— Oh, non, dit Chester. Encore la migraine ?

— Juste les sinus, je crois. Ça va.

Elle tressaillit.

Chester commanda un hamburger. Alex et moi, une sole meunière.

On s'échangea les cadeaux. Alex offrit à son père, « de notre part à tous deux », un genre d'outil dernier cri, à la fonction incompréhensible pour moi, pour son atelier de menuiserie. Chester, à ses moments perdus, adorait fabriquer des meubles dans le style Quaker. Alex remit à Babs une boîte de chez Bloomingdale bien présentée et qui contenait un faux foulard Hermès acheté à un marchand à la sauvette sénégalais.

Ils poussèrent des oh ! et des ah ! durant un certain temps, puis le silence retomba.

Chester donna à son fils une montre de plongée sophistiquée, jaune vif, tandis que Babs me tendait un pavé enveloppé de papier vert et orné d'un gros nœud rouge. Le dernier roman de Danielle Steel.

— Merci beaucoup...

— Alex nous a raconté combien vous aimiez lire ! J'adore Danielle Steel, pas vous ? fit-elle avec un sourire satisfait.

Je souris également et pris des nouvelles de ses sinus.

Alex parla à Chester de sa dernière promotion (il était le plus jeune directeur général jamais nommé dans sa boîte) et interrogea son père sur une certaine société, Groupo Telemedia, qui cherchait à racheter des chaînes de télévision de Los Angeles à Chadwick Broadcasting, l'une des plus anciennes compagnies américaines. Ils parlèrent longuement de ce sujet, sous mes yeux sidérés. Babs dissimulait sa bouche et pressait les doigts sous son nez, pour étouffer un bâillement.

Chester avait un visage bienveillant, élastique, qui semblait totalement imperturbable.

Babs enveloppa un glaçon dans sa serviette et l'appliqua sur son front, juste entre les sourcils. Elle ferma encore les yeux et tressaillit de nouveau.

Au bout d'un moment, Alex la regarda et dit d'une voix mielleuse :

— Si ces migraines sont aussi redoutables que tu le prétends, tu devrais consulter un médecin.

— J'en ai vu une vingtaine, mon cher, soupira-t-elle.

Alex fronça les sourcils, l'air extrêmement concerné.

— Peut-être pas les bons... Et si c'était psychosomatique, tu y as déjà pensé ?

Babs ricana :

— Tu es si amusant, Alex !

— Au fait, papa, je viens de lire un livre sensationnel. Ça te plairait. C'est de Primo Levi et ça s'appelle *Le Métier des autres*. Céleste me l'a offert...

— Toi, lire un vrai livre, Alex ! Ça doit être sous la torture ! s'exclama Babs.

Elle se tourna vers moi.

— Quand il était fiancé à Mimi – vous savez qu'elle ne pensait qu'aux toilettes (même si, sur les seules photos d'elle que j'aie vues, elle était à poil) –, elle lui faisait lire *Vogue* et faire ses courses chez Sacks ! Quand je pense à tous ces petits costumes italiens épaulés jusque-là... ! Heureusement, il est revenu à plus classique ! Et maintenant, des *livres* ! Quelle amélioration !

Son sourire était si sincère et suave que vous auriez cru qu'elle parlait d'une portée de petits chats.

Alex lui fit les gros yeux, mais sa belle-mère continua avec ce sourire fervent. Je cherchai à comprendre du côté de Chester, mais lui aussi souriait – un grand sourire élastique et heureux qui lui barrait le visage.

Le téléphone cellulaire se remit à sonner. L'idée de m'afficher en public avec un rhume de cette ampleur me rendait inconsolable.

— Fais ce que tu as à faire, George, dit Alex au bout d'un moment, et il coupa le téléphone, un gros bidule rectangulaire et gris pourvu d'une longue antenne.

Il se tourna vers moi.

— Je me demande si Marx va venir. C'est un genre d'artiste. Un gros producteur. Il aime les jeunes femmes, tu sais, alors gare à toi. Sa femme est alcoolique.

Je sortis mon Neo-Synephrine et m'en injectai deux bonnes doses dans chaque narine.

— Céleste, il faut en prendre que toutes les quatre heures. Or, ça fait la troisième fois et on n'est partis que depuis une heure.

— Je ne peux plus respirer, dis-je, irritée.

Je tâchai de dormir. Au bout d'un instant, je parvins à profiter d'un demi-sommeil plein de souffrances ; j'entendais toujours le ronflement du moteur, ainsi que mes sinus couinant et glougloutant à l'intérieur de ma tête comme s'ils avaient une indigestion. Puis je sombrai dans les ténèbres, l'oubli. Je me réveillai en sursaut, sans aucune notion du temps écoulé, sans savoir où j'étais. Alex était toujours là, parlant avec George en Argentine. Soulagée, je refermai les yeux.

La voiture remonta une petite rue tranquille et sinueuse jusqu'à la maison, blanche demeure néoclassique à deux étages, et sa pelouse bien tondue. Ici, Alex était tout autant que moi un invité. Comme on nous laissait le choix, nous optâmes pour le grenier rénové, la pièce la plus éloignée de la chambre de Chester et Babs. Tandis qu'Alex se rendait au country club pour jouer au tennis avec son père, je m'écroulai sur le lit et dormis d'un sommeil agité pendant plusieurs heures.

Alex me secoua trente minutes avant l'arrivée des invités.

— Pauvre petite... Et si tu prenais une douche chaude ?

Ce n'était plus seulement ma tête qui était comme enfoncée dans une cruche – tout mon corps paraissait se mouvoir dans de l'eau. J'allai chercher de l'aide auprès de Babs. Derrière sa porte close, je l'entendais circuler. Je frappai, avec le sentiment d'être une intruse. Elle était encore en peignoir.

— Babs, je suis vraiment très mal. Pardon, mais je ne sais plus quoi faire.

— Oh, mon pauvre petit, dit-elle d'une voix caressante. Je les connais ces rhumes de printemps. Venez…

Elle m'entraîna dans sa vaste salle de bains carrelée de blanc et ouvrit la pharmacie. Sur la table de toilette en marbre s'alignaient des flacons et des fioles en verre, telle une armée d'amazones enrôlées dans la lutte contre le vieillissement.

— Ah, le Sudafed ! La drogue miracle. (Elle remplit le petit gobelet en plastique avec le liquide d'un rouge maléfique.) Buvez !

Je me l'envoyai d'un trait, et le médicament toucha le fond comme du plomb fondu avant de remonter pour répandre chaleur et bien-être vers ma poitrine et mes extrémités.

— Dans vingt minutes, vous serez comme neuve. Maintenant, il faut vous habiller, mon petit. Tous ces gens brûlent de vous rencontrer ! Quel dommage que votre père et votre belle-mère n'aient pu venir. Nous aurions tant aimé faire leur connaissance avant le grand jour !

— Ils étaient très touchés par votre invitation. Mais c'était loin pour eux, de venir du Connecticut…

Tout en parlant, j'entendais encore la voix courroucée de mon père disant : « Diable, comment faire pour échapper à ce truc-là ? »

Babs me donna le Sudafed, « pour plus tard », et je l'emportai dans notre chambre sous les combles. La douleur commençait à se dissiper, et mon nez se débouchait quelque peu. Je m'habillai lentement, gênée par de menus détails – les perles de ma mère, les boucles d'oreilles qu'Alex m'avait offertes, mes escarpins. J'allai dans la salle de bains m'appliquer du mascara, ce que je ne faisais qu'en de rares occasions. J'avais la figure pâle et bouffie, rendue huileuse par la maladie.

Alex apparut dans le miroir, fin prêt dans son costume gris rayé et sa cravate à fleurs.

— Le tailleur te va à merveille ! Tu te sens mieux ? dit-il avec optimisme.

— Mais oui.

J'esquissai un maigre sourire. En bas, un coup de sonnette. Des voix mondaines se congratulaient au rez-de-chaussée.

— Oh oh, c'est vraiment très chic, ce que tu fais, ajouta-t-il, avec solennité. Je t'aime. J'y vais. (Il m'enlaça par-derrière.) Prends ton temps.

Une fois seule, je remplis le petit gobelet en plastique et m'envoyai une nouvelle dose de Sudafed. C'est seulement en descendant l'escalier que je compris que j'étais déjà un peu grise ; la partie raisonnable de mon cerveau me disait de mettre un frein, car j'allais avoir une de ces soifs impossibles à étancher, ce genre de soif que j'avais consciencieusement évité dernièrement, et dont j'émergeais le lendemain sans me souvenir de rien. Tandis que la voix raisonnable me disait : Vas-y doucement, l'autre, la plus forte, éclatait d'un rire de dérision, car ce que je désirais maintenant, plus que n'importe quoi, c'était un verre d'alcool.

Je flottai en direction du bar, où Babs jouait les barmaids.

— Merci pour le médicament !

Babs était vraiment très belle, avec sa longue silhouette et son visage anguleux, son chignon parfait, ses grosses boucles d'oreilles en or et onyx, assorties au collier, et ce tailleur gris anthracite.

— Mais de rien, ma chère !

Sa voix tinta dans mes oreilles, comme venue de très loin, du bout d'un long tunnel.

— Vous êtes superbe, Babs.

Elle en resta muette, certainement non habituée aux compliments spontanés, puis partit d'un rire gai, rougissante.

— Flatteuse ! Je vous sers quelque chose ?

— Qu'est-ce qui irait avec le Sudafed ?

— Voyons… du vin blanc ?

— Bonne idée.

Elle remplit jusqu'au bord un verre au pied fin et me le tendit avec un napperon. Le vin étincelait comme un bijou à la lumière.

— Et maintenant, relax, ma chère Céleste. On est ici pour faire la fête !

Mon verre fut trop vite terminé. Je me sentais privée. Un homme grand aux cheveux gris et en veste de sport verte m'entretenait de golf. Il semblait un peu tôt pour retourner au bar, et j'attendis patiemment que mon interlocuteur se propose de me resservir.

— Vous jouez au golf, jeune demoiselle ? Alex est très fort, à ce qu'on m'a dit. Un athlète accompli. Dans mon jeune temps, je croyais que le golf, c'était pour les vieillards.

Il avait une voix incroyablement sonore, la voix d'un grand bourgeois à la table familiale qui me rappelait feu mon grand-père paternel.

— Aujourd'hui, je suis vieux, et je vois beaucoup de jeunes au club tous les jours. Pourquoi avoir attendu si longtemps, je me le demande…

— Précisément, dis-je, souriante.

— Ah, vous êtes donc joueuse !

— Non, mais ma belle-mère l'est. Et elle est assez bonne, je crois.

Ce n'était pas un mensonge, mais je n'aurais pas hésité à mentir si cela avait pu lui faire plaisir et me valoir un autre verre.

— Vous buvez quelque chose ?

Me félicitant, je lui tendis mon verre.

L'instant d'après, il était encore vide. Cette fois, j'allai au bar moi-même, pour découvrir que Chester avait relayé son épouse.

— Céleste ! Je vous présente mon cher ami et employeur, M. Hendrake.

La figure de M. Hendrake ressemblait à un énorme téton rose, tout plissé et fripé autour de sa bouche pincée qui tétait goulûment son verre. Je lui souris poliment tandis qu'un rire dangereux commençait à gronder dans ma poitrine.

M. Hendrake me parla ordinateurs. Je l'écoutai attentivement, le temps de vider mon verre. Chester était généreux avec le vin ; ayant fait le plein, je m'excusai avec un grand sourire et pris la tangente.

— N'est-ce pas mignon ? disait M. Hendrake dans mon dos. Déjà son fiancé lui manque.

Le temps s'arrêta. Je me retrouvai en train de parler à l'infâme Edgar Marx, producteur de spectacles à Broadway.

— Je suis le seul Juif ici, me disait-il en survolant la foule du regard. (Lui aussi était grand, avait des cheveux argent, et une veste de sport bien carrée.) Mais je ne m'en formalise pas, ha, ha, ha !

Je perçus une œillade et gardai le sourire. Sa figure naviqua devant mes yeux. Je restais debout, muette, sage, souriante, adossée au piano à queue pour me soutenir.

— Je gagne plus d'argent que tous ces types réunis… Mais on ne peut pas gagner à tous les coups… Vous avez vu *The Secret Sharer* ?

— Non, mais le livre m'a plu.

Ces paroles émanaient-elles vraiment de ma bouche ? C'était difficile à déterminer.

— Le livre, connais pas. Mais la pièce est formidable. Je vous enverrai deux billets la semaine prochaine…

Je lui fus reconnaissante de sa réaction ; c'était donc bien moi qui avais parlé, et j'avais encore le contrôle de la situation.

— Je vous ressers quelque chose, mon ange ?

Je sentis sa main sur ma hanche.

— Pourquoi pas ?

Peu après, il était de retour.

— Avez-vous déjà lu John Cheever, monsieur Marx ?

J'étais fière de mes efforts pour parler raisonnablement et avec entrain. Il devait m'avoir entendue, car il acquiesça.

— Appelez-moi Ed… Dans le *New Yorker*, oui.

— Vous ne trouvez pas que cette soirée ressemble à du Cheever ?

— Ha ! ha ! ha !

Il marqua une pause, me regarda et demanda :

— À quel point de vue ? Oh, voici ma femme, Elizabeth.

Elle fondit sur nous tel un gros oiseau noir aux bajoues rouges et occupa tout mon champ de vision. Sa pauvre figure était ravagée par les bouffissures et les rides. Il était clair qu'elle croyait que son mari était en train de me draguer.

— Voici la fiancée d'Alex, s'empressa-t-il de dire, un peu nerveux.

— Enchantée, dis-je.

Ma voix était trop traînante, trop enthousiaste.

— Oui, bon. Edgar, va me chercher un verre.

Quand il fut parti, elle déclara :

— Vous savez, je ne suis pas juive.

Je souris, sans voix.

— Non. Et j'ai appris à mes dépens que les mariages mixtes sont une erreur.

Je sentis mon visage se figer dans un sourire de gargouille. Mais voilà qu'Alex arrivait à la rescousse, m'enlaçant étroitement. C'était comme m'appuyer à un réfrigérateur. Je levai les yeux sur son beau visage, ses traits parfaits, son expression toujours si contrôlée.

— Comment allez-vous, madame Marx ?

— Ni mieux ni plus mal que la dernière fois, marmonna-t-elle.

Je voulais fuir au plus vite cette femme, mais j'avais peur de trébucher et de m'étaler, si Alex me lâchait subitement. Il reporta son attention sur moi.

— Ça va mieux, Céleste ?

— *Beaucoup* mieux !

— À la bonne heure... Tu es vraiment chic. Mais tu devrais peut-être ralentir un peu pour le vin. Et si tu mangeais un morceau ? Le buffet est ouvert.

C'était hors de question. Ce qu'il me fallait, c'était une autre dose de Sudafed, la drogue miracle. La pièce tournoyait comme un manège, une musique grêle, des rires, des habits colorés, j'éprouvais un étourdissement proche du vertige, qui me rappelait un autre endroit, dans une autre vie...

J'eus un sourire rassurant pour Alex.

— Je vais me repoudrer le nez, dis-je, en surveillant plus que jamais mon élocution, car il m'avait déjà vue dans cet état, et je me dirigeai vers l'escalier.

Gestes ultra-précis. Extrêmement fiers. Me comportant comme la chic fille dont parlait Alex.

Manège. Manège. Bon ou mauvais ? Très important de savoir cela, quand il s'agit de souvenirs. Une boule d'anxiété me bloquait la poitrine. Je m'assis au bord du lit, qui se mit à monter et descendre comme le noir étalon qui avait une selle dorée et des rênes de cuir.

C'est mon dixième anniversaire, le 15 octobre. Je suis sur le manège de Central Park avec ma mère, qui n'a pas cessé de rire et de crier comme un cow-boy. Elle porte une courte robe, assortie à sa veste bleu roi, des bottes de cuir noir moulantes qui vont jusqu'aux genoux. Et nos chevaux commencent à ralentir leur mouvement de houle, la petite musique métallique paraît triste, pleine d'une gaieté factice.

— Non ! Non ! Encore !

La panique me guette, car je sais que dans un moment tout va s'arrêter et que ma mère et moi serons alors rejetées dans le monde réel, où elle est si désespérément malheureuse.

Comme nos chevaux s'immobilisent, le gardien du manège, un petit vieux rondouillard à béret et au teint rubicond, nous sourit.

— *Vous êtes française ?* demande-t-il à ma mère.

— *Oui, bien sûr.*

— *Vous êtes d'où ?*

— *De Bordeaux.* Mais nous vivons ici, à présent. Mon mari est américain.

J'ai peur qu'elle ne se mette à pleurer, comme ça lui arrive parfois, sans raison apparente. Sa jolie robe ajustée retroussée sur ses cuisses, elle chevauche son destrier gris au harnachement argent.

— Moi, je suis de Marseille. Ça fait quinze ans que je vis ici, et pourtant j'ai toujours le mal du pays.

— Ah, je sais, fait ma mère, en riant tristement.

— Vous ressemblez à Brigitte Bardot. Mais vous êtes encore plus belle.

Nous avons déjà entendu cette remarque, et d'habitude ma mère a un mouvement de recul, mais, cette fois, elle accepte le compliment et offre au vieillard un sourire charmeur, dolent.

— Ma petite fille ne veut pas s'en aller…

— Eh bien, restez ! dit-il en tapotant le nez du cheval de maman. Cadeau de la maison. Restez aussi longtemps que ça vous chante !

Bien plus tard, car nous avons fait des tours et des tours, il salue notre départ, debout sous une haute arcade. Nous avons la tête dans le brouillard, les pieds mal assurés sur le sol.

— Revenez vite ! Je suis là tous les jours depuis quinze ans !

— Nous ne venons pas souvent en ville, lance ma mère par-dessus son épaule.

— Ça ne fait rien. Revenez. Je me souviendrai de vous.

— Dieu vous garde, dit ma mère, en lui envoyant un baiser.

Une année ne s'est pas écoulée, c'est l'été, et Anna, la nouvelle amie de mon père, m'a emmenée au zoo de Central Park. Elle est souvent chez nous, ces temps-ci, et se charge de petites corvées. Anna espère que cette virée me changera les idées, mais les animaux ont l'air si tristes dans leurs affreuses prisons de ciment que je commence à pleurer. Désemparée, Anna suggère le manège. Je consens, soudain enthousiaste.

De loin, on entend la petite musique grêle. Je me mets à courir, courir, comme si une minute pouvait faire une différence dans le fait de trouver ou non le vieux gardien français. Tout à coup, cela me semble d'une importance capitale, même si je n'avais jamais pensé à lui depuis ce jour.

Anna m'achète un billet et s'assoit sur un banc, croisant sagement ses pieds si raisonnablement chaussés, tandis que j'attends, dévorée d'inquiétude, que le portillon s'ouvre. Ah, le voici, posté au fond de ce noble lieu, surveillant sereinement le passage des chevaux et des équipages. La musique est la même – gigantesque, encourageante, pleine de solitude. La plate-forme cesse de tourner et on défait la chaîne. Je cours vers lui.

— *Monsieur ! Monsieur !* Vous vous souvenez de moi ?

Il me toise longuement, et sa figure s'illumine.

— *Où est ta belle maman qui ressemble à Brigitte Bardot ?*

— *Elle est morte, monsieur,* dis-je, et je ne peux plus le regarder.

Ces mots sont nouveaux, jamais je ne les avais prononcés.

— *Elle était faible du cœur.*

— *Pauvre petite*, dit l'homme, posant sa main sur mon épaule.

Il murmure :

— Je suis certain qu'elle est heureuse au paradis avec le bon Dieu. Je vais te mettre sur mon plus beau cheval. C'est le plus rapide de mes noirs étalons et il t'emmènera au bout du monde !

Il m'enlève dans ses bras et je m'accroche à son cou. Ma gratitude est telle que je ne peux même pas dire que je ne veux pas monter, que je voudrais rester avec lui sur la terre ferme, et regarder les autres. Je fourre mon nez dans sa chemise en jean et laisse échapper un petit sanglot pour elle, le premier. Ce sera aussi le dernier pendant de nombreuses années.

J'avais pleuré contre l'oreiller. Levant la tête de quelques centimètres, je vis à travers un brouillard que la taie était maculée de mascara. Je me traînai dans la salle de bains et me débarbouillai vigoureusement. Dans la glace, je constatai que je tanguais, comme sur un navire. Visiblement, ce n'était pas la peine de compter sur le mascara. Me félicitant de ma sagacité, j'optai pour un crayon pour les yeux, du blush et du rouge à lèvres. Je brossai mes cheveux, mes dents. Mes yeux étaient injectés de sang, mais Dieu merci j'avais de la Visine dans ma trousse de toilette. J'envisageai une nouvelle dose de Sudafed, mais ce n'était sûrement pas indiqué, et je projetai plutôt de prendre un autre verre de vin.

Le pied léger, fortifiée par cette crise de larmes, je descendis l'escalier. Dieu sait pourquoi me revint en mémoire la scène du bal dans *Rebecca*, quand la seconde Mme de Winter descend l'escalier avec la robe qu'elle n'aurait jamais – jamais – dû porter.

Fondu au noir.

Je me réveillai paralysée, déroutée, et ne sachant où j'étais. J'allongeai le bras pour palper le drap et voir s'il y avait quelqu'un près de moi – heureusement, j'étais seule. Puis je me rappelai que j'étais fiancée. Alex n'était pas là.

Que pouvait-il s'être passé ?

Il se tenait près du lit.

— Comment te sens-tu, Céleste ?

Je perçus une note de sarcasme dans sa voix.

— Je suis malade.

— Pourtant, ça ne se voyait pas, hier.

Ma tête commença à m'élancer, tandis que je tâchais de formuler une riposte, mais il se jeta à mon côté et m'embrassa.

Craignant qu'il ne puisse sentir mon haleine, je me détournai.

— Tu as fait la conquête de tous ! Je suis très fier de toi. C'était chic.

J'en déduisis que la seule chose à faire pour réussir dans ce milieu-là, c'était de la fermer et de sourire. Après un moment, il ajouta :

— Qu'est-ce que vous vous disiez, Babs et toi, dans la cuisine ?

Qu'est-ce qu'on se disait dans la cuisine ? Étais-je allée dans la cuisine ? Je préférai répondre à côté.

— Quand ça ?

— Plus tard, quand tu l'as aidée à nettoyer.

Je fis un gros effort pour me représenter la scène. En vain.

— Rien de spécial. Je ne me souviens plus.

118

— Vous ricaniez comme des hyènes. Vous deviez avoir déjà bien picolé, toutes les deux.

Je compris qu'Alex se sentait menacé par ce copinage, mais je ne pouvais pas apaiser son anxiété, et mon cerveau était totalement vide.

— Pas moi. C'était le Sudafed.

Miraculeusement, mon rhume allait mieux, ou peut-être que ma gueule de bois estompait les douleurs du rhume. Alex alla à la salle de bains et revint avec deux Advil, un verre d'eau et le Sudafed.

— Cache-moi ça !

La simple vue de ce truc me donnait la nausée.

— Il pleut. J'ai pensé que nous pourrions faire un tour au centre commercial. Tu mérites un cadeau pour avoir été si gentille avec mes vieux.

— Je ne peux pas. Je suis vraiment malade. Quelle heure est-il ?

— Pas loin de midi.

Je pris une douche, m'habillai et descendis avec précaution dans la cuisine. Même le bout de mes doigts m'élançait en touchant la rampe. J'avais mal au cœur, et honte de moi.

Tout était en ordre. Personne n'aurait pu se douter qu'il y avait eu une fête ici. Babs était assise dans le coin du petit déjeuner, en peignoir et chaussons, lisant les pages « Arts et Loisirs » du *New York Times*. Ses longs cheveux bruns flottaient autour de son visage pâle. Elle semblait vulnérable sans son chignon, et vaguement mélancolique. Quand elle me regarda, je vis ses yeux gonflés, injectés de sang, et en conclus qu'elle était à peu près dans le même état que moi.

— Bonjour, chère Céleste… Et ce rhume ? (Elle tapota la chaise voisine.) Venez ici. Un peu de café ?

Son sourire était généreux et complice. Qu'avait-on bien pu se dire la nuit dernière ?

Une vague de nausée me traversa comme une image me

revenait dans un flash : Babs devant l'évier, rinçant des verres, et moi assise derrière la paillasse, incapable de rien faire sinon me tenir la tête à deux mains. « Mimi est complètement idiote. Elle confond les deux guerres mondiales ! À se demander comment elle a fait pour suivre son droit. » Babs renverse la tête en arrière et s'esclaffe, une dent en or brillant à la lumière. Revenant à ses verres savonneux, elle ajoute : « Alex n'était pas assez chic pour elle… elle a eu une aventure avec un comte italien, et Alex l'a très mal pris. »

Les genoux en coton, je m'assis auprès d'elle. J'aurais voulu la questionner sur l'ordre de protection. Mais à supposer qu'elle n'en sût rien ? Et si elle était l'ennemie d'Alex ? Elle pourrait s'en servir contre lui.

Alex était avec son père au sous-sol : la rumeur de leurs voix et le ronron des outils électriques filtraient à travers le plancher.

Babs et moi gardions le silence ; elle continua de lire pendant que je regardais la pluie cribler la vitre.

— Ma chère Céleste, dit-elle enfin d'une voix basse et douce, j'espère qu'Alex comblera vos besoins. Je sais que je suis bien trop intelligente pour Chester, mais quand je l'ai connu, j'avais quarante-cinq ans, mon mari venait de me quitter pour sa secrétaire, et j'avais quatre enfants adolescents. Parfois, je voudrais l'attraper par la peau du cou…

Elle souleva le journal et le secoua. Elle s'interrompit, le contempla, puis le froissa et s'en défit.

— Mais je suppose que le refoulement de la vérité peut être bénéfique. C'est tellement plus facile de vivre ainsi. Le hic, c'est qu'Alex a un caractère si violent… Et vous, vous êtes vraiment une jeune femme adorable.

Après un silence, elle ajouta :

— Pardon pour le livre de Danielle Steel. Je peux être une telle garce, c'est plus fort que moi !

Je souris faiblement, affichant un air qui se voulait

compréhensif. Qu'entendait-elle par un « caractère violent » ?

— Moi aussi j'ai perdu ma mère très jeune. Je cherche encore à fuir cette douleur.

Je la regardai, abasourdie, et les larmes me montèrent aux yeux. Lui avais-je parlé du manège ? Je n'arrivais pas à le lui demander, et ne pas me rappeler était une calamité. Je me jurai à moi-même de ne plus jamais mélanger alcool et Sudafed. Je ne boirais plus d'alcool pendant un mois. Enfin, disons trois semaines. Ou deux. Maintenant, au moins, je savais que je ne me réveillerais plus jamais dans le lit d'un inconnu. Alex serait toujours là, pour que je m'appuie sur lui, ce pilier de stabilité.

— Oh, mon Dieu, Babs…

Je cachai mon visage et inspirai pour calmer l'angoisse et la bile qui montait dans ma gorge.

— Je ne sais pas où j'en suis.

Elle prit ma main et la garda sur ses genoux.

J'eus un rire triste.

— Je suis lâche. J'ai peur d'être seule.

— Alors, c'est que je suis lâche aussi.

Nous regardions la pluie mitrailler la fenêtre tandis que les tasses de café refroidissaient dans nos mains.

VIII

Une terrible léthargie me terrassa après cette soirée. Mon rhume avait établi son camp dans ma tête en prévision d'un long siège, mais ça m'était égal. Pendant cinq jours, je restai au lit, ravie d'avoir une excuse. Je lisais, et regardais Discovery Channel où j'appris bien des choses sur des contrées lointaines ainsi que des vérités scientifiques sur la vie des requins, des dinosaures, des fourmis, des chiens sauvages et des singes.

Le samedi suivant, j'étais prête à sortir, et Alex suggéra de retourner chez Bloomingdale pour continuer nos folies. Déjà les cadeaux commençaient à arriver. Je n'ouvrais jamais les paquets, attendant son retour du bureau. C'était amusant de le voir déchirer les emballages avec l'enthousiasme avide d'un enfant. Parfois je le taquinais, aussi me traitait-il de moine trappiste en souriant d'un air penaud.

Durant des années, j'avais dormi sur un futon et regardé la télévision en noir et blanc. Ayant vécu avec juste assez d'argent pour survivre avec le minimum de confort, les richesses qui peuplaient la vie d'Alex m'étaient toujours étrangères. Alors que son souci avait été de remplir sa vie de telles richesses, le mien avait été simplement de tenir suffisamment longtemps pour achever ma thèse et devenir écrivain.

Pourtant, ce samedi-là, tandis que nous déambulions lentement entre les meubles de salon et de chambre à coucher en exposition, le fond de ma gorge se mit à brûler d'un incompréhensible et lancinant désir. Sur une table encaustiquée, des verres en cristal et une argenterie immaculés brillaient près d'assiettes rouge foncé, éclairés par des spots tels les joyaux de quelque civilisation ancienne et révérée. Je me sentais comme une intruse dans ce monde d'ordre et de satiété.

J'allai m'asseoir sur le canapé et croisai les jambes. Alex s'assit près de moi, dans le fauteuil. Nous nous sourions en silence. Je nous aperçus dans un grand miroir fumé, doré, pendu au mur, et pendant un moment je fus submergée de bonheur par ce jeune couple serein. Je souris à notre reflet ; Alex chercha ma main, l'étreignit.

Comme nous poursuivions notre exploration, le stand Positano m'attira l'œil et je m'y arrêtai. Nous avions retenu cette vaisselle. J'avais apprécié la simplicité enfantine du poisson bleu indigo peint à la main sur ces tasses et assiettes. Je pris un plat pour l'admirer, tâchant d'imaginer ce que je pourrais bien y servir.

— Ça j'aime, Jane, dit à sa compagne un jeune homme qui se tenait près de moi.

— Mais c'est italien ! répondit Jane, sur un ton sans appel. On va passer notre lune de miel en *France*, Howard. Papa dit que nous pourrions aller à Limoges choisir notre service de table.

— Tu crois que ce sera beaucoup moins cher ?

— Quelle importance ? On pourra dire que nous l'avons acheté à Limoges.

Je reposai le plat pour les regarder en douce. Howard était un homme brun approchant la trentaine, sans doute un businessman s'efforçant de paraître détendu dans son bermuda Gap et sa chemise de coton Oxford. Jane portait un pantalon kaki et une chemise Lacoste rose au col remonté, ses cheveux très blonds tirés en queue de cheval. Elle avait une montre en or Cartier, et son solitaire était ce qu'Alex aurait appelé un « caillou ». Comme le mien, en fait. La plupart du temps, je le regardais avec surprise et effroi, comme si je n'arrivais toujours pas à croire qu'il était à moi. Je considérai ma jupe, l'une de mes préférées, un imprimé à fleurs délavé, vieille de cinq ans, et mes espadrilles portugaises dont les semelles de corde étaient effilochées.

Qu'est-ce que je fiche ici ? pensai-je, et je pris la fuite.

Au rayon ustensiles de cuisine, Alex examinait une énorme cocotte orange Le Creuset à trois cents dollars.

— Et ça, qu'est-ce que t'en dis… ? On pourrait cuisiner pour des tas de gens. Faire de grandes fêtes…

Nous montâmes déjeuner à la cafétéria. Dans la queue qui dura une vingtaine de minutes, deux bourgeoises se plaignaient qu'on ne trouvait pratiquement plus de bonnes manucures depuis que les Coréennes avaient fait main basse sur les instituts. Au moment de m'asseoir, j'avais perdu l'appétit.

Alex s'arrêta de mordre dans son sandwich.

— Qu'est-ce qu'il y a ?

— Je… j'en sais rien.

J'avais le visage froid ; je devais être pâle.

— Je ne me sens pas à ma place ici.

— Tu es à ta place partout. J'ai travaillé comme une bête pour pouvoir m'offrir ce que je veux. Profite, Céleste. Ne pense pas trop.

Alex partit pour le Mexique le lundi. Il serait absent quatre jours. Énervée, j'allai voir, cet après-midi-là, ma vieille copine Lucia et je fumai un joint avec elle sur le canapé. Je n'en fumais presque jamais. Bientôt, des pensées troublantes envahirent mon cerveau. *Il ne te manque pas. Il devrait te manquer plus.* Je me souvins, trop tard, que la dernière fois que j'avais fumé du hasch avec Lucia j'avais juré de ne plus jamais y toucher. Et maintenant, j'étais défoncée et incapable de revenir en arrière. J'avais l'impression que ma peau était transparente et qu'on pouvait voir tout ce qui se passait en moi. L'odeur piquante de l'eau de toilette d'Alex m'effleura soudain les narines. Je la reniflai au bout de mes cheveux, sur mes mains. D'où venait-elle ? Avait-elle pénétré par mes pores ? Lucia me contemplait avec inquiétude.

— Allons manger. Je commence à flipper.

Elle m'accompagna au Yellow Rose pour manger des morilles. Je m'installai au bar. Lucia commanda un margarita glacé. Patrick, notre beau barman-acteur quadragénaire, attendait ma commande. Tout était comme au ralenti, et le silence, si lourd d'insinuations, évoquait une pièce de Pinter mal dirigée. J'étais certaine qu'ils pensaient que mon avenir dépendait de ma décision de prendre ou non un verre. Je n'avais pas bu depuis la soirée chez Chester et Babs, et il me semblait judicieux de continuer sur cette lancée ; pourtant ce silence prolongé était intenable, et je décidai qu'un margarita m'aiderait sûrement à sortir de ma torpeur. Et puis il y avait toujours cette agaçante eau de toilette.

— Lucia, tu ne sens pas cette odeur ? Cet après-rasage…

Elle se pencha pour me renifler comme un gros chien.

— Je ne sens rien. Mais c'est vrai que j'ai le pif bouché en permanence.

Un peu plus tard, à la moitié de mon verre, je me mis à égrener une litanie de doléances. Dans le brouillard, je notai que vraiment ma tolérance à l'alcool déclinait. Étais-je réellement en train de parler en détail de l'ex-femme d'Alex et de son ordre de protection ?

— Ça me fout en boule qu'il m'en ait pas parlé ! dis-je en guise de conclusion.

— Moi, ce que j'aimerais surtout savoir, c'est ce qu'il lui a fait, fit Lucia en écho.

— Rien, d'après lui.

Lucia se contenta de me dévisager.

— Bien... Mon conseil... (Elle enfourna un autre champignon et le mastiqua avec délectation.) N'y pense plus.

Patrick, dont les oreilles avaient suivi les aléas de nos existences tout au long de ces dernières années, nous apporta deux boissons bien fraîches et les déposa sur de petites serviettes blanches.

— Félicitations... C'est ma tournée.

Comment dire non – c'était impensable. C'est ainsi que nous restâmes là, à discuter du mariage en général, et du mien en particulier, avec Patrick qui, de temps en temps, vidait le fond de son mixer de margarita dans nos verres après avoir servi un client, jusqu'au moment où il m'apparut, une fois la foule dispersée, que j'étais ivre. Alex devait être en train d'essayer de me joindre. Depuis combien de temps avais-je quitté la maison ? Peut-être quatre heures... Il y aurait au moins cinq appels sur mon répondeur. Il allait croire que j'avais une aventure. Je me sentis coupable sans raison.

Je mis une pièce dans le téléphone et appelai sa messagerie vocale au bureau.

— Alex, articulai-je très distinctement. Écoute, je suis avec Lucia en ville. Elle est au bord de la crise de nerfs... je vais peut-être dormir sur son canapé cette nuit. Je t'embrasse. Bonne nuit.

Là-dessus, je raccrochai et poussai un « ouf » de soulagement. Au bar, j'achetai un paquet de cigarettes à Patrick, qui me rappela que j'avais cessé de fumer un an plus tôt. Alex avait dit un jour que c'était une bonne chose si je ne fumais pas, parce que l'haleine d'une fumeuse lui donnait la nausée.

— Qu'est-ce que ça peut faire ? C'est juste pour cette nuit.

— File-m'en une, dit Lucia, tendant la main vers le paquet. Tu sais ce qui ne va pas, Céleste ? fit-elle, morose. Tu as les pieds froids[1].

Le mercredi, un colis express arriva de sa part – vingt chaussettes sous emballage cadeau individuel ; des chaussettes dorées, argent, fluo, des chaussettes de gymnastique, aux couleurs du drapeau américain, en fait toutes les sortes de chaussettes imaginables. Son petit mot disait : « Céleste, pour tes pieds froids. »

Je riais, tout en éprouvant un certain malaise, quand le téléphone sonna. C'était Alex.

— … Écoute, je voudrais que tu viennes me rejoindre ici.

— Où ça ?

— Au Mexique. L'accord est enfin conclu et les Mexicains sont ravis. Ils m'offrent des billets d'avion et un séjour d'une semaine dans un superhôtel. C'est une station balnéaire non loin de Matlan. Le meilleur coin pour plonger de tout l'hémisphère Ouest. Je viendrai en avion de Mexico. Rendez-vous à l'aéroport de Matlan.

Un voyage gratuit au Mexique. Je n'étais jamais partie sur un coup de tête.

— Et mes élèves ? J'ai cours mardi prochain.

— Tes élèves ? Ils ne s'en rendront même pas compte. C'est le printemps, l'année est pratiquement finie. On n'écrit pas de la poésie quand il fait aussi beau.

De fait, ils étaient de plus en plus difficiles à tenir et leur attention faiblissait. Certains jours, mon énergie était si laminée que je rentrais chez moi en me demandant si le jeu en valait la chandelle.

---

1. Avoir les pieds froids : expression équivalant au français « avoir froid aux yeux ». (N.d.T.)

— Allez, Céleste. Laisse-toi faire. C'est magnifique, le Mexique.

Je décidai d'appeler Ellie Horowitz, leur professeur, afin de voir si je pouvais reporter mon cours. Comme il se trouva que c'était possible, je n'avais plus d'excuse.

L'avion de l'Aero Zapata descendit sur Matlan au milieu d'un orage torrentiel. Un éclair déchira le ciel charbonneux. Il frappa l'aile, qui se mit à grésiller, lançant des étincelles blanches et bleues dans l'obscurité. Je bondis de mon siège en criant.

Les yeux fermés, je voyais l'avion tomber, tomber, et tous ces gens qui hurlaient, les bagages qui nous dégringolaient sur la tête – puis le crash, l'explosion et la mort. J'imaginai mon père et Anna apprenant la nouvelle au téléphone, le sang se retirant de leur visage tandis qu'ils s'efforçaient de réagir sans se donner en spectacle. Quelle serait l'attitude d'Alex ?

La perspective de ma propre disparition ne m'était ni pénible ni menaçante, surtout dans la mesure où personne ne pourrait m'en blâmer. L'avion descendit en piqué, puis à la dernière minute reprit de l'altitude, et continua à tourner et à vibrer dans la tempête. Un enfant à l'arrière se mit à pleurer. De l'autre côté du couloir, une femme remuait silencieusement les lèvres, un rosaire dans les mains. Le pilote tenta une autre manœuvre d'atterrissage, mais redressa une fois de plus, et l'appareil se remit à tourner en rond. Il lui fallut quatre tentatives avant de réussir à se poser. Quand l'avion fit halte dans un crissement de freins, il y eut des hourras sonores et des applaudissements.

Alex se précipita à ma rencontre. Mes genoux lâchèrent au moment où ses grands bras m'enlaçaient.

Bientôt, la Volkswagen Golf de location filait vers les ruines de Chichén Itzá à travers une jungle basse et touffue. Alex calcula le nombre de kilomètres et sa propre vitesse sur sa nouvelle montre de plongée, déterminant combien de temps il nous faudrait pour parvenir à l'hôtel, et voir les ruines dans l'après-midi. Allant à Hol Cha le lendemain, il nous faudrait partir à l'aube afin d'admirer les vestiges de Cobá. Hol Cha – Alex le tenait d'un collègue mexicain – était une Mecque secrète pour les amateurs de plongée. Le lagon était si petit qu'il n'était même pas cité dans le guide, au grand enthousiasme d'Alex, car cela signifiait moins de plongeurs susceptibles de dégrader les délicats récifs de corail. Alex avait appris à plonger sur la Grande Barrière de corail à l'occasion d'un voyage d'affaires en Australie.

— C'est là que vit le grand requin blanc, murmurai-je avec appréhension.

— Je n'en ai vu aucun, répondit Alex avec le sourire.

Depuis, il ne ratait pas une occasion de s'adonner à cette passion. Son expérience la plus mémorable avait été de s'abîmer dans un gouffre de quatre-vingts mètres de fond au large de l'île d'Andros.

— À partir de trente mètres, on plane, dit-il avec ferveur. C'est comme se droguer sous l'eau.

— Tu te fous de moi, hein ?

— Non, je ne me fous pas de toi.

Quel progrès, pensai-je aussitôt. Il ne m'a pas reproché ma grossièreté.

La voiture continua son chemin, poursuivie par l'orage qui gronda au-dessus de nous, puis s'en alla au galop, laissant un ciel d'un bleu aveuglant et un soleil assoiffé. Jungle et route fumante miroitaient dans la brume de chaleur comme un pays enchanté enveloppé de nuages. À deux heures de l'après-midi, la terre était cuite et nous arrivâmes à Chichén Itzá dans un tourbillon de poussière. Le monde semblait dépeuplé.

Il fallut attendre longtemps à la réception du tranquille hôtel bien aéré avant qu'on nous désigne une chambre. La cour était presque entièrement à découvert – les couloirs, tels des balcons, ouverts sur le ciel, la jungle et, au loin, les hautes pyramides. Alex voulait se rendre immédiatement sur place, mais il faisait trop chaud à mon goût. Ce serait idiot d'attraper une insolation le premier jour. Il me donna raison.

Notre vaste chambre avait des murs couleur argile et un sol carrelé très doux. Je m'allongeai sur le lit pour écouter le vent chaud souffler à travers les persiennes en bois. Alex ouvrit son grand nécessaire de toilette, et son eau de toilette si caractéristique, cette fois fraîche et piquante, me saisit à la gorge. Se couchant à son tour, il m'effleura les seins à travers mon T-shirt. Ma bouche en saliva de désir, pas seulement pour lui, mais pour tous les lieux reculés, exotiques, comme celui-ci, où je n'étais jamais allée. La sienne, douce, humide, s'écrasa sur la mienne. J'ôtai mon T-shirt et restai étendue sur le dos, étrangère à moi-même.

Nous suivîmes un sentier qui passait sous un tunnel d'arbustes épineux et débouchâmes sur une étendue plate et sablonneuse, au moment où d'énormes nuages orageux roulaient au-dessus de nos têtes. La cité des pyramides se dressait devant nous, grise et violette comme les nuages. Un coup de vent souffla de la poussière partout. D'après mes lectures, la cité entière de Chichén Itzá avait été exhumée par une équipe d'archéologues occidentaux, et reconstruite pierre par pierre afin de présenter exactement la même apparence que deux mille ans plus tôt. Un éclair zébra le ciel, et l'espace d'un instant je fus consciente de la durée infinitésimale de mon existence à l'échelle du temps géologique. Qu'était-il advenu du peuple puissant, arrogant, qui avait bâti cette cité ? Je songeai à New York, en me demandant si une nouvelle civilisation de géants indomptables exhumerait un jour les ruines de nos gratte-ciel en pleine jungle.

La pluie ne tomba pas et l'orage se déplaça. Peu après,

le ciel redevenait bleu, et la terre et les pyramides reprenaient leur apparence grise et tranquille.

Saisissant l'énorme chaîne rouillée qui fendait les marches hautes, escarpées de Kukulcan, la plus grande des pyramides, j'entamai mon ascension, derrière Alex. J'étais hors d'haleine bien avant d'avoir atteint la plate-forme au sommet, sur laquelle un petit édicule carré, un temple ou un autel, était consacré à d'anciennes idoles. En me relevant, je réalisai que je ne pouvais plus voir les marches que je venais d'escalader. La plate-forme semblait suspendue en plein ciel. Je me mis à transpirer, convaincue que j'allais tomber dans l'épaisse voûte des arbres. Mes genoux chancelèrent, et je me retrouvai en train de ramper à l'intérieur du petit temple. La pyramide entière paraissait osciller follement comme pour se débarrasser de moi.

J'avais déjà fait un cauchemar de ce genre : j'étais au sommet d'un édifice extrêmement haut qui tanguait, et auquel je me retenais du bout des doigts, incapable de redescendre. Je me tapis dans un coin, le dos au mur, fermant les yeux.

— Admire la vue, Céleste !

J'entendais le déclic de son appareil photo.

— Alex, dis-je, mais ma voix n'était plus qu'un murmure. Alex !

Il entra dans le temple et me toisa.

— La vengeance de Montezuma, déjà ?

— Non, ce n'est pas ça… je ne peux pas voir les marches. Je ne peux plus bouger.

— C'est de l'acrophobie. Il faut te raisonner, ma vieille. Tu n'as aucune raison d'avoir peur. Ça fait des années que les touristes montent sur cette pyramide.

— Ça m'est égal. Je ne peux pas.

Il s'assit à côté de moi en tailleur.

— Ça arrive à plein de gens. On n'a jamais eu ce genre de choses, et un jour, boum… Tu n'as pas à t'inquiéter. Mais il va falloir descendre. Alors, raisonnons : il y a une chaîne au milieu des marches, tu te souviens ? (Il me parlait comme si j'avais cinq ans.) Tu n'as qu'à m'écouter et repartir à reculons.

Un souvenir me traversa l'esprit. C'est l'été et j'ai neuf ans. Ma mère et moi avons quitté ma grand-mère à Bordeaux et nous sommes en Italie, voyageant de ville en ville, dépensant ses maigres économies dans des hôtels de luxe, des restaurants et des boutiques de mode. À Pise, nous montons en haut de la tour penchée. On n'a pas encore installé de garde-fou. Ma mère me tient la main. Je n'éprouve aucune peur, car je sais qu'elle ne me laissera pas tomber.

Je commençai à pleurer.

— Je ne peux pas !

La terreur et l'angoisse m'étaient familières.

— Donne-moi la main, dit Alex, gentiment, calmement.

Je me forçai à lui obéir.

Il me guida à reculons, les yeux fermés, jusqu'au bord de la plate-forme, puis sur les marches. Il plaça mes mains sur la chaîne : « Allez ! » J'entendais des voix poser des questions, curieuses, mais sur le moment rien ne comptait à part retrouver la terre ferme. Lentement, face contre la pierre, je rampai en arrière. Alex ne cessait de me parler, de me féliciter sur ma façon de gérer la situation.

Une fois au sol, il me fallut cinq bonnes minutes pour reprendre la parole.

Alex me dévisagea avec un mélange d'inquiétude et de curiosité. Ce n'était pas la Céleste qu'il connaissait. Il était surpris. Je me sentais vulnérable, et cela me mit en colère.

Couchée paisiblement sur ma serviette, sur la brûlante plage de sable blanc, je lisais *La Prisonnière des Sargasses*, un meilleur choix, très certainement, que Proust. Juste derrière moi se trouvait notre grande cabane chaulée au toit de chaume ; il y en avait une dizaine, mais la plupart étaient vides à cette époque de l'année. Au-dessus de ma tête, des palmiers bruissaient sous la brise, et des vaguelettes léchaient le rivage. Soudain, Alex arriva en courant, et je devinai à son air exalté que je n'allais pas apprécier ce qu'il avait à me dire.

— Pour seulement deux cent cinquante dollars, tu peux passer ton diplôme de plongée en trois jours, déclara-t-il, pas le moins du monde essoufflé. Et tu seras mon pote de plongée pour la vie !

Mon cœur se mit à battre plus fort.

— Oh, tu sais, je crois que je vais me contenter de lire ici.

Son visage exprima une vive déception.

— Essaie, au moins. Pour moi. Tu veux bien ?

Ainsi acculée et soumise à un examen minutieux, je consentis. Après le fiasco de la veille, je ne voulais pas passer pour une poule mouillée.

— D'accord. Mais si ça ne me plaît pas, j'arrête.

— Bravo ! Au moins tu auras essayé, hein ?

— Exactement.

Leçon numéro un : le moniteur, Dave Francisco, était aussi gros qu'un bébé baleine, et si serein qu'il me rappelait un moine bouddhiste. Nous flottions dans une eau parfaitement limpide, à deux mètres de profondeur. Je portais l'encombrant gilet de plongée appelé « compensateur de flottaison » qui était gonflé d'air. Attachée à mon dos, une lourde réserve d'oxygène. La ceinture lestée, sanglée autour de ma taille, me blessait aux côtes. Dave Francisco me racontait qu'il était de Santa Cruz, en Californie, et que Hol Cha était le plus beau site de plongée qu'il ait vu de sa vie. Par amour de la plongée, il avait quitté la civilisation et vivait à présent dans une caravane, sur la plage, avec un iguane apprivoisé et un perroquet pour unique compagnie. Il prétendait avoir des conversations plus satisfaisantes avec ce dernier qu'avec la plupart de ses contemporains, et que si l'anglais de ce perroquet était limité, son espagnol était irréprochable.

J'acquiesçais sans arrêt, souriante, en me répétant qu'il n'y avait pas à s'inquiéter, tout allait bien. Je transpirais si abondamment que mon masque était déjà tout embué. *Je ne veux pas échouer et passer pour une lâche et une idiote !*

Alex me donna le signal convenu, l'index et le pouce formant un O ; je lui rendis la pareille, et brusquement il laissa partir l'air qui était dans mon gilet. Mon corps sombra au fond.

Je savais que j'étais censée respirer à travers le régulateur que je serrais précieusement entre mes dents, mais impossible. Mes poumons menaçaient d'exploser, et, frétillant comme un poisson mourant, je me débattis frénétiquement pour remonter à la surface. Mon moniteur me traîna, soufflant et ahanant, jusqu'à la plage. J'échouai aux pieds d'Alex. Il avait l'air déçu.

— Pas de panique, déclara mon moniteur. C'est fréquent, la première fois.

Bien sûr que c'était fréquent, car quel imbécile voudrait faire un truc pareil ?

— Une pause ?

Je fis non de la tête. Plutôt me noyer qu'affronter Alex. Et je repartis en pataugeant afin de procéder à la tentative numéro deux.

Cette fois, il s'agissait tout simplement de savoir qui, de ma fierté ou de ma pure terreur, allait l'emporter. Je me forçai à respirer à travers le régulateur. L'air avait un goût frais et très sec, et il parut s'engouffrer dans mes poumons et s'y répandre sans aucun effort de ma part. Une étrange sensation que de respirer sous l'eau. Entendre mes poumons fonctionner était encore plus étrange. Je m'assis au fond en pensant : Bon, jusque-là tout va bien. Je ne voyais rien que du sable volant autour de moi et la figure masquée de mon moniteur, avec sa barbe noire et onduleuse. Il n'arrêtait pas de me faire le signal OK, et j'en déduisis que je me débrouillais bien – et même très bien pour un être affligé d'agoraphobie, d'une acrophobie naissante, ainsi que d'une hydrophobie au stade embryonnaire.

Pause-déjeuner. Nous étions au bar, sous un toit de chaume, et Alex me jurait que plonger comptait parmi les expériences les plus géniales de son existence.

— Je veux un margarita, dis-je, m'adressant au garçon. S'il vous plaît, je peux avoir un margarita ?

— Tu ne peux pas boire avant ta séance de l'après-midi.

— Je n'y retourne pas cet après-midi, alors tu ferais mieux de la fermer et de me foutre la paix si tu veux que je continue.

Il se mit à bouder, tandis que je sirotais mon verre avec l'impression d'avoir gagné sinon la guerre, du moins une petite bataille.

Ragaillardie, Alex étant parti avec son groupe, je décidai de prendre ma deuxième leçon. Cette fois, après les exercices – retirer mon gilet sous l'eau, ôter la ceinture lestée et la remettre, nettoyer mon masque –, mon moniteur m'emmena faire un tour. Je vis de beaux petits poissons, bleu indigo, or, argent, arc-en-ciel, et quelques autres, plus gros, à queue jaune, des intrépides qui venaient se coller à mon masque pour me reluquer. Je vis aussi un flet, et une petite pastenague qui détala vivement, laissant un minuscule nuage de sable. C'était intéressant – mais une révélation, certainement pas.

Nous rentrâmes au QG. Alex était là, en compagnie des autres plongeurs diplômés, discutant avec animation de la murène longue d'un mètre cinquante qu'ils avaient fait sortir de son trou et qui avait sectionné un poisson-appât d'un seul coup de mâchoire.

— Comment ça s'est passé, Céleste ? me demanda-t-il avec optimisme.

— Pas trop mal, marmonnai-je, rinçant mon équipement dans l'auge d'eau fraîche, comme mon maître me l'avait enseigné.

— Fais quand même un effort, dit-il, en me pinçant l'épaule.

Chaque fois, les exercices devenaient plus complexes et la profondeur augmentait ; je devais ôter le régulateur de ma bouche et faire des bulles ; gonfler mon gilet avec la bouche ; partager un régulateur avec mon moniteur et remonter lentement. Je dus retirer complètement mon masque et le remettre, en vider l'eau en soufflant de l'air par mon nez. Tous ces exercices, m'expliqua-t-il, étaient conçus pour que je sache me débrouiller en cas de problème. Quel genre de problème ? demandai-je.

— Oh… Rester accroché à du corail au fond, ou manquer d'oxygène, ce genre de choses.

— Et ça arrive souvent ?

— Non, non…

Le lendemain, j'eus droit à ma première plongée en pleine mer. Après les exercices avec le compas, Dave m'emmena en balade par environ quinze mètres de fond. Une tortue nageait paresseusement à travers la grande bleue. Nous l'aurions bien suivie, mais elle était trop rapide.

À bord du canot à moteur, Dave m'expliqua que cette

136

espèce-là était pratiquement éteinte, à cause d'une pêche trop intensive. Une opération de sauvetage était en cours sur la plage. Des spécialistes ramassaient les œufs pour les placer dans des couvoirs, où les petites tortues attendaient d'être assez grandes pour affronter ce monde cruel.

Cet après-midi-là, je passai mon examen avant d'assister à la plus incroyable des scènes : trois aigles de mer d'un mètre vingt de long, nageant ensemble comme des oiseaux en formation, leurs ailes tachetées de noir battant au ralenti, sans rien déranger. Ils étaient si extraordinaires qu'ils auraient pu venir d'une autre planète, d'une tout autre galaxie.

De retour au QG, Dave me tendit la partie écrite de l'examen à remplir à la maison, et m'informa avec un sourire que tricher était se déshonorer. Alex offrit de m'aider avec les problèmes de calcul impliquant les tables de plongée – mais cela seulement après que j'eus jeté le livre contre le mur et menacé de déchirer le formulaire.

Plus tard, on fit la fête au bar avec Dave.

— Demain, tu auras ton diplôme et tu jubileras, crois-moi, déclara Alex.

Il était si fier qu'il me laissa commander un quatrième margarita.

— Hum…

— Tu sais, tant que tu es là, tu devrais tenter une plongée de nuit, ajouta Dave.

— Bonne idée ! dit Alex.

— Vous êtes malades. Plonger la nuit ! Dans le noir !

Alex se réveilla de bonne humeur et m'annonça que, pour me récompenser de ma persévérance, il m'emmenait passer la journée à Matlan.

La grande rue était bordée de buildings et les boutiques pour touristes regorgeaient d'amulettes et de vêtements mexicains hors de prix. Nous achetâmes des cadeaux pour nos proches, des boucles d'oreilles pour moi, une grande chemise blanche en coton pour Alex.

J'imaginais les grands hôtels de la plage sous l'eau.

— Quelle est la hauteur de celui-ci, Alex ?

— Oh, une trentaine de mètres.

Demain, je plongerais à cette profondeur-là. Mon cœur se mit à battre très fort, ma bouche était sèche.

Au coucher du soleil, nous dénichâmes un bar bondé sur la plage, pourvu d'une véranda qui ne l'était pas. Pourquoi se serrer à l'intérieur, alors que c'était tellement plus agréable à l'extérieur ?

Au moment où la serveuse repartait avec notre commande, un haut-parleur annonça le début du concours de maillot de bain. Tout le monde commença à siffler et à crier. Ennuyée, je contemplai l'horizon dans la lumière rasante. L'eau et le ciel étaient de la même couleur, taupe argenté – chacun le reflet chatoyant de l'autre.

À quelques pas de là, un couple était couché sur le sable. Le garçon avait des cheveux bruns et raides, aux pointes blondies par le soleil. Il était appuyé sur les coudes, ses larges épaules voûtées. Il y avait quelque chose de familier dans les plis de son cou et la découpe anguleuse de ses omoplates. Il se tourna vers sa compagne, et le souffle me manqua.

— Qu'y a-t-il ? dit Alex.

— Rien. J'ai cru reconnaître ce garçon… Tu te souviens de Sebastian, sur la photo ? Je crois que c'est son frère. Je n'en suis pas sûre.

En réalité, je l'étais, mais ce dont je n'étais pas sûre, c'était vouloir lui parler. Je n'avais pas revu Nathan depuis sept ans.

— Vas-y, suggéra Alex.

Je me levai, ôtai mes sandales et marchai sur le sable doux qui était fin et frais. Je contournai les amoureux, tout en les observant en douce, et m'approchai de l'eau. Ils en étaient aux baisers et Nathan ne me prêtait aucune attention. L'eau était encore plus chaude que l'air. Devais-je aller le trouver ?

À l'ouest, le ciel avait une étrange lueur verdâtre. À l'est, le monde s'obscurcissait rapidement pour prendre un ton violacé. J'attendis puis, décidée, je rebroussai chemin. Ils s'embrassaient toujours.

Revenue à ma place, je sirotai mon margarita. J'étais étrangement hors d'haleine, comme quand on a beaucoup couru.

— Alors, c'est lui ?

— Je me le demande.

— Crie son nom. Tu verras bien s'il se retourne.

Nathan but une longue gorgée de bière et reposa la bouteille près de quelques autres, vides, fichées de travers dans le sable telles d'anciennes pierres tombales.

J'avais entendu dire qu'il faut sept ans pour surmonter un chagrin d'amour. Ça devait être vrai. Voir Nathan me rappela ce jour de décembre, à l'université, en pleine période d'examens, où Sebastian m'avait appris le suicide de Sally, et où j'étais restée assise, abasourdie, jusqu'à ce que le téléphone se remette à sonner et que j'entende la voix de Nathan.

IX

Après ces deux appels, j'étais demeurée longtemps dans le réfectoire. Tout le monde s'était rendu en bibliothèque ou dans les salles d'examen, et j'étais seule. Quand enfin je me levai, mes genoux tremblaient et j'avais le tournis. Je montai dans ma chambre, rassemblai mes livres, puis marchai dans l'herbe gelée pour rejoindre la bibliothèque de sciences, qui restait ouverte toute la nuit. Je n'avais pas besoin d'y passer la journée, et encore moins la nuit, car j'étais prête pour mes examens. Mais j'avais besoin de m'occuper l'esprit.

Un peu avant l'aube, je m'endormis dans un fauteuil de cuir et rêvai que je me tenais au bout du pont de Sally, derrière une haute barrière. Je ne pouvais pas voir l'auto-route en contrebas, mais j'entendais les voitures. En face, Sally descendait lentement une pelouse en pente. En dépit du froid, elle était en short et en T-shirt. Le bruit était assourdissant. Elle prenait son temps pour traverser ce pont, regardant les alentours comme si elle appréciait le paysage. Puis elle me souriait et me faisait signe de la rejoindre. Souriant toujours, elle glissait une jambe par-dessus le parapet, puis l'autre et, agrippée fermement à la rampe derrière elle, esquissait un pas hésitant. Mes poings martelèrent la balustrade. Elle se tourna de nouveau vers moi, mais ce n'était plus son visage, c'était celui de ma mère, et son expression était si désolée, si pleine de douleur, que je commençai à crier : « Non ! Attends ! », mais ma voix me trahit. Alors, elle lâcha prise et je me mis à hurler. Je me réveillai en nage. Il n'y avait personne ; au-dessus des longues travées vides, les néons bourdonnaient comme des ruches.

Ébranlée, je rentrai me coucher. Je refis le même rêve, mais cette fois Sally courait. Cette fois, elle ne s'arrêta pas, n'eut même pas l'air de me voir. Agrippant la rambarde, elle balança les deux jambes par-dessus, sans hésiter. Au dernier moment, elle se tourna vers moi, et, là encore, c'était le visage de ma mère – le visage même du désespoir.

Comme il n'y avait plus que deux jours avant le soir de Noël, je téléphonai à Anna pour la prévenir que j'avais du travail mais que j'arriverais à temps pour le réveillon. Je rentrai en courant à la résidence après mon ultime examen, et partis en voiture pour Harvard.

Une neige humide et lourde tombait au moment où je me garai sous la chambre de Nathan. Mon ventre était noué par l'appréhension. En verrouillant la portière, je réalisai que je n'avais pas pensé à Sally de toute la journée – seulement à Nathan et à nos retrouvailles.

La porte de son appartement était ouverte ; j'entrai. Nathan était assis dans le petit living, sur un vieux divan fatigué, entre deux colocataires chevelus. Il tirait des bouffées d'une pipe africaine longue de trente centimètres. Il me regarda d'un air un peu narquois, retenant son souffle, et exhala un nuage de fumée qui enveloppa sa tête.

— Tiens, Céleste, dit-il.

Et il toussa. Il se frappa du poing la poitrine.

— Retire ton manteau et assieds-toi.

Je me sentais mal à l'aise. Le trio m'observait en silence. La neige avait trempé mon manteau. Mes bottes dégouttaient sur le sol, mes cheveux formaient de longues plaques sur mon crâne. Il me présenta ses camarades, qui s'en allèrent après une poignée de main, marmonnant de vagues excuses.

— Une taf ?

Je secouai la tête. Il reposa sa pipe derrière le canapé.

— Un verre, alors ? Rhum, vodka ?

— L'un ou l'autre.

Il s'en alla dans la cuisine. Je l'entendis ouvrir et refermer des placards, le frigo.

— Nathan, tu crois qu'on fait fausse route ? Parce que je peux m'en aller...

— Certainement pas.

Il revint en me tendant un verre. C'était du rhum-tonic où surnageait une rondelle de citron. J'en bus une gorgée.

— Ça craint, ce qui est arrivé à Sally, dit-il en me fixant dans les yeux. Mais ce n'est pas ta faute.

J'allai à la fenêtre voir les flocons humides tomber sur fond de nuit. Il ne restait que quelques voitures dans la rue ; ça sentait la fin de semestre.

Il marcha jusqu'à moi et entreprit de bécoter ma nuque humide. Ses mains allèrent chercher l'appui de la fenêtre. Le désir d'autrefois était revenu, dur comme un poing, puissant, palpitant dans mon bas-ventre. *Nous y voilà.*

Il s'éclipsa pour réapparaître avec une serviette tiède, probablement laissée sur un radiateur, et se mit à me frictionner la tête. Il me ramena vers le canapé et nous nous assîmes face à face. Il n'arrêta ses frictions que lorsque mes cheveux furent complètement secs et ébouriffés.

— Là. (Il me regarda de plus près.) À quatorze ans, tu avais un visage de bébé, et des petites joues potelées.

À brûle-pourpoint, je me rappelai ses discussions avec mon frère au sujet des filles.

— As-tu jamais couché avec Olivia ?

— … Olivia ?

— La catholique très maquillée qui taillait des pipes.
Il rigola.

— Quelle mémoire ! C'était histoire de causer. On
avait entendu dire qu'elle taillait des pipes.

— Et ton QI, c'était vrai ?

— Ça, oui, dit-il gravement, comme s'il admettait un
fait déplaisant sur son compte.

— Quel était ton score ?

— 180… Et ton frère, qu'est-ce qu'il devient ?

— Il va étudier le droit à la rentrée… comme mon père
l'avait toujours voulu.

— Tiens, tiens, qui l'eût cru… ? Sally était malade,
Céleste. Ce n'est pas ta faute.

— Je fais ces rêves…, commençai-je. Oh mon Dieu…

Je posai ma figure sur ses genoux, succombant à mes
larmes. Ses mains caressèrent délicatement mes cheveux.

— J'ai souvent pensé à toi. Un jour, j'ai même
emprunté une bagnole pour aller te voir à l'école, mais je
me suis dégonflé… Je crois que j'avais peur que Bass ne
me le pardonne jamais.

— Mais si. Il pardonne à tout le monde.

Sans effort, il me souleva dans ses bras et me porta
jusque dans sa chambre. C'était exactement comme chez
ses parents ; il y avait un couvre-lit bleu foncé et tout un
mur tapissé de livres. Un autre était couvert de photos :
sa famille posant devant la tour Eiffel, dans un marché à
Marrakech ; Nathan, Jack et moi-même à une compétition de Sally. Il me fourre un cornet de glace sous le nez, et
Jack est en train de rire. Sebastian devait avoir pris cette
photo.

Nathan avait gardé la même odeur – une odeur de
tabac, de marijuana, de savon doux, mêlée à son odeur
corporelle qui évoquait un livre tout neuf et relié.

Il fut tendre, mais non pas déférent. D'un seul geste, il

retira mon pull, dégrafa mon soutien-gorge. Les bretelles glissèrent sur mes épaules et il me contempla sans honte. Gênée, je croisai les bras. Il les écarta et se mit à lécher lentement mes mamelons, passant de l'un à l'autre comme si les arômes en étaient différents et qu'il n'arrivât pas à choisir.

De mon côté, je n'avais couché qu'avec Sebastian et un camarade de classe qui m'avait raccompagnée à la maison après une fête bien arrosée. Mais je n'avais jamais ressenti un tel désir pour personne. Soudain, je comprenais *Roméo et Juliette* et *Tristan et Iseut*. Comme leur conduite était raisonnable ! Je croyais alors qu'il y avait un prix à payer pour un grand amour, qu'on n'obtenait rien d'aussi extraordinaire gratuitement.

Je me demandai si c'était pareil pour Nathan. Ou était-il ainsi avec toutes ses conquêtes ? J'éprouvai une jalousie folle, et de la peur.

— Nathan, arrête... Je...

— Chut. Ne te lève pas.

Mon jean et ma culotte se détachèrent dans ses mains fermes. Je m'allongeai sur le dos tandis qu'il s'agenouillait entre mes jambes.

— Nathan, la porte...

— Ah oui, la porte.

Il alla la fermer.

Quelques instants plus tard, il était de retour. Il me tira au bord du lit par les hanches et replia mes genoux sur ma poitrine.

— Désormais, il n'y a plus que nous, et le passé n'a plus d'importance, dit-il, et il se mit à me lécher.

Bientôt, je le priai de me prendre, ce qu'il fit, en m'enfilant sur sa verge, pendant qu'il était assis par terre, les jambes écartées. Il me semblait que nous n'avions plus qu'une bouche, un cœur, un sexe. Tels ces cercles entrecroisés que j'aimais tracer au compas, enfant, nos contours paraissaient se confondre, et je ne savais plus où mon corps finissait et où le sien commençait.

— Céleste ? demanda Alex, cherchant ma main. Ça ne va pas ?

Tout à coup, je remarquai combien il faisait sombre. Le couple n'avait pas bougé. Nathan plaça sa grande jambe bronzée par-dessus les cuisses de la fille, qui éclata de rire à quelque chose qu'il lui chuchotait à l'oreille. À l'intérieur du bar, les clients braillaient et se moquaient des candidates au concours de maillot de bain.

— Non, rien. Je me demandais si c'était lui. Ça fait six ou sept ans qu'on ne s'est pas vus. De toute façon, il a l'air assez occupé pour le moment.

Je les observais, émoustillée mais non pas jalouse, étrangement détachée.

On proclama les résultats. La lauréate alla poser sur la véranda parmi ses admirateurs. De grosses voix la félicitèrent. Je me retournai par curiosité. Elle était en Bikini et ses cheveux blonds formaient un chignon au sommet de sa tête. C'était apparemment une culturiste. On aurait dit que ses muscles étaient durs et ciselés.

— Ouh, ce type et sa copine ont l'air prêts à s'envoyer en l'air, fit Alex en riant.

— On prend encore un verre ?

— Je croyais que tu n'aimais pas cet endroit ?

— Ça va.

La brise hérissa le duvet sur mes bras, me faisant frissonner.

En imagination, je voyais toujours parfaitement la chambre de Nathan à l'université.

Son lit était un navire naufragé – il avait balancé les draps et les couvertures par terre –, et moi j'attendais, assise, frémissante et tenant mes genoux, quand il revint avec des verres et bondit sur le lit. Il ramassa la literie et l'arrangea soigneusement, d'abord autour de moi, puis autour de lui. Nous nous regardions en silence. Ses cheveux pendouillaient sur ses yeux, ce qui lui donnait un air juvénile et innocent.

— Je t'aime, Céleste.

— Moi je t'aime encore plus. D'ailleurs, j'ai commencé plus tôt.

— Tu parles ! Qu'est-ce que tu veux manger ?

— Il faut sortir ?

— Non. Pizza ou chinois ?

— Chinois !

Nous restâmes au lit deux jours durant. À un moment donné, ses colocataires devaient être revenus prendre leurs affaires avant d'aller passer Noël en famille. Je ne les avais ni vus ni entendus, et peu m'importait qu'ils nous aient entendus. Nous ne quittions la chambre que pour aller à la cuisine ou aux toilettes. Le premier matin, Nathan fit couler un bain avec des sels aux algues qui sentaient fort, m'enleva dans ses bras et me déposa au fond de la vieille baignoire qui avait des pattes de lion. Nu, le sexe à l'air, il sortit et revint avec une bouteille de Veuve-Clicquot frappée et deux flûtes. Il avait travaillé à temps partiel chez un caviste et fait de respectables provisions.

Entrant dans la baignoire, il me tendit les verres et fit sauter le bouchon. Le champagne coula dans le bain. Nathan remplit les verres et nous bûmes. Puis il posa bouteille et flûtes par terre et entreprit de me laver de la tête aux pieds avec une éponge de mer toute douce.

Tandis que je me relaxais dans l'eau tiède, il déclara qu'il songeait à quitter l'école pour voyager. Il voulait aller en Amérique latine afin d'étudier ces cultures par lui-même, au lieu de lire *Cent Ans de solitude* et d'apprendre l'espagnol en singeant un gringo.

— Tu viendrais avec moi ?

J'ouvris de grands yeux et souris, abasourdie.

— Je ne sais pas.

Le cerveau, me dit-il, était un grand et incompréhensible mystère.

— La magie existe, c'est juste une manifestation de cette partie de l'esprit qui nous échappe. Il y a un an, je me suis initié au tarot. J'ai lu tous les livres disponibles sur la question. (Il souleva mon pied et se mit à en frotter le talon.) La reine d'épée réapparaissait toujours dans mon jeu. Je me demandais qui pouvait bien être cette mystérieuse reine. Que faisait-elle, avec la mort, dans mon jeu ? Et le huit, le neuf et le dix d'épée – cauchemars, insomnies, soucis revenaient sans arrêt. Ma chérie, la reine aime le roi d'épée, c'est-à-dire moi. Donc, c'est toi la reine. C'est sûr et certain. Signe d'air, une tourmentée, qui a subi des pertes et va souffrir encore à l'avenir. Tout à fait toi.

— Tu parles comme Sally, Nathan. Arrête.

— Tu veux que je te tire les cartes ?

— Non ! m'écriai-je, craquant devant sa description.

Après m'avoir ramenée dans le lit, il alla à ses fourneaux préparer du corned-beef et des œufs au plat. Toujours nu, il les apporta sur un plateau et nous mangeâmes en silence. Jamais je n'avais goûté quelque chose d'aussi bon.

Un ange eût-il proposé de me transporter n'importe où dans l'Univers, je n'aurais pas bougé.

Alex parlait, mais je n'avais rien entendu. Au moment où l'on nous servait un autre margarita, Nathan et la fille se levèrent et se brossèrent mutuellement le corps avec espièglerie. Ils remirent leur T-shirt et commencèrent à ramasser les cadavres de bouteilles.

— Nathan ! criai-je, sans réfléchir.

Il se redressa et tourna lentement en rond, considérant les alentours, chancelant comme un homme qui se tient sur un pont de corde. La fille me repéra tout de suite ; prenant son bras, elle tendit le doigt. Nathan repoussa ses cheveux d'un revers de la main et cilla. Je lui fis signe. Sa face s'illumina et il se mit à rire. Il marcha vers nous, en zigzaguant un peu.

— Ah çà, c'est la meilleure !

La fille le suivit. Ses cheveux blonds ébouriffés, décolorés par le soleil, tombaient sur son visage très bronzé, sans rides. Elle était jeune, on lui donnait vingt ans, et sa peau était lisse et tendue.

— Giovanna, dit-il. Voici… une très vieille amie à moi.

— « Vieille », c'est le mot.

Le regard de Giovanna alla de lui à moi, puis à Alex, perplexe mais amical. Nathan lui dit en italien : « C'est la seule femme que j'aie profondément aimée. »

— Giovanna est de Milan. Je l'aide à parfaire son anglais et elle m'aide à parfaire mon italien.

— Je vois, fis-je, avec bonne humeur.

Elle dit : « Elle est très belle » et gloussa. Alex se leva et tendit la main par-dessus la rambarde.

— Moi, je suis le fiancé de Céleste, Alex Laughton.

— Pas vrai ?

— Mais si.

— Ah, alors félicitations !

Son regard détailla Alex avec soin, puis se concentra sur moi avec une farouche intensité.

— Toi, ici ! Si je m'attendais ! Venez dîner avec nous. Je connais un petit resto pas très loin.

Alex appela la serveuse et paya avec sa carte Americain Express platinée, à ma grande honte.

— Entendu. Mais comme nous avons une longue route à faire pour rentrer, nous ne resterons pas trop tard.

Nous suivîmes sa moto de cross Suzuki sur un chemin de terre tortueux, sous la voûte des arbres. Nathan fonçait par-dessus bosses et ornières, soulevant de la poussière et slalomant comme un fou.

— Frimeur, dit Alex.

J'avais dix-neuf ans quand j'étais allée passer ces deux jours avec Nathan, et jamais je n'avais connu un tel bonheur de vivre – sauf une fois : lors de mon voyage avec ma mère en Italie, quand j'avais neuf ans. Ces deux épisodes avaient été l'un et l'autre marqués par une certaine fébrilité, le rôle joué par l'alcool, et l'impalpable impression d'une catastrophe imminente. Dans un cas comme dans l'autre, nous cherchions à arrêter le temps ; mais ce que nous redoutions du futur, je l'ignorais.

Le second soir, je me pelotonnai dans le cocon des draps, glacée, incapable d'exprimer ma souffrance : demain, c'était Noël et il faudrait le quitter. Il s'étira contre moi et me tint dans ses bras, sans un mot.

— Je dois prendre l'avion pour Houston demain matin. Mais si tu veux, j'annule tout. On peut rester ici. Ou bien, je viens avec toi. Qu'est-ce que tu préfères ? Je ferai tout ce que tu voudras.

— Et ensuite ? Ensuite les cours reprendront et tu me quitteras.

— Temps et distance sont des notions abstraites. Tout est relatif. Rien sur cette planète, sinon la mort, ne pourrait m'empêcher d'être avec toi.

Mon cœur palpita de joie à ces tendres paroles, mais dans mon cerveau j'entendais clairement le mot *Foutaises*. *Foutaises. Foutaises.*

Anna ne protesta pas en apprenant que je revenais avec Nathan. La mort de Sally me donnait une certaine latitude. Sur la route, je fus momentanément soustraite à la grisaille du réel et résolus de ne pas penser à l'avenir pendant quelques jours au moins.

Nous fîmes un arrêt en ville pour acheter des cadeaux. Il neigeait. Les clochettes de l'Armée du Salut tintaient dans l'air glacial qui pétillait et chatouillait le nez comme du champagne. Pour une fois, je ne me sentais pas seule en voyant les couples et les enfants, car moi aussi j'étais aimée. Nathan me tenait la main tandis que nous contemplions, ahuris, les vitrines.

— Qu'est-ce que tu veux pour Noël, Nathan ?

— Toi. C'est tout. Tous les soirs. Je te jure que jamais je n'ai été aussi bien de ma vie.

Il baisa ma figure, mes mains, sa bouche tiède laissant des traces humides sur ma peau qui picotait dans le froid.

Plus tard, dans la voiture chargée de bêtises pour ma famille, nous nous embrassâmes encore, séparés par nos épais manteaux. Lentement, Nathan glissa les mains sous l'étoffe, me serra tendrement. Il neigeait fort, et j'avais le sentiment que nous étions deux enfants s'embrassant derrière un rideau au cours d'un goûter.

Nos lèvres se descellèrent, nous respirâmes l'air froid, les yeux dans les yeux. Sur le trottoir, juste derrière ma vitre, M. et Mme Newlyn, les parents de Sally, se matérialisèrent. Ils marchaient lentement, bras dessus bras dessous.

— Oh, mon Dieu…

Nathan tourna la tête. Ils regardaient droit devant eux, comme fixant un point à distance. Ils avaient vieilli de vingt ans depuis la dernière fois ; leurs rides durcies formaient comme un masque de persévérance derrière lequel on devinait toute leur peine. On eût dit deux réfugiés d'un pays déchiré par la guerre. Étaient-ils venus faire leurs emplettes de Noël ? Il leur restait d'autres enfants, et des petits-enfants. Les gens ne s'arrêtent pas de vivre quand un malheur les frappe. Cette révélation me coupa la respiration. Une bourrasque souffla de la neige sur leurs visages, et Mme Newlyn tressaillit avant de rabattre le col de son manteau sur sa gorge. M. Newlyn l'entoura d'un bras protecteur et l'entraîna lentement au loin.

Je ne les revis jamais. Le jour de Noël, j'écrivis une lettre polie, prudente, et reçus en réponse une carte imprimée qu'ils avaient apparemment envoyée aux amis et parents, signée par Mme Newlyn de son écriture ronde et puérile.

Ce soir-là, Nathan, mon frère Jack (qui avait alors vingt-deux ans) et moi-même suivions une rediffusion tardive de *Star Trek* au salon quand le téléphone sonna. J'entendis Anna répondre, et peu après elle ouvrit la porte de la cuisine en peignoir et chaussons.

— C'est pour toi, Céleste. Sebastian veut te souhaiter un joyeux Noël.

Nathan et moi échangeâmes un regard. Mon frère ricanait méchamment.

J'allai à la cuisine, empoignai l'écouteur, pris une profonde inspiration et dis : Allô ?

— Céleste, comment ça va ? J'étais inquiet depuis mon dernier coup de fil... Je t'ai rappelée plus tard, mais personne ne savait où tu étais passée.

— Bass, écoute... Nathan est là.

— Il est venu avec Jack ?

— Avec moi.

— Entendu, dit-il lentement. J'ai compris.

— Tu veux lui parler ?

— Et lui, il veut me parler ?

Je n'en savais rien.

— Oui...

Je retournai sur mes pas.

— Nathan...

Il se leva et me suivit dans la cuisine où l'écouteur était resté posé sur la paillasse.

— Salut, Bass...

Je le laissai seul. Je ne sais pas ce qu'ils se dirent ; je n'ai jamais demandé. J'ai repris le fil de *Star Trek*, l'épisode où le capitaine Kirk remonte le temps. Il doit choisir entre laisser sa bien-aimée périr pour sauver l'humanité, ou la sauver, ce qui, par un cruel caprice du Destin, permettra aux nazis de gagner la guerre et changera le cours de l'Histoire.

Nathan revint, l'air grave, l'œil sombre et impénétrable. Cette conversation ne l'empêcha pas de se faufiler dans ma chambre, cette nuit-là, pour tirer le matelas à terre. Il m'y attira et ôta ma chemise de nuit de ses mains douces, qui ne tremblaient pas.

Le restaurant mexicain était exigu et le sol en terre battue. Des guirlandes de Noël étaient suspendues en haut des fenêtres à moustiquaire. En entrant, Alex me recommanda de ne pas boire d'eau.

On prit place autour de la table branlante, Alex et moi d'un côté, Nathan et Giovanna de l'autre. Les deux hommes se considéraient avec une haine muette, comme ces deux chiens squelettiques à Hol Cha, qui se tournaient autour infatigablement dans leur inlassable quête de nourriture.

Nathan, apparemment un habitué, bavarda en espagnol avec la serveuse. Il commanda quatre verres de Cuervo Gold. Giovanna souriait constamment et paraissait attentive, même si personne n'aurait pu dire ce qu'elle comprenait exactement. Je décidai de faire comme si l'italien m'était inconnu, au cas où ils se diraient quelque chose d'important.

Les commandes arrivèrent. Nathan saupoudra le dos de sa main de sel et leva son verre. Il lécha le sel et dit : « À votre santé. » Je fis de même et nous trinquâmes. Se passant de sel, Alex éclusa son verre sans broncher. Je coinçai une rondelle de citron dans ma bouche et la suçai. La tequila finit par toucher le fond et explosa, envoyant une onde de chaleur à travers mes jambes et ma poitrine.

Nathan commanda encore quatre verres, et des bières.

— Je viens de lire un livre, déclara-t-il. Sur le schiste de Burgess.

On l'examina en silence.

— Le type qui l'a écrit, j'ai suivi son cours à Harvard pendant une vingtaine de minutes. C'est le meilleur livre que j'aie jamais lu. Enfin, l'un d'entre eux.

— Il me semble avoir vu un compte rendu dans le *Times*. On a découvert là d'étranges fossiles, n'est-ce pas ? dit Alex.

— Exact. Sa thèse est la suivante : l'*Homo sapiens* est le fruit d'une erreur. Ce schiste regorge de phyla jusque-là non répertoriés et existant à l'état larvaire. Environ vingt-six variétés. À propos, il n'y a que quatre phyla dans tout le règne des insectes. C'est très bizarre. Pourquoi tous ces phyla sont-ils morts subitement tandis que ce petit vermisseau évoluait pour devenir l'être humain ?

— Un seul livre ne suffit pas à discréditer des siècles de recherches scientifiques et presque deux mille ans de théologie, déclara Alex.

J'avais encore soif.

— Et pourquoi pas ? Qui croyait Galilée, au début ?

— Comment va Sebastian ? demandai-je, changeant de sujet.

Nathan regarda ailleurs, l'œil vague.

— Paquita ! *¡Cuatro mas, por favor!*

Il se tourna vers moi.

— Très bien. L'armée l'a branché sur le droit. Il a épousé une fille nommée – tiens-toi bien – Sebastianna. Sebastian et Sebastianna ! C'est-y pas mignon, ça ?

Son poing s'écrasa sur la table et il éclata de rire.

Paquita servit quatre tequilas et Nathan répartit les verres entre moi et son amie.

Alex but le sien et dit :

— Moi, j'ai fini. Je dois conduire.

— À Sebastian ! lança Nathan, l'œil brumeux et indéchiffrable.

Le feu de l'alcool commençait à assombrir les angles de ma vision, et à mon grand soulagement mon cœur battait moins fort. J'en redemandai.

— Paquita ! beugla Nathan. *Tres mas, por favor.*

— N'exagère pas, me souffla Alex à l'oreille.

Quand Paquita posa les verres, Giovanna saisit voracement le sien et but sans sel. Son abondante chevelure, une tignasse couleur sable, tombait sur ses yeux. Elle regarda Nathan, puis Alex, et se lécha les babines.

Ma vision se rétrécissait. La pièce se fondait dans les brumes, et un sentiment de bienveillance pour le monde entier me submergeait.

— J'ai mon diplôme de plongée ! m'écriai-je.

— Non ! fit Nathan.

— Si, dit Alex.

— Tu me fous sur le cul !

Je sentis Alex se raidir.

Nathan nous apprit qu'il jouait de temps en temps les guides quand il était à court d'argent. En général, il était barman dans de grands hôtels. Ce n'était pas ainsi que j'avais imaginé son avenir.

— Les touristes sont des cons, surtout les Japonais. Ils piétinent les coraux !

Paquita apporta le menu et d'autres tequilas. Je devais fermer un œil pour déchiffrer les caractères.

— Ce serait à recommencer, dit Nathan, comme s'il poursuivait une précédente conversation, je serais biologiste. Nous saccageons notre environnement et ça ne se voit que trop par rapport à l'océan. Le réchauffement de la planète détruit le plancton et bientôt nous serons foutus, mes amis, foutus ! Quand je plonge, je ne touche à rien, pas même à des coquilles vides...

Alex le contempla avant de déclarer :

— Quelle connerie. Moi je chasse et je pêche. Et je ramasse ce qui me fait plaisir au fond de l'eau.

J'étais horriblement embarrassée.

— C'est un miracle si cette terre n'est pas encore un désert. Avec des gens comme vous, ce serait déjà fait.

— Je vais aux toilettes, dis-je, repoussant ma chaise.

J'avais du mal à marcher.

— Ne fous pas de papier dans les chiottes ! lança Nathan dans mon dos.

J'entendis Alex demander à Giovanna, très lentement et à voix haute :

— Combien de temps vous ici ?

— *Tres*, dit-elle.

Je regardai en arrière. Apparemment, elle avait trois doigts en l'air.

Au-dessus du lavabo, il y avait un miroir sale et fendu de haut en bas. L'eau du robinet était chaude comme de l'urine et sentait le soufre. J'en aspergeai mon front et, levant les yeux, je vis deux parties fracturées et disjointes de moi-même qui me regardaient. Je ne me rappelais pas ce que j'étais venue faire ici. Je m'appuyai au mur crasseux pour réfléchir.

Pendant ce semestre de printemps, il avait été plus souvent à ma fac qu'à la sienne, passant de longs week-ends qui couraient du jeudi au lundi. Couché dans mon lit, il lisait des poèmes de Federico García Lorca, Octavio Paz, Neruda et César Vallejo ; parfois du Theodore Roethke, tandis que j'étudiais à mon bureau.

Il me lisait une strophe ou deux d'une voix lente, onduleuse. Souvent du Lorca.

> *Grandes étoiles de givre blanc*
> *Venez avec le poisson des ténèbres*
> *qui ouvre la route de l'aube...*

Bien que n'écrivant jamais ses propres devoirs, il trouvait que je perdais trop de temps sur les miens et décida de m'aider. Il me demanda ce qui m'intéressait le plus dans *Anna Karénine*, et je répondis :

— La mort du frère de Levin.

— Bien. Nous ferons donc une comparaison entre la mort du frère de Levin et la mort du maître dans *Maître et Serviteur*. C'est court, tu l'auras lu en une heure. Et on mettra un peu d'*Ivan Ilitch* en plus.

Ayant réfléchi quelques minutes, il me dicta l'introduction et la conclusion. La dissertation commençait ainsi : « Chez Tolstoï, la Mort revêt plusieurs masques : parfois c'est la Grande Faucheuse, d'autres fois un ange apportant une lumière révélatrice... »

Il ne restait plus qu'à remplir quatre pages de citations illustratives. Ce qui me demandait autrefois tout un week-end de travail acharné ne prenait plus qu'une soirée.

Ayant lu mon devoir, mon professeur de russe suggéra que ma thèse porte sur le thème de la mort dans l'œuvre romanesque de Tolstoï.

Parfois, l'après-midi, allongés dans mon lit, nous parlions des camps de concentration. C'était chez moi une obsession ancienne. Enfant, je rêvais souvent que je mourais dans une chambre à gaz.

— Dans une autre vie, peut-être, suggéra Nathan.

Il m'apporta des livres de Hannah Arendt et de Primo Levi, et m'initia aux différentes philosophies relatives au mystère de la survie. Nathan croyait que l'espoir était le pire ennemi du prisonnier. Voir un brin d'herbe par un beau matin de printemps pouvait tuer un homme, me dit-il gravement, alors que l'oubli, le néant, pouvait le maintenir en vie.

— Toi, tu aurais survécu, lui dis-je. Je le sais.

— Pour quoi faire ? Je ne les aurais jamais laissés nous

séparer, ces salauds. J'aurais refusé et on m'aurait descendu ou battu à mort.

Depuis, dix ans s'étaient écoulés et il y avait encore certaines chansons que je ne pouvais écouter sans me rappeler ces derniers jours d'hiver – le goût et l'odeur du corps de Nathan près de moi, les dernières lueurs du crépuscule filtrant à travers les tapisseries indiennes que nous avions clouées en guise de rideaux aux fenêtres. La voix claire, affligée de Sting chantant *The Bed's Too Big without You*, ce qui nous amusait, vu les dimensions de mon lit à la résidence universitaire.

Je savais que je cherchais à gagner du temps. Qu'il était collé à ses examens et que, tôt ou tard, l'administration exigerait qu'il s'en aille. Mais je préférais ne pas y penser. J'espérais encore qu'il se débrouillerait pour rattraper le programme. Nos chansons favorites parlaient de peines sentimentales, de la solitude, mais, à ce moment-là, je n'étais ni seule ni mal aimée, et ces airs me remplissaient d'une douloureuse gratitude pour mon propre bonheur.

Des années plus tard, il me suffisait d'entendre les premières mesures d'une de ces vieilles mélodies à la radio pour que je zappe aussitôt, refusant de me souvenir.

Par une claire journée d'avril, Nathan passa chez moi, ouvrant la porte avec le double que j'avais fait fabriquer pour lui. On aurait dit qu'il s'était arrêté dans un bar entre la gare routière et le campus. C'était le milieu de l'après-midi, et j'étais à mon bureau, lisant pour la troisième fois la mort du prince André dans *Guerre et Paix*. À l'instant suprême, le prince rêve que la Mort frappe à sa porte, qu'il doit se lever pour l'empêcher d'entrer, mais c'est trop difficile. La Mort venue, il se sent délivré du poids de son existence terrestre et éprouve de la pitié pour les êtres chers qui pleurent autour de sa couche. Il voudrait être doux et communicatif avec eux mais sait qu'il les a déjà quittés. Mes larmes ruisselaient.

Je les essuyai vivement, tandis que Nathan allait s'asseoir lourdement sur le lit.

— C'est fini. On m'a demandé de partir.

Il avait décidé de se rendre à La Nouvelle Orléans pour le festival de jazz, puis de poursuivre par le Mexique et de voyager en Amérique latine. Il ne savait pas quand il reviendrait.

— Pars avec moi.

Je sentis mon pouls s'accélérer.

— Pourquoi tu ne peux pas continuer tout simplement tes études ? Toi qui es plus intelligent que n'importe qui ! Qu'est-ce que tu as ?

— Pourquoi dramatiser ? Tu n'imagines pas comme je suis soulagé.

Sa voix était calme, ses yeux bordés de rouge, comme s'il n'avait pas dormi de la nuit. Son expression était composée, déterminée, ses yeux insondables.

Il me quitte, songeai-je, affolée. *Il dit qu'il m'aime mais il me quitte. S'il m'aimait, il resterait. Par conséquent il ne m'aime pas vraiment.* Ce raisonnement était imparable et j'en avais mal au ventre. Ma bouche devint sèche, et je m'agrippai à mon bureau à en avoir les phalanges blanches.

— Alors, tu me quittes comme ça ?

Ma voix chevrotait.

— Je t'ai proposé de m'accompagner.

— Je ne peux pas plaquer mes études, ma vie !

— Pourquoi pas ?

— Parce que ma place est ici !

— Tu veux épouser un banquier ou un avocat ? Parce que, si c'est le cas, je ne suis pas fait pour toi.

Je n'avais jamais vu aussi loin. Je n'avais jamais cru que notre aventure pourrait durer. Dieu était le plus dur des tyrans, Lui qui alignait les êtres dans Sa gare géante, séparant épouses et maris, mères et enfants, et décidant d'un simple geste qui devait vivre et qui devait périr. Je regardai Nathan, assis au bord du lit. C'est un faible, pensai-je froidement. Un irresponsable. Pourtant, j'étais pleine d'admiration. Quel courage il fallait pour fuir toutes les responsabilités, ôter de ses épaules le fardeau de la vie sans se soucier des conséquences.

Nous voici à la croisée des chemins, pensai-je avec effroi. Ma conscience parut m'abandonner pour planer au-dessus de la scène. Je me sentais détachée, bien que consciente du poids énorme des paroles que j'allais prononcer. Deux chemins se présentaient à moi et rien n'était clair à l'horizon. J'aurais voulu savoir où ils aboutissaient. Je soupesai avec calme les deux propositions. Faire la route avec lui. J'avais l'argent de ma mère, probablement plus d'argent que lui – ses parents payaient ses études mais ne seraient pas d'accord pour entretenir un dilettante –, j'avais ce semestre à finir, une scolarité pour laquelle j'avais déjà payé. Mais, mon Dieu, être libre, avec lui, délivrée de mes responsabilités, du passé…

— Tire-moi les cartes…

— Ce n'est peut-être pas le moment.

Il avait l'air hésitant, gamin ; méconnaissable.

— Allons ! Tu y crois, non ?

Songeur, il chercha dans son sac à dos la pochette où il les rangeait et me tendit le paquet.

— Bats-les.

Il s'assit par terre en tailleur. Je m'installai devant lui et fis ce qu'il demandait.

— Réfléchis bien à ce que tu veux demander. Coupe le jeu en trois de la main gauche.

Il vint se placer à mon côté et disposa les cartes en éventail, sept en largeur, cinq en hauteur. Il y avait trop de choses à comprendre. Je ne savais rien des cartes mais je reconnus la Mort. Je vis une autre carte avec trois épées transperçant un cœur rouge. Un charretier en armure avec un croissant de lune au-dessus de la tête. Une reine, la tête en bas, tenant un sceptre. Un vieux roi penché sur une coupe. Je vis beaucoup, beaucoup d'épées : un chevalier brandissant un glaive, sur un cheval ailé ; une femme assise sur un lit, s'agrippant les cheveux tandis que des épées volent au-dessus de sa tête. Dans la dernière rangée, une carte montrait une très belle femme au milieu d'une vigne, parmi de lourdes grappes rouges. Elle portait un gantelet sur lequel était perché un faucon encapuchonné.

— Qui est-ce ?

— Ta bienfaitrice.

Ma grand-mère. Elle vit dans une vigne. Je me sentis en proie à une déconcertante nostalgie.

— Commençons par le commencement, dit Nathan en prenant une profonde inspiration. Voici ton passé – ta mère, la reine de bâton. Ardente, féroce, loyale, belle, inconséquente. Mais elle est toujours là, présente dans ton esprit.

— Qu'est-ce que ça signifie ?

— Je n'en sais rien, je ne peux que t'apprendre ce que disent les cartes. D'autres chagrins t'attendent, mais tu en triompheras et tu finiras par être heureuse. Il faudra chercher en toi-même les réponses à tes questions. Mais quel est ce vieillard ici ? Y aurait-il un autre homme dans ta vie ?

Il avait dit cela avec un petit sourire, sachant que nous étions si obsédés par notre amour qu'il n'y avait pas de place dans nos pensées pour d'autres.

— Le roi de coupe – pas ton père, en tout cas. Le chariot derrière lui indique qu'il vient de loin, de l'étranger. C'est un homme de cœur et d'esprit.

— Peut-être Viktor, dis-je, faisant allusion à Viktor Bezsmertno, un réfugié politique qui était soutenu par Rudy Brown, du département des études russes. Ayant survécu, enfant, à la Seconde Guerre mondiale,

Viktor avait été condamné aux travaux forcés en Sibérie pour avoir écrit et publié un témoignage sans concession sur la vie sous Staline. Une fois, il s'était évadé et avait tenté de détourner un avion vers l'Occident. En tout, il avait passé vingt-deux ans en Sibérie, et les quatre dernières années en exil à Gorki, à essayer d'émigrer aux USA. C'était un homme grand, à la barbe grise et aux dents ébréchées, aux yeux bleus et sages.

Rudy Brown l'avait introduit dans notre classe pour nous aider à pratiquer le russe. C'était notre première rencontre avec un Russe et nous découvrîmes qu'il avait une préférence pour le whisky. La vodka, il détestait. Quelques jours après sa première visite, mes cinq camarades de classe et moi-même apportions une bouteille de Johnnie Walker dans son appartement petit et nu. Il voulut absolument la boire avec nous. La seule chose qu'il avait amenée de Russie était sa Bika, un gros chien de berger qui remuait la queue avec ardeur. Viktor nous avoua, après plusieurs grands verres de whisky (qu'il buvait tiède et cul sec), qu'il était si jeune quand on l'avait mis en prison qu'il n'avait jamais eu la chance de faire l'amour à une femme. Maintenant, c'était trop tard.

— Ce n'est jamais trop tard ! lança un garçon dans son russe approximatif.

Tout le monde rit et Viktor se mit à rougir. Le garçon avait raison. Il y avait un certain nombre de veuves énergiques et de divorcées sur le campus ; les jours de virginité de Viktor étaient sûrement comptés.

Il déclara qu'en prison il avait souvent songé au suicide, mais qu'il avait continué à croire que Dieu le récompenserait, au paradis, sinon sur cette terre.

— *Nu, kto eto, Bog ?*

Mais qui est Dieu ? demandai-je dans mon russe boiteux.

Il me lança un long regard.

— *Kto eto Bog ?* (Il hocha pensivement la tête.) *Bog – Bog !*

Dieu est Dieu.

Viktor avait survécu à l'inimaginable, et il repartait de zéro dans un nouveau pays, dans une nouvelle langue, sans rien. Il versa les dernières gouttes de whisky dans nos verres et nous demanda de revenir le lendemain. Il ajouta que nous lui donnions l'impression d'être utile.

— Eh bien, dit Nathan, ce Viktor va compter dans ta vie.

Quelques mois plus tôt, il m'avait initiée à l'œuvre de Varlam Chalamov. Une simple nouvelle ronéotée dans la presse clandestine soviétique. Il tenait les pages et les tournait avec soin et tendresse. Quand il me tendit ces feuillets, ce fut comme s'il me confiait un nouveau-né. Durant des années, j'allais poursuivre l'insaisissable Chalamov, qui deviendrait l'un de mes sujets de thèse.

— Ça c'est moi, j'imagine, continua Nathan en tapotant une carte. Ta ligne d'obstacle. Le cavalier d'épée qui charge. Mais je ne sors pas de ta vie. Je reste partout dans ton avenir. Tu vois, ici je deviens le roi d'épée. Et cette bienfaitrice va jouer un rôle.

— Et alors ? dis-je d'une voix calme, contenue.

D'un ton privé de force et d'énergie, il constata :

— Je ne vois pas de voyage dans l'immédiat, mais ça ne veut rien dire. C'est nous qui forgeons notre avenir, Céleste.

J'acquiesçai lentement, réalisant que j'avais toujours su ce que diraient les cartes. Il s'approcha de moi, grave et triste. Il m'embrassa et nous nous couchâmes sur le tapis, parmi les cartes. Chacun déshabilla l'autre à la hâte. Il me fit monter sur lui à califourchon et me prit par les hanches pendant que j'entourais fermement son cou et ses épaules. Il laissa échapper un petit cri, mais je tins bon. On venait de me condamner à mort et je ne voyais pas pourquoi j'aurais fait des manières.

— Veux-tu que je reste quelques jours de plus ? me demanda-t-il, tandis que nous gisions sur mon lit au lever du soleil, chacun ayant fait semblant de dormir une bonne partie de la nuit. Ce syllogisme ne me laissait pas en repos – *Il dit qu'il m'aime mais il me quitte. S'il m'aimait, il resterait. Par conséquent, il ne m'aime pas vraiment.*

— Pour quoi faire ?

En entendant mon accent de froideur et de colère, je me demandai ce qui m'avait pris, car je désirais sa présence plus que tout au monde.

— Je t'aimerai toujours, dit-il d'une voix étouffée.

— Va-t'en, lui dis-je, roulant contre le mur et recouvrant ma tête.

Bientôt j'entendis le faible déclic de la serrure. Je demeurai là des heures, songeant qu'il était encore temps de changer d'avis, de le rattraper. Je ne quittai pas ma chambre de la journée ni de la nuit, même lorsque Candace, qui logeait à deux portes de là, à mon étage, frappa à l'heure du dîner puis plus tard dans la soirée, en allant au pub. Je me demandais où était Nathan. Était-il en train de faire ses bagages ? Dans un car ? Pensait-il à moi ?

Quand le soleil se leva le lendemain matin, comme j'étais toujours sur mon lit, à contempler le plafond, je compris que je n'avais pas le choix : il me fallait réagir. L'après-midi, je me rendis chez un médecin qui, disait-on, prescrivait facilement des somnifères. C'était un homme âgé, aux mains tremblotantes. Des vaisseaux sanguins éclatés traçaient un paysage de rivières et d'affluents rouges sur son nez et ses joues. Je prétendis avoir besoin de quelque chose pour dormir. Il m'assura que c'était l'anxiété et le stress des examens. Je répondis que la cause m'était égale, je ne pouvais pas dormir. À contrecœur il me donna une ordonnance pour du Valium et griffonna en bas le nom d'un psychologue local.

Je rentrai dans ma chambre. Nathan ayant laissé une bouteille de rhum à peine entamée sur une étagère, j'en bus la moitié sans ressentir aucun effet. Alors, je pris un, deux, trois Valium, avalant les petits cachets jaunes avec le rhum.

Quelqu'un frappa à ma porte après onze heures du soir et déclara que j'avais un appel. Je partis en titubant dans le couloir et lâchai le combiné avant d'arriver à le porter aux environs de mon oreille.

— Céleste ? C'est Sebastian. Mes parents viennent d'appeler pour me dire que Nathan a quitté Harvard. Il est avec toi ?

Pendant une seconde, sa voix avait été si proche de celle de son frère que je laissai échapper un petit cri.

— Bon d'accord... Tu vas bien ?

— Non, dis-je, avec un rire jaune. Sally avait trouvé la solution, tu sais.

Je raccrochai et réussis à rentrer dans ma chambre sans plus penser à lui.

Il emprunta une voiture et se pointa à ma porte à trois heures du matin. Il prépara le café tandis que je tempêtais, divaguais et jetais des choses aux quatre coins de la pièce.

Le sommeil finit par venir et je rêvai aux bras frais de ma mère m'enlaçant, au corps longiligne et solide de Nathan dans mon lit. Mais, même dans le sommeil, je savais qu'ils étaient partis, et un vent froid et transperçant s'infiltra à l'intérieur de ma chambre imaginaire. Je me réveillai en sanglots.

Plus tard, quand le soleil apparut entre les rideaux, je me redressai en sursaut et découvris Bass endormi à mon bureau. Survolant la pièce de mes yeux douloureux, j'aperçus une paire de chaussures de Nathan qui pointaient sous la commode, de vieilles Dockside, l'extérieur des talons usé par sa façon de marcher, les jambes arquées. Il les avait probablement repoussées là un jour, en venant se coucher. Mon cœur cessa de battre et je m'étranglai en mesurant l'ampleur de ma perte.

Sebastian ouvrit les yeux en sursaut.

— Oh, Bass, je regrette de t'imposer cela.

— Ne dis pas ça. Tu ferais la même chose pour moi.

Je battis des paupières, me demandant pour qui il me prenait.

Pendant des années, je fis une fixation sur le jour du départ de Nathan, tâchant d'imaginer ma vie si j'étais partie avec lui. L'idée de rassembler quelques affaires et de nettoyer mon compte en banque semblait si romantique. Je ne parvenais pas à comprendre mon refus.

De longues lettres pénibles, passionnées, commencèrent à arriver, remplies de nos secrets. Elles me donnaient de l'espoir, et l'espoir porte au désespoir.

Nathan était dans le couloir quand je sortis des toilettes, la face huileuse de sueur.

— Ça va ? me demanda-t-il, en me dévisageant.

— Très bien !

— Il est pas mal, ce type. Au moins, c'est pas un minable.

— Tu sais quoi ? Va te faire foutre, Nathan.

Je cherchai à me frayer un chemin, mais son bras me barrait le passage.

— C'est sérieux ? Tu l'aimes ? Tu vas vraiment l'épouser ?

— Oui, dis-je, mais je détournai la tête.

Il était si proche. Je pouvais sentir son odeur, la chaleur de sa peau.

— Tu pourrais rester ici avec moi.

— C'est ça. Avec Giovanna.

— Elle n'est là que pour les vacances. On s'aime bien, mais ce n'est pas sérieux entre nous.

— Mais entre Alex et moi, ça l'est, affirmai-je avec un rire strident. Nous allons nous marier.

Dans la salle, nos homards étaient servis. Alex s'efforçait d'expliquer à Giovanna « fusions et acquisitions ».

— *Cerveza.* J'achète *cerveza*, disait-il, empoignant une bouteille de bière et la sauce épicée. *Cerveza, y* j'achète Tabasco, et je fais Cerveza-Tabasco *compañía mucho grande. Comprende ?*

— Ah-ah, dit-elle, acquiesçant, les sourcils légèrement froncés.

Subitement, elle lui arracha la bouteille de bière, but un bon coup et se lécha les lèvres, souriante.

— BBRRRR... (Alex pointait deux doigts au-dessus de sa tête comme une antenne.) Televisiono. Tu connais Groupo Telemedia ? Moi (il désigna sa poitrine), moi faire Telemedia *mucho grande.*

Elle eut un sourire nerveux. Nathan commanda d'autres tequilas.

Comme je prenais mon verre, Alex me le confisqua vivement et le mit de côté. Je tentai de le récupérer, mais il m'attrapa solidement le poignet et ne me lâcha pas. Appelant sèchement Paquita, il lui tendit sa carte de crédit, qu'elle accepta et rapporta quelques instants plus tard. Giovanna et Nathan nous observaient en silence, avec une curiosité détachée. Tandis qu'Alex vérifiait la note, j'attrapai mon verre et me l'envoyai. Il me regarda sans rien dire, puis se tourna vers Nathan.

— Navré d'interrompre cette soirée, mais nous avons de la route, dit-il aimablement, en m'arrachant de ma place.

166

À travers un brouillard de lumières, je vis Nathan et Giovanna se lever.

Dehors, les grillons étaient en verve et la nuit sentait bon les fleurs et la mer.

Nathan sortit et resta devant la porte moustiquaire.

— Si tu veux m'écrire, Céleste, c'est « Aux bons soins du Grand Hôtel ». Grand Hôtel, Matlan, Mexique. Compris ?

— Mmmmm…

Alex monta et claqua sa portière. Pendant un moment, j'hésitai. Je me voyais quitter la voie du Destin ; je n'avais que trois mètres à faire. Je pouvais lui dire : *Pardon. Tu es merveilleux mais je dois rester. C'est ici ma place.* J'aurais eu beaucoup de choses à dire, à Nathan, et à Alex, si toutefois j'avais été en mesure de m'exprimer.

Je cherchai à tâtons la poignée, trébuchai, et Nathan se précipita vers la voiture. Il me remit d'aplomb, ouvrit la portière et m'aida à entrer.

— Oups, et voilà… !

— Mmmm…

Alex regardait droit devant lui et je sentais sa colère m'écraser et pomper l'air hors de la voiture, comme la mer pèse sur vous quand on s'enfonce, de plus en plus bas… Je m'adossai à la portière pour échapper à cette pression.

Le trajet se déroula en silence, la petite voiture pareille à un sous-marin flottant à travers une mer d'encre.

— Est-ce que tu seras en état de plonger demain ? demanda-t-il enfin d'une voix unie, contenue, comme nous franchissions le portail chaulé de l'hôtel, d'une blancheur lumineuse.

— Bien sûr ! dis-je, et je glissai dans le noir, uniquement consciente de mon envie de pleurer.

Je repris connaissance la face contre le lit. Je pleurais, je bafouillais, je marmonnais. Comment as-tu pu me faire ça ? Comment as-tu pu me faire ça ? Ça ne compte donc pas, tout ce temps passé ? Pourquoi suis-je là ? Soudain, je sentis un poids sur mon dos.

— Nathan ?

Un bras se bloqua sous ma gorge. Je pouvais à peine respirer. Je me débattis, mais l'étau se resserra. Il se frayait un passage en moi, sa verge tel du papier de verre contre mes parois sèches.

Je voulais crier, lui dire d'arrêter ; je secouai la tête pour me libérer de son bras bandé. Il me saisit par les cheveux et immobilisa ma tête. J'abandonnai toute résistance. Un bras toujours sous ma gorge, pesant de tout son poids sur moi, il lâcha mes cheveux et entreprit de gifler mes fesses et mes cuisses, avec violence. Je me mis à crier. Quand ce fut fini, il me repoussa et je tombai à bas du lit. Il se retourna et s'endormit. Incapable de bouger, je restai recroquevillée sur les tomettes fraîches et lisses.

Le lendemain matin, j'avais la tremblote comme après avoir pris des amphétamines. Mon corps dégageait une odeur aigre : sueur, sexe, vinasse et, sous-jacente, son eau de toilette qui avait viré. J'avais envie de vomir. Mes yeux brûlaient comme s'ils contenaient du sable. Il y avait du sang sur les draps. Alex était parti. Je regardai dans la pièce, soulagée de constater que ses affaires étaient toujours là, ma crainte d'être laissée seule sans le sou dans la jungle mexicaine étant plus forte que l'idée d'un prochain affrontement.

Je me traînai sous la douche et restai longtemps exposée au jet. Puis j'enfilai un short et un T-shirt, et partis à sa recherche.

Il était au restaurant, assis près des volets ouverts, en train de parler au téléphone. Dehors, les palmiers bruissaient sous un soleil aveuglant. Il poussa du pied une chaise dans ma direction. La conversation dura encore une minute, mais il devait avoir remarqué quelque chose de perturbant chez moi, car il dit tout à coup : « Je te rappelle », et reposa son portable.

— Alex, qu'est-ce qui t'a pris ?

Je tremblais si fort que je pouvais à peine soulever mon verre de jus d'orange. J'y renonçai ; de toute façon, ça ne me tentait pas. Je me sentais coupable et honteuse, comme si l'on m'avait punie pour une horrible faute.

— De quoi parles-tu ?

— De cette nuit.

— Je croyais que tu en avais envie…

Subrepticement, il beurra un petit pain et en enfourna la moitié dans sa bouche.

Je me pris la tête dans les mains. Je me sentais trop malade, trop faible, trop coupable pour me disputer avec lui.

— Tu en tenais une bonne. J'imagine que ta gueule de bois t'empêche de plonger ?

Jadis, ma mère m'avait dit qu'on sait qu'on est alcoolique quand cela commence à contrarier le déroulement de la journée. Je n'allais pas laisser la bringue de la veille affecter ma séance de plongée.

Je le regardai, les yeux douloureux.

— Je n'ai pas la gueule de bois. Je n'ai bu que trois tequilas.

Alex fourra des tranches de papaye dans sa bouche avec des gestes brusques, saccadés.

— Quatre. Et deux margaritas avant.

— Tu m'en veux à cause de Nathan, c'est ça ?

— C'était ton amant ?

Il y avait une touche de cynisme dans sa voix, une lueur glaçante dans ses yeux.

— C'était mon amour, dis-je doucement, et je repoussai ma chaise.

Je me ruai au-dehors, sous ce soleil matraquant, et pleurai comme une fontaine.

Écœurée, en sueur sur le petit bateau qui ondulait, le lourd équipement dans mon dos, j'ignorai Alex pour sonder les fonds bleus. Mon cœur et mes entrailles se contractèrent. Je voyais des monstres surgir de l'abysse pour m'arracher les jambes. Quand le moniteur eut compté jusqu'à trois, je tins mon masque plaqué contre mon visage et mon régulateur serré dans ma bouche, avant de basculer à la renverse. Il y eut un « plouf », un moment de parfaite confusion, puis je me redressai et regardai autour de moi. Je laissai échapper l'air de mon compensateur de flottaison et sombrai, les yeux fixés sur Alex.

Mon esprit fit le vide. J'étais un engin spatial fondant sur une planète inconnue, totalement enveloppé de silence, pris dans le sein bleu foncé du cosmos. Je n'entendais rien, sauf le travail de mes poumons et les bulles d'air s'échappant du régulateur.

Juste après le récif de corail, le fond se déroba brusquement, reculant sur des centaines de mètres. Quittant les dernières pousses de corail, je m'aventurai à l'intérieur du gouffre. C'était comme sauter d'une falaise sans tomber, ou comme dans ces rêves où l'on vole. Au-delà de la trentaine de mètres de visibilité, le bleu devenait un abîme noir, menaçant ; je retournai sur le plateau. En haut du précipice, des bancs de poissons et un solitaire, de grande taille, passèrent, au gré du courant. Des centaines de petits néons bleus montèrent et descendirent, formant une sorte de nuage. Des poissons à queue jaune s'approchèrent de mon masque par dizaines et me regardèrent dans les yeux. *Bonjour, vous !* Je leur fis signe. En un éclair ils étaient repartis, tornade jaune fendant le bleu. Une bande de barracudas me croisa tel un mur mobile, d'un gris argenté. À l'entrée d'une grotte, le moniteur laissa un appât, et une grosse murène verte sortit pour le trancher de ses dents pointues.

Plus tranquille, je partis toute seule examiner des éponges tubulaires d'un jaune fluorescent qui poussaient selon un angle de quatre-vingt-dix degrés. À une vingtaine de mètres, approchant furtivement, un gros requin gris. Il avait une tache blanche à la pointe de l'aileron. Je poussai un cri dans mon régulateur mais personne n'était là pour m'entendre. Les petits poissons ne semblaient pas perturbés, et le requin ne devait pas savoir la terreur qu'il m'inspirait. Il passa tout près de moi, son corps fuselé frémissant de muscles. *Ici, toute chose est à sa place*, songeai-je, ahurie par sa beauté. Ce requin appartenait à l'ordre serein de l'Univers ; et moi aussi. Sur le moment, j'en perdis toute perspective ; je n'éprouvais plus de peur, plus d'anxiété vis-à-vis du futur. Seul comptait le présent.

Alex n'étant pas là, je nageai après lui et, comme au ralenti, je lui saisis le bras, mais le temps qu'il se retourne le requin avait disparu.

Ce n'est qu'une fois remontée à bord que j'eus peur.

— J'ai vu un gros requin, dis-je, un frisson parcourant ma colonne vertébrale.

— Grand comment ? demanda Alex, impressionné.

— Plus d'un mètre quatre-vingts.

Je tendis la main au-dessus de ma tête.

— À quoi ressemblait-il ?

— Il avait du blanc sur l'aileron.

— Un dos blanc des coraux, dit-il avec respect. Ça t'a plu, la murène ?

Il souriait fièrement, content de moi. Je me sentis rachetée.

J'acquiesçai, avec un sourire bête. Je repris ma place et respirai dans la chaleur. L'océan avait chassé les derniers relents de cette odeur aigre. Un soleil torride commença aussitôt à sécher ma combinaison. Le bateau se balançait doucement.

Tout est redevenu normal, me disait mon cerveau. *Tout est comme il faut. Il ne te voulait aucun mal.*

X

Nous n'étions rentrés que depuis une semaine quand cette fatale léthargie revint s'insinuer au plus profond de moi. Assise dans le bus qui remontait Amsterdam Avenue, je regardais par la vitre, hébétée, mon cartable contenant les poèmes et les rédactions de mes élèves sur les genoux. Il m'avait été pénible de quitter le doux cocon de mes draps mais je m'étais forcée, à cause des enfants. Quelques mois plus tôt j'étais allée à une fête un lundi, et le mardi j'avais appelé pour me décommander. La semaine d'après, ils boudaient, maussades, et une fillette avait dit : « On a cru que vous aviez démissionné. Que vous aviez changé d'avis. » Je n'étais plus jamais sortie un lundi. La semaine précédente, ils m'en avaient voulu d'avoir reporté notre séance à cause du Mexique et m'avaient taquinée sur mon bronzage.

Au-delà de la 125e Rue, les trottoirs étaient jonchés de détritus et il y avait du contreplaqué sur les fenêtres de certains immeubles. Ouvrant ma serviette, je jetai un coup d'œil aux poèmes de la dernière fois, m'assurant que j'avais bien emporté les plus intéressants pour les lire à toute la classe.

Jamais, depuis ma première visite dans cette école, je n'avais eu peur de me rendre là-bas en bus. Columbia University s'étendait jusqu'à la 125ᵉ Rue, en comptant les logements des professeurs et des élèves, et je ne m'éloignais donc que d'une dizaine de pâtés de maisons de mon territoire familier. Il y avait un ordre dans cette routine quotidienne auquel j'appartenais par le simple fait de mon court trajet entre l'arrêt du bus et l'école. Des individus traînaient sur les perrons couverts de graffiti, mais le plus souvent l'ambiance n'était pas menaçante. Certains jours, l'atmosphère se modifiait, mais j'étais si accordée aux gestes et aux visages que la moindre variation me faisait dresser l'oreille et presser légèrement le pas. Mais rien de mal ne m'était arrivé ; personne ne m'avait adressé une parole inamicale en quatre semestres d'enseignement. Je me sentais protégée, comme par une aura.

Le professeur avec qui je collaborais était une femme d'âge mûr nommée Ellie Horowitz. Je l'avais rencontrée un an et demi plus tôt à un séminaire de sensibilisation au droit à l'avortement auquel Anna m'avait contrainte d'assister chez un écrivain féministe moyennement connu. Anna n'était pas féministe et se fichait complètement de ces questions, mais c'était une inconditionnelle du droit à l'avortement et, au grand dam de mon père, elle avait refusé de voter républicain à cause de leur position sur ce sujet. Un jour, il avait bloqué la porte alors qu'elle sortait prendre un bus pour Washington avec les « gouines locales », selon son élégante expression ; elle avait mis un chapeau de paille, des gants blancs, et portait une bannière dont l'inscription en bleu disait : « Notre corps nous appartient. »

— Anna, si tu passes cette porte, avait dit mon père, fou de rage, je ne sais pas ce que je fais.

À quoi elle rétorqua :

— Moi je sais ce que je fais, si tu ne t'écartes pas. Je divorce.

Plus jamais ils n'avaient abordé ce sujet.

Le thème du séminaire était : Comment éduquer les jeunes filles défavorisées d'Amérique pour éviter, dans la mesure du possible, le recours à l'avortement. Les oratrices n'avaient pas du tout l'air de connaître les jeunes des quartiers pauvres dont elles parlaient. Je regardai Anna et fis la grimace.

Puis une femme entre deux âges, qui avait de longs cheveux noirs striés de gris, une jupe à fleurs tombant au bas des mollets et de grosses chaussures de marche, se leva et dit :

— Je m'appelle Ellie Horowitz et j'enseigne à Harlem. C'est bien joli ce que vous dites, et plein de bonnes intentions, mais laissez-moi vous parler de ces gamines. Sans vouloir blesser personne, moi je les connais, et il me semble que vous ne comprenez pas les problèmes auxquels elles sont confrontées au quotidien. Vous parlez d'éduquer les jeunes filles, mais *quelles* jeunes filles ? Le fossé est culturel, et très profond. Or, je ne vous vois pas, vous les dames des beaux quartiers, bâtir un pont entre elles et vous. Je ne vous vois pas venir leur faire la leçon à Harlem.

Elle repoussa distraitement ses cheveux, son teint olivâtre rougissant sensiblement sous les regards furieux et scrutateurs.

— Mais ce n'est même pas la question. Ce qu'il faudrait, dans ce pays, c'est arriver à toucher ces petites dans le contexte qui est *le leur*, sur *leur* territoire, et leur tenir un langage *qu'elles puissent comprendre*. Or, c'est précisément ce qui ne se produit jamais.

Satisfaite, je me tournai vers Anna et souris, mais intérieurement je jubilais méchamment, pénétrée de ma propre supériorité. Anna fit comme si elle ne me voyait pas, assise bien droite dans son coquet tailleur.

Après la réunion, j'allai me présenter à cette femme.

— J'ai apprécié votre intervention, dis-je, tandis qu'elle me considérait avec méfiance de ses yeux gris et froids. Et je suis d'accord avec vous, sauf sur un point : voilà des mois que j'appelle le comité pédagogique pour enseigner dans les écoles communales et je n'obtiens que des réponses évasives. On ne veut pas de vous si vous n'êtes pas certifié. C'est un cercle vicieux : on ne peut pas enseigner si on n'a pas déjà enseigné, mais on ne peut pas avoir déjà enseigné si on n'a pas de certificat, dis-je, le sang affluant aussi à mon visage. Je suis un écrivain publié et je voudrais enseigner l'écriture créative aux enfants. Qu'ai-je besoin d'un diplôme pour cela ?

Elle me regarda comme si elle avait tout compris de moi en un seul coup d'œil prolongé.

— Vous avez déjà enseigné ?

— Je donne des cours à Columbia depuis deux ans.

Tout à coup, elle sortit un calepin d'un grand sac en toile et nota ses coordonnées.

— Ces petits ne sont pas des étudiants de fac, je préfère vous prévenir. Mais qu'importe après tout… Venez la semaine prochaine. Cette année, j'ai une classe de quatrièmes perturbateurs. Ce ne sont pas des attardés, vous savez. Tout simplement des gosses difficiles. Ils sont même loin d'être sots. En fait, ils ont suivi la filière classique parce que tout le monde s'en fout. C'est une honte. Maintenant c'est moi qui en ai hérité et ils n'ont pas du tout le niveau requis. N'espérez pas trop. On fera un essai.

Elle me serra la main, avec fermeté.

Mon baptême du feu eut lieu en décembre, quelques semaines seulement avant les vacances de Noël. Je pris un taxi, avec l'impression d'être une hypocrite. Le chauffeur était un Noir âgé qui s'appelait, d'après son matricule, Robert Johnson. Comme la voiture dépassait la 125e Rue, il me dit :

— Je voudrais pas être indiscret, mais qu'est-ce que vous venez faire ici ?

Je répondis que j'allais essayer d'enseigner la littérature créative aux enfants d'une école.

— Sans blague ! Pour quoi faire ?

— Eh bien, pour les amener à aimer l'écriture. À écrire sur ce qui leur tient à cœur.

J'avais son crâne chauve sous les yeux, mais je n'aurais su dire à quoi il pensait.

— C'est dangereux, ici ?

— Pas trop, dit-il d'une voix égale. Le jour de paie, vendredi, il faut se méfier. Des camés braquent les gens pour piquer leur chèque. Sinon, ça va.

Au moment d'être réglé, il se tourna vers moi :

— Dieu vous bénisse, madame. Passez une bonne journée.

J'entrai dans la classe surchauffée avec la sensation de n'avoir plus aucun vêtement sur moi. Il y avait cinq tables en largeur, et sept en longueur. Un roulement de voix me cueillit de plein fouet. Des yeux noirs, dorés, noisette, me détaillèrent avec une curiosité amusée. Une Latino-Américaine se regardait dans un miroir de poche, peignant ses cheveux et repoussant son voisin, un Noir large d'épaules au beau visage diabolique. Ellie Horowitz cria sur la classe d'une voix forte et perçante comme une sirène de police, et ils se calmèrent pour me contempler en silence.

Je sortis un petit récipient en papier mâché de mon sac, avec la *Paris Review* et deux autres périodiques qui avaient publié mes nouvelles au cours des dernières années. Ils formaient un petit tas bien net au bord du bureau.

— Ça n'a peut-être l'air de rien, dis-je, mais parvenir à

176

se faire publier dans ces magazines est extrêmement difficile pour un écrivain inconnu.

Je brandis la *Paris Review* et l'ouvris à la page deux.

— Voici les nouvelles que j'ai publiées. Mon nom est inscrit ici : Céleste Miller, dans la table des matières.

— Qu'est-ce qui nous dit que c'est vous ? demanda le garçon qui avait taquiné sa voisine.

Il sourit. Ses dents de devant étaient ébréchées et en zigzag.

— Là, vous pouvez voir ma photo.

Je lui tendis *Glimmer Train* et fis circuler les autres, qu'ils regardèrent sans grand intérêt. Seule la revue avec ma photo les captivait.

J'ouvris la petite boîte en papier mâché remplie de pin's de toutes les couleurs que j'avais achetés à Moscou en 1984. Ils portaient des slogans en russe comme « GLOIRE À NOTRE MÈRE PATRIE », « LONGUE VIE AUX RÉALISATIONS DU MARXISME-LÉNINISME ! » et « GLOIRE AU PARTI COMMUNISTE D'URSS ! »

— J'ai rapporté ces pin's de Russie il y a des années, pour les offrir en souvenir. Les Russes étaient très gentils. Ils m'invitaient chez eux et partageaient leurs repas avec moi, alors qu'ils avaient déjà du mal à se nourrir eux-mêmes. C'est la première fois que je m'aventure à Harlem, mais j'aimerais revenir pour vous enseigner l'écriture créative. Je voudrais que chacun d'entre vous choisisse l'un de ces pin's ; c'est pour vous remercier de m'avoir permis de visiter votre classe aujourd'hui.

— Pourquoi vous commencez par le premier rang ? lança quelqu'un au fond. C'est pas juste !

Je me déplaçai dans sa direction, laissant les mains piocher dans la boîte.

— Mademoiselle, mademoiselle ! C'est quoi, celui-ci ?

Il s'agissait d'une étoile rouge avec la photo de Lénine bébé au centre.

— C'est Lénine enfant. Le fondateur du communisme russe.

— Et celui-là, qu'est-ce qu'il dit ?

Une fille au teint acajou brandissait une représentation du monde, une sphère bleue avec une bombe atomique coupée en deux.

— Ça dit : « Non à la bombe atomique ! »

La gamine me regarda avec de grands yeux circonspects.

— Je croyais que c'étaient *eux* qui voulaient nous détruire, marmonna-t-elle d'une voix fatiguée.

— C'est comme si tu disais que tout le monde chez nous est d'accord avec le Président.

— Ah, ouais, soupira-t-elle, et elle fixa le pin's au revers de sa veste en jean.

Ellie Horowitz avait, comme prévu, apporté son petit radiocassette, et j'y glissai une cassette d'une improvisation rêveuse et romantique au piano de Keith Jarrett.

— Bon, les enfants, je voudrais que vous fermiez les yeux et que vous rêviez tout éveillés.

Ils se mirent à glousser et à me regarder comme si j'étais folle.

— Madame, je vais m'endormir.

— De toute façon, c'est ce que tu fais et on t'engueule pour ça. Fermez les yeux et respirez bien fort. Inspirez, un, deux, trois, quatre…

L'aérienne et langoureuse musique flotta à travers la pièce. Beaucoup regardaient leur voisin, pour voir si on se foutait d'eux, mais petit à petit les paupières se baissèrent.

— Si l'un d'entre vous n'a pas envie de continuer, je l'invite à sortir dans le couloir ou à aller en bibliothèque, dis-je tranquillement.

Derrière moi, Ellie Horowitz beugla :

— Oui, et moi je l'invite à aller dans le bureau de M. Sender !

Personne ne bougea.

— Dans une minute, je vais repasser la musique et vous noterez à quoi vous rêviez. Il n'y a pas de bonne ou de mauvaise réponse. Faites comme si votre main recevait un signal électrique de votre cerveau. Peu m'importe votre grammaire ou votre orthographe. Je veux que vous coupiez vos phrases où ça vous plaît. Si vous ne voulez pas que je lise votre texte à voix haute, mettez *Ne pas lire* en haut. C'est entre vous et moi.

Quand la musique s'arrêta, le silence était total. Vite, je pressai la touche « Rewind », sachant que je pouvais les perdre en un clin d'œil. La musique reprit, langoureuse, lente, triste. Calmement, ils se mirent à écrire, penchés sur leur table, protégeant leurs mots des coups d'œil du voisin.

— Si vous avez des questions, signalez-vous et je viendrai vous voir.

Des mains se levèrent. Je passai entre les tables, me heurtant aux cartables et aux jambes. La plupart voulaient m'interroger sur l'orthographe.

— Comment vous écrivez « paradis » ?

— Écris-le comme tu veux. De toute façon, je suis très mauvaise en orthographe.

Timidement, ils se mirent à tourner leur devoir vers moi tandis que je marchais lentement entre les rangées, regardant par-dessus leur épaule.

Sofyah, la gamine qui avait choisi le pin's pour la paix, écrivit :

J'AI FAIT UN RÊVE

J'ai rêvé à la paix
Une paix éternelle
Dans ce rêve la paix était sur toute la terre
Il n'y avait pas de tueries pas de drogues
pas d'armes pas de guerre
Seulement la paix

— C'est très beau, dis-je en posant furtivement la main sur son épaule.

Elle regarda son poème, puis moi, et sourit faiblement. Je continuai à avancer, emplie de joie. Le joli garçon au premier rang, celui qui avait taquiné la petite Latino-Américaine, composa un poème intitulé « Seul ». Il s'appelait Ramel.

SEUL

J'ai rêvé que j'étais sans abri le jour de Noël
Je marchais dans une ruelle
J'étais seul
Je n'avais nulle part où aller
J'étais triste et solitaire
Je pensais à cette nuit
et à ce que je ressentirais après Noël

« Soleil couchant » avait été écrit par un garçon assis tout seul au fond, près d'une fenêtre.

SOLEIL COUCHANT

Nous avons pris la route
dans le soleil couchant
Qui sait
ce qui nous attend
au bout de ce voyage
vers un pays lointain

Au bout de mon premier semestre, Ellie suggéra que je postule auprès du Writer's Way pour obtenir des fonds. L'allocation fut accordée, et je commençai à être rétribuée pour enseigner à ma classe. Mais ma plus grande récompense fut que, ce trimestre-là, j'avais découvert un écrivain. C'était un quatrième nommé Derrence Skinner qui n'avait aucune orthographe et ne parlait jamais en classe.

Il se contentait de fixer le plafond avec une expression rêveuse tandis que son entourage se déchaînait autour de lui.

Ce jour-là, après la classe, je l'emmenais poser sa candidature pour un programme d'été réservé aux enfants doués. J'avais enfreint la règle que je m'étais imposée de ne pas me mêler de leur vie privée, et la perspective de passer quelques heures avec un adolescent de quatorze ans, qui ne m'avait jamais dit plus de vingt phrases, était intimidante. Je ne savais pas comment lui parler. Avec lui, je me sentais comme avec ma grand-mère française. Je connaissais sa langue, mais je n'étais jamais sûre de ne pas me tromper de tournure idiomatique, risquant d'insulter quelqu'un par mégarde.

Derrence était calme, timide, apprécié. Ce n'était pas un perturbateur mais pas non plus un bon élève. D'après Ellie, son niveau était médiocre dans toutes les matières et l'année suivante il irait dans l'une des écoles les plus grandes, les plus dures de New York. Je lui soumis son travail. Elle reconnut qu'il maniait les mots avec une habileté troublante, mais elle-même ne savait pas comment le prendre. Il avait de très mauvaises notes et détestait les lectures imposées. Pourtant, le jour où je lus son travail pour la première fois à voix haute, toute la classe applaudit et poussa des hourras. Ce groupe de quatrièmes se considérait comme stoïquement cool, et n'avait jamais applaudi jusque-là.

— L'auteur veut-il se faire connaître ? demandai-je, avec optimisme.

À ce moment-là, je ne les connaissais pas tous par leur nom. Une main monta lentement au dernier rang. Un garçon petit et mince, qui portait un appareil dentaire, levait la main en contemplant son bureau.

— Je te jure, Derrence, ce poème m'a tiré les larmes, dis-je.

Les gosses rirent et me huèrent.

181

— Vous êtes folle, vous ! me dit en souriant une petite Latino-Américaine qui était assise au premier rang.

Un jour, j'écrivis un seul mot au tableau, en lettres capitales : INJUSTICE, et leur fis entendre un *Impromptu* de Chopin. Telle fut la réaction de Derrence :

Nous n'avons jamais couru, nous n'avons jamais joué
Jamais été ensemble
Nous n'avons jamais regardé, nous n'avons jamais observé
Mais quelqu'un le faisait
Toujours nous sourions, le cigare à la bouche
Nous n'avons jamais rêvé, nous n'avons jamais dormi
Jamais connu la paix.

Ils aimaient me taquiner sur ma tenue vestimentaire et mes expressions comme « fabuleux », « excellent » et « merveilleux », et combien j'avais la gorge nouée quand je leur lisais un texte vraiment bon. Mais je savais qu'ils adoraient l'attention que je leur prêtais et mes compliments. Ils écrivaient souvent sur la peur, les fusillades dans la rue, et les balles perdues qui tuaient les passants, des membres de la famille, des amis proches. Certains écrivaient avec piété sur leurs parents, d'autres sur l'incompréhension ou le désintérêt des leurs pour leurs propres enfants.

Je me mis à prendre un groupe de cinq ou six après la classe pour les faire travailler à des projets ; des élèves qui montraient un don particulier ou tout simplement de l'enthousiasme, ou qui me semblaient le plus négligés. Tout le monde aurait voulu venir. J'avais le cœur serré, sachant qu'il fallait me concentrer sur ceux qui en bénéficieraient le plus.

Le premier jour, la bibliothécaire leur fit cracher leur chewing-gum et les avertit que, s'ils ne savaient pas se tenir, elle foutrait tout le monde à la porte.

Dans ce cadre bien plus intime, ils commencèrent à me parler de leur vie. Shatisha, une petite maigrichonne au teint sombre et à la houppe de cheveux drus et indisciplinés, me raconta qu'elle avait été à la rue pendant deux ans et qu'elle vivait maintenant dans un foyer. Ses textes parlaient des sans-abri, de la pitié qu'elle ressentait quand elle en voyait sur le trottoir. Je lui demandai si elle pouvait écrire sur sa propre expérience. Elle refusa. Elle ne voulait pas que les autres sachent.

Rosalia, une bonne élève aux cheveux noirs tombant jusqu'à la taille et aux yeux de biche, m'avoua qu'elle était amoureuse d'un certain Alfredo qui était dans une autre classe de quatrième.

— Oh, misère...

Elle leva les yeux au plafond et se frappa théâtralement la poitrine.

— Oh là là ! dis-je. J'ai connu ça moi aussi.

Cela fit glousser toutes les filles autour de la table.

— Vous êtes mariée, Céleste ?

— Non, mais je le serai en juillet.

— Pas vrai ! Avec qui ? Il est mignon ?

— Pourquoi vous l'amenez pas chez nous ? dit une autre gamine.

Je me mis à rire, imaginant Alex debout devant les élèves alors que je ferais son panégyrique.

Seul dans son coin, Derrence écrivait avec acharnement.

À la porte, la bibliothécaire me dit :

— Je ne sais pas comment vous faites, mais je ne les avais jamais vus ainsi. En ce qui me concerne, vous pouvez les ramener quand vous voulez.

Entourée de mes élèves, je sortis dans le couloir.

Je me sentais tel le joueur de flûte de Hameln, étourdie de bonheur.

Au cours du mois suivant, Rosalia composa des poèmes d'amour en vers, sexy et passionnés, dédicacés à Alfredo, mais subitement ses textes se chargèrent de récriminations larmoyantes et de jalousie. Rosalia m'aimait bien, mais elle faisait la moue puis m'ignorait quand je passais trop de temps avec Derrence. Deux semaines plus tôt, elle m'avait demandé pourquoi je préférais son travail au sien. Je lui avais répondu que ses poèmes étaient excellents mais qu'elle n'était pas assez exigeante, qu'elle versifiait à tour de bras et qu'il fallait à présent arrêter les vers et se concentrer sur elle-même et non sur Alfredo. La semaine précédente, elle m'avait remis un poème d'amour sur José, sa nouvelle flamme.

— Et si tu écrivais sur toi ? Si tu laissais tomber la rime ?

— C'est trop dur, ce que vous demandez.

Je haussai les épaules et allai voir Derrence.

— D'où vient ta famille ?

— Du Costa Rica, marmonna-t-il d'une voix de baryton à peine audible tandis que je me penchais par-dessus son bureau.

— Ton père aussi ?

— Non.

Il secoua la tête. Un instant plus tard, il murmura que sa mère était remariée et qu'il ne s'entendait pas avec son beau-père. Pour la première fois, je pris conscience qu'il y avait des intonations latines dans sa voix.

— Ma mère veut m'envoyer à l'école d'été pour se débarrasser de moi. Je déteste l'école d'été. C'est nul. Ils nous apprennent ce qu'on sait déjà.

Sans réfléchir, je demandai :

— Tu veux que je voie si tu ne pourrais pas t'intégrer à un atelier d'écriture pour les jeunes ? Je crois que ça existe…

— Ça serait bien, répondit-il d'une voix neutre.

Je n'aurais su dire s'il voulait vraiment que je m'en occupe, ou s'il avait dit oui pour me faire plaisir.

J'appelai diverses associations à but non lucratif pour la jeunesse, et m'arrangeai avec la mère de Derrence et l'école pour l'emmener avec moi pendant quelques heures le mardi suivant. Freedom to Think, un groupe de bénévoles géré par un certain Winston Jones, m'avait paru le plus prometteur, même si M. Jones ne m'avait pas caché que les subventions étaient réservées aux enfants du quartier. Freedom to Think se trouvait près de l'école mais Derrence habitait au sud du Bronx.

Ce monsieur avait néanmoins accepté de lui parler et de jeter un coup d'œil à son travail.

Je descendis du bus et traversai la rue en direction de l'école. Une brume de chaleur, moite et étouffante, pesait sur New York. Pénétrer dans cet établissement, c'était comme basculer dans un étrange monde de bruits où le temps et l'espace avaient de tout autres valeurs. Le temps était fractionné en segments de cinquante minutes – et l'espace à qui le prenait. Une fois dans les couloirs bleu foncé, je devais généralement rentrer la tête et me faufiler pour éviter les collisions ; le niveau sonore empêchait toute réflexion.

Comme il restait peu de temps avant la sonnerie, je longeai le couloir tout en regardant les travaux scotchés aux murs. Il y avait des dessins en perspective de bâtiments et de routes ; des panoramas de New York ; des mosaïques de visages composées à partir de fragments découpés dans des magazines ; des peintures représentant des mers peuplées de gros poissons effrayants. Je fis halte devant un dessin montrant un gratte-ciel. Au premier plan, les tours aux angles aigus se dressaient, gigantesques, hérissées d'antennes. En bas, au niveau de leurs bases maigrelettes, une mince avenue se dirigeait tout droit vers le haut de la page, l'horizon. Sentant une présence à mon côté, je me retournai. Un garçon d'une douzaine d'années me considérait gravement.

— Ça te plaît ? C'est mon dessin.

Mon regard se reporta sur son travail.

— C'est superbe. Tu es doué.

Je me tournai de nouveau vers lui, mais il s'était tranquillement éloigné.

Freedom to Think n'était qu'à quelques pâtés de maisons de là. Nous sortîmes Derrence et moi de cette école bruyante et sombre pour nous retrouver sous un soleil éclatant. Il devait être aussi dépaysé et mal à l'aise que moi, mais sa figure ne révélait absolument rien. Je vis qu'il s'était fait beau pour son entretien. Il portait un nouveau jean violet, ceinturé sous les hanches – l'entre-jambe pendouillant sur les genoux, les jambes formant des plis par-dessus ses baskets montantes fermées sur les côtés par deux bandes de cuir pareilles à des ailes aérodynamiques – et une veste en jean violette, assortie au pantalon. Dessous, il avait mis un polo à capuche rayé, jaune et violet.

— Écoute, Derrence, j'essaie simplement de te trouver une alternative à l'école d'été. Tu n'es pas obligé d'accepter.

— Je sais, dit-il vivement.

— M. Jones, le directeur, m'a appris que leur groupe de photo et poésie se réunit deux fois par semaine l'après-midi.

— Ah, d'accord…

Sa voix était si basse et douce qu'elle était difficile à capter.

— Tu lis des livres ?

— Non. Je regarde la télé. Mais j'aime les vrais livres. Pas les autres.

— Ils sont tous vrais. Les romans ne font que modifier un peu la réalité.

Il ne me restait plus que deux séances avec lui, après quoi je ne le reverrais sans doute plus jamais. J'aurais eu tant de choses à lui dire.

— Tu sais, Derrence, je pense que tu es *très* doué. Je pense que tu peux devenir un véritable écrivain.

Il rit, sans bruit.

— Non.

— Non quoi ?

Je n'insistai pas.

— Ne te laisse pas intimider par M. Jones, dis-je, en déglutissant avec difficulté.

Les murs du bureau de Winston Jones étaient couverts de dessins, de poèmes et de photos réalisés par des élèves. Il y avait aussi des mots d'amour : « Winston, JE T'AIME ! », « Viens vivre à la maison ! ». Des quantités de livres et de dossiers formaient par terre des piles vertigineuses. Devant nous se tenait un grand Noir carré d'épaules, avec des *dreadlocks* marron clair qui lui tombaient sur les épaules. Il portait un jean délavé, une chemise Oxford bleue, une cravate rayée rouge et bleu. Derrence semblait essayer de se cacher derrière moi. Je regrettai de ne pas l'avoir mieux préparé.

— Céleste Miller…, commençai-je, en lui tendant la main. Voici Derrence Skinner, l'élève dont je vous ai parlé.

M. Jones avait des yeux intelligents et incisifs qui vous fixaient pour vous impressionner.

— Elles sont cool tes baskets, dit-il à Derrence, qui ne réagit pas. Tu aimes écrire ?

Derrence leva un regard paresseux, contempla les photos aux murs :

— Bof, ouais.

— Je vous ai apporté des photocopies de ses poèmes, dis-je vivement, tout en fouillant dans mon sac.

M. Jones prit la chemise, jeta un coup d'œil aux doubles que j'avais faits, et commenta :

— Mmmm… tu écris bien.

Silence chez Derrence.

— Tu t'intéresses à la photo ?

— Ouais, fit-il vaguement, regardant à présent par terre.

J'aurais voulu les interrompre, expliquer que Derrence était timide, mais je savais qu'il valait mieux m'asseoir dans le fauteuil qui me tendait les bras et rester tranquille. De temps en temps, M. Jones me lançait un coup d'œil, avec une expression indéchiffrable.

— Où habites-tu ?

— Dans le Bronx.

— C'est en dehors de notre habituelle juridiction. Nous ne prenons que les jeunes du quartier.

Mon cœur défaillit.

— Mais il va à l'école qui est au bout de la rue ! Cela fait un certain temps que je suis professeur, monsieur Jones, et je crois sincèrement que Derrence a un talent exceptionnel.

M. Jones reprit place dans son fauteuil pivotant et sourit.

— Cet atelier enseigne à prendre des photos et à les développer. Tu composeras des poèmes pour accompagner tes propres photos. À la fin du stage, on organisera une petite expo pour montrer le travail de chacun. Qu'est-ce que tu en penses ?

— Je pense que c'est bien. Mais je ne sais pas faire de photos. J'ai pas d'appareil.

— On t'en donnera un. *Prêtera* un. Perds-le et ça bardera pour ton matricule.

Il rit, mais le visage de Derrence demeura impénétrable. M. Jones se cala dans son fauteuil, croisa les bras et mâchouilla l'intérieur de sa joue durant un moment.

— Bon, il y a une place pour toi si tu le souhaites, dit-il enfin. Mais tu dois prendre tes responsabilités. Si je te donne cette place, cela signifie qu'un jeune du quartier ne l'aura pas. Ça t'intéresse ?

— Oui, fit Derrence de sa voix inexpressive. J'aimerais essayer.

Nous nous levâmes après M. Jones.

— Mademoiselle Miller, vous êtes au Writer's Way ? demanda-t-il

— Oui, mais j'ai d'abord travaillé pendant un semestre comme bénévole dans son école.

— Téléphonez-moi un de ces jours. J'aimerais connaître vos méthodes d'enseignement.

— Entendu. Et si ça ne pose pas de problème, moi j'aimerais bien venir voir l'expo, après le stage.

— Bien sûr.

On se serra la main.

Dans la rue, le soleil tapait avec ardeur. Je demandai à Derrence s'il avait soif. Il répondit que oui et je l'entraînai vers une épicerie portoricaine. Une fois devant la porte, il s'arrêta pour voir si j'allais prendre l'initiative de l'ouvrir. Comme ce fut le cas, il resta en arrière puis me suivit à l'intérieur.

Nous nous plantâmes devant l'armoire frigorifique, contemplant les cannettes de boisson sans alcool. J'apercevais dans la vitre le reflet de deux Latino-Américains derrière le comptoir, nous observant avec des regards curieux. Moi en petite jupe noire à pois blancs et corsage de coton, Derrence sur son trente et un dans sa nouvelle tenue.

— Qu'est-ce que tu veux ? Un Pepsi ? Autre chose ?

— J'aimerais bien un Coca.

Je sortis deux cannettes, Coca et Coca Light, et les emportai vers le comptoir. L'un des hommes me tendit deux pailles tandis que Derrence se tenait en retrait et regardait vaguement le plafond.

Nous partîmes à pied vers Broadway.

— Tu sais, Derrence, pas très loin de Columbia, il y a une très bonne librairie. J'aimerais t'offrir quelques livres. Tu as besoin de retourner à l'école ?

— Non. C'est pas la peine. Et ma mère, elle rentre pas avant cinq heures.

— Tu t'entends bien avec elle ?

— Ça va. Elle travaille. Elle veut toujours que je l'accompagne à l'église. Je déteste cette église. Je déteste ce qu'ils disent : Si vous n'avez pas la foi, si vous ne venez pas tous les dimanches, vous irez en enfer. Vous pensez que c'est vrai ? demanda-t-il en me jetant un coup d'œil en coulisse.

Mon cœur battait vite à cause de la chaleur et parce que je venais de comprendre qu'il attendait une réponse. Je songeai à Primo Levi et soudain j'eus envie de pleurer.

— Non, je ne pense pas que ce soit vrai. Je ne pense pas que Dieu appartienne à une quelconque religion ou à un groupe. Les chrétiens disent qu'Il est comme ceci, les musulmans disent qu'Il est comme cela, et ils se font la guerre. Ils s'entre-tuent. Je ne crois pas que quiconque ait le droit de dire à son prochain ce qu'est Dieu. Dieu est à tous. Ce sont les hommes qui disent : Dieu vous punira. Et ils se font la guerre en Son nom.

— Mais, alors, vous êtes croyante ?

Pour moi, Dieu existait dans l'écriture de Primo Levi, dans les instants de répit où il décrivait comment un être humain avait montré du respect à un autre dans ce désert cruel et impie qu'est le monde. Des squelettes de buildings fixaient sur nous leurs orbites vides. Je devais choisir entre affronter ces questions et tenter de l'aider, ou vivre en fermant les yeux. Je sentis quelque chose sortir de moi-même et nous regarder marcher dans la rue.

— Oui, je crois qu'il y a un Dieu, répondis-je, pesant mes mots. Mais je n'en sais pas plus. Peut-être que Dieu est bonté. « Traite ton prochain comme tu voudrais qu'il te traite. » Tu vois ce que je veux dire ?

— Quand j'entre dans un magasin, on me regarde toujours comme si j'étais en train de voler quelque chose. J'ai jamais rien volé ! dit-il, les yeux rivés au sol. On me regarde comme si j'étais une pourriture.

J'aurais voulu lui dire qu'il était parfait, magnifique, j'aurais voulu le serrer dans mes bras. Il en aurait été horrifié.

— C'est pour ça que tu dois lire ! Tu dois t'instruire pour que personne ne puisse te blesser. Je ne parle pas de ce qu'on t'apprend en classe ; à ton âge, je n'étais pas une bonne élève. Mais si tu lis, tu pourras te protéger parce que tu seras plus malin que ceux qui ne penseront qu'à te nuire.

— Ça je sais ! dit-il dans un brusque accès d'émotion.

Enthousiaste, j'ajoutai :

— J'ignore ce que c'est d'avoir quatorze ans et d'être noir, mais je sais ce que c'est d'avoir quatorze ans et d'être blanche, de n'avoir pas de mère et de se sentir totalement perdue et sans repères.

Il ne broncha pas et continua à marcher la tête baissée, sirotant son Coca.

— Et être effrayé et en colère n'arrange rien. Moi je suis toujours effrayée et en colère, et je n'ai jamais le temps de me sentir bien !

— Je connais ça, dit-il.

Il opina gravement tandis que nous poursuivions notre chemin.

À la librairie, je le laissai se promener. Mais je le suivis pour lui indiquer quelques écrivains susceptibles de lui plaire. James Baldwin, *Les Élus du Seigneur*. La première fiction de Richard Price sur le sud du Bronx, *Les Vagabonds*. Il y avait une anthologie de poètes représentant des minorités ; une nouveauté d'un écrivain d'origine portoricaine sur la Harlem hispanique et les ravages du crack. Je désignai les premiers romans de Toni Morrison, les plus minces pour qu'il ne soit pas intimidé. Il retira tous ces livres de l'étagère, un par un, et en considéra la couverture, face et dos. Il passa au rayon poésie, et, entassant tous les volumes au creux de son bras, sortit une mince plaquette intitulée : *Les Plus Beaux Poèmes d'amour*.

— Ça, ça ferait plaisir à Rosalia.

— D'accord, tu lui en feras cadeau demain.

Je lui pris l'ouvrage et il reporta son attention sur son butin, tâchant de se décider.

— Prends-en un par auteur, dis-je, pensant : Quelle importance ?

Au moment d'arriver à la caisse, Derrence tranportait une pile impressionnante. Il plaça les livres solennellement sur le comptoir, formant un tas ordonné, et se recula en regardant autour de lui avec toujours ce même air absent. L'employé fit le total. Je lui tendis ma carte de crédit sans prendre la peine de vérifier la somme.

— Tu n'es pas obligé de les lire tout de suite, mais ils seront là pour toi, quand tu en auras envie.

Je plongeai la main dans mon sac et en sortis la *Paris Review* qui contenait ma nouvelle.

— Tiens, prends ça aussi. Je te l'ai dédicacée hier soir. Tu n'es pas forcé de la lire non plus. Je voulais te l'offrir.

Je l'accompagnai à la bouche de métro. Il avait une longue route à faire. Au moins, il ne ferait pas sombre avant plusieurs heures.

— N'aie pas peur de Freedom to Think, je pense que

192

tu vas bien t'amuser. Écoute, tu peux m'appeler quand tu veux pour qu'on en parle. Tu m'appelleras ?

— Ouais.

Il sortit son agenda et un stylo, et se mit à noter mon nom avec soin. Je lui donnai mon numéro. J'aurais voulu qu'il m'appelle, mais je n'y croyais pas.

— Fais bien attention en rentrant, dis-je stupidement, en lui tapotant le bras. Tu sauras te débrouiller avec les correspondances ?

— Oui.

Il rit et se retourna pour descendre les marches. Une fois dans l'escalier, il regarda par-dessus son épaule et agita la main.

— Mon Dieu, marmonnai-je dans un souffle. S'il Vous plaît, venez-lui en aide.

XI

Le temps finit par changer et le samedi suivant, dans l'après-midi, il faisait beau et frais. Ces dames ne cessaient de s'exclamer en arrivant, chargées de paquets-cadeaux dissimulés au fond de leurs luxueux cabas : « Quelle belle journée pour enterrer sa vie de célibataire ! »

Les fenêtres du duplex de Daphne étaient ouvertes sur l'étroite rue de Greenwich Village. Elle possédait le rez-de-chaussée et le premier étage, et de son living on pouvait entendre les oiseaux et le bruissement des feuillages, ainsi que les conversations et les rires qui montaient de la rue.

Quelques retardataires se précipitèrent dans la pièce, et comme Daphne disait : « Puisque tout le monde est là, commençons », je me surpris à regarder vers la porte. Il manquait quelqu'un, mais qui ? Cela me frappa comme un coup à la poitrine. Candace. Ma fête aurait dû être sous sa responsabilité. J'avais l'impression de la trahir, même si je savais que c'était absurde.

Candace partie, Daphne s'était portée volontaire. Si on ne se voyait plus beaucoup, c'était malgré tout ma seconde plus ancienne copine de fac. Daphne avait fait tout ce qu'il fallait : étudier le droit à Harvard, devenir avocate d'entreprise, acheter un appartement dans un bon quartier comme le Village, qui avait triplé de valeur. Le seul domaine où elle rencontrait des difficultés, semblait-il, c'était pour se dénicher un mari. Sa mère ne ratait pas une occasion de le lui rappeler, et Daphne répondait : « Je n'ai pas besoin d'un mari, j'ai besoin d'une épouse. »

Elle nous fit asseoir en cercle, ce qui me rappela certains jeux d'enfants. Mon amie ayant une passion obsessionnelle pour l'organisation, elle avait attribué à chaque invitée un créneau horaire auquel leur cadeau devait correspondre. Cela n'avait fait aucune différence pour ces dames – elles m'avaient toutes acheté des culottes et caracos pastel, des nuisettes de chez Victoria's Secret pour le matin comme pour l'après-midi – pourquoi pas ? Le cadeau le plus amusant était celui de Lucia.

— « Pour onze heures du soir…, disait sa carte. C'est lisse, noir et soyeux. » Dans la boîte, enveloppé de papier de soie rose, se trouvait un compact de Ray Charles.

Le présent d'Anna était pour minuit : un déshabillé rose à fanfreluches et sa chemise de nuit, accompagnés d'un bristol qui disait que j'étais libre de les échanger s'ils n'étaient pas à mon goût. À vrai dire, aucun de ces machins ne l'était. Je dormais dans de vieux T-shirts extralarges à l'encolure découpée.

La distribution terminée, il y eut des discussions à voix basse, des petits fours et encore du champagne.

J'aurais voulu lever mon verre à Candace, mais je savais qu'elles m'auraient contemplée fixement, leurs doux traits momentanément assombris par l'inquiétude. Je chassai ces pensées avec un sourire bête qui me fit mal aux joues. Comme Alex me le reprochait souvent, c'eût été souffler de noires nuées sur un ciel d'un bleu parfaitement limpide. Je bus une autre coupe de champagne, espérant diluer ma mélancolie.

Vers sept heures et demie, le jour baissa et, comme sur un signal, tout le monde partit, sauf Lucia et moi. Daphne fit sauter le bouchon d'une autre bouteille de champagne, et elles se mirent à parler d'aller dans une boîte, comme autrefois. L'alcool ne m'avait pas remonté le moral ; il m'avait donné une migraine qui pesait sur ma nuque tel un sac de billes. Étourdie et confuse, j'annonçai que j'allais m'allonger un moment et m'éclipsai, descendant l'escalier en colimaçon qui menait à la chambre de Daphne. Je pouvais les entendre au-dessus de ma tête rire du bon vieux temps, quand nous allions toutes les quatre au Ritz les soirs de week-end, restant jusqu'à la fermeture. Le gérant était un copain et nous buvions gratis. Candace n'était jamais citée, mais je savais qu'elles pensaient probablement à elle, comme moi.

Je m'étendis sur le lit de Daphne où de gros oreillers étaient entassés et fermai les yeux. Je ne pouvais empêcher mon esprit de s'appesantir sur cette autre époque.

Candace et moi avions partagé la même chambre pendant notre première année de fac, réunies par un ordinateur exceptionnellement sage ou bête, car nous n'aurions pas pu être plus différentes.

J'étais arrivée la première, seule, au volant de ma Volkswagen d'occasion. J'avais refusé l'aide de mon père et d'Anna ; ma famille n'avait jamais été très douée pour les transitions – dire bonjour, dire au revoir. Animée par une fausse humilité et le désir d'éviter toute démonstration de vanité, j'avais apporté une seule valise qui contenait mes quatre paires de jeans ; ma vaste collection de T-shirts – pour les occasions habillées, pour traîner, pour dormir – ; quelques cols roulés en coton ; quatre pulls d'hiver ; et un assortiment de slips et soutiens-gorge peu attrayants. J'avais également un carton qui abritait tous les romans que j'avais lus, ainsi qu'une machine à écrire électrique portative que m'avait offerte Anna à Noël.

Candace et ses parents, Jacob et Samantha Black, passèrent la porte en criant et gesticulant, avec quatre conseillers d'orientation en sueur chargés de trois énormes malles. Ses parents étaient grands, mais voûtés. Samantha portait un tailleur-pantalon en velours fuchsia et de coûteux bijoux en or. Jacob avait l'air d'un croque-mort.

— Je vais voir si la salle de bains est propre, déclara Samantha, tournant les talons et quittant la pièce.

Jacob tenta de donner un pourboire aux conseillers d'orientation, qui refusèrent en hochant vigoureusement la tête.

— Tu viens, Jacob ? hurla Samantha depuis le couloir.

Il la suivit sans un mot.

— Je suis enfant unique, dit Candace pour s'excuser, une fois seule avec moi. Ils sont vieux. Ils s'inquiètent.

Je lui adressai un sourire gêné. Comme elle faisait quelques pas, inspectant la chambre, je remarquai que sa hanche droite était notablement plus haute, et plus protubérante, que la gauche, ce qui lui donnait une vague claudication.

— C'est pas bien grand, ici, dit-elle, et elle se mit à défaire ses bagages.

Elle était parée contre toutes les catastrophes naturelles – blizzards, séismes, ouragans. Elle avait apporté toutes les choses essentielles auxquelles je n'avais pas pensé – une bouilloire électrique, du café instantané, un pot de crème, cinq sortes de tisane, des couvertures de secours, des médicaments, une corde à linge, et une petite télévision couleurs. Elle avait au moins trente tenues coordonnées et dix paires de chaussures.

— Excuse-moi si j'empiète un peu sur ton espace vital, dit-elle derrière la porte du placard.

Soudain, mon côté de la pièce semblait désespérément vide.

Samantha et Jacob revinrent de la salle de bains en précisant qu'avant chaque douche du Lysol devrait être aspergé, et des tongs portées à toute heure du jour et de la nuit. Samantha entreprit avec méticulosité de mettre en garde sa fille sur les diverses maladies qui pourraient l'affecter au cours du trimestre, lui conseilla de connaître les numéros d'urgence sur le bout des doigts, et lui recommanda de se garder des jolis cœurs qui se présenteraient comme des garçons respectables. Enfin, Jacob dit : « Le moment est venu de laisser la Reine des Abeilles. » Ils l'arrosèrent de baisers et de larmes. Tout cela me mettait très mal à l'aise, et je m'assis à mon bureau, faisant semblant de lire.

— Pouah ! dit Candace, sitôt la porte refermée. Bon, où est-ce qu'on peut trouver de l'alcool ? On va acheter une grande bouteille de quelque chose et faire la fête.

Avec ce premier magnum de vin blanc Folonari, je ressentis une grande tendresse pour elle. Jamais je n'avais rencontré quelqu'un d'aussi énergique, si plein de bonne volonté. Dans un moment d'abandon qui ne me ressemblait pas, je lui confessai ma méfiance à l'égard des gens, surtout des groupes, et que je ne m'étais jamais sentie à ma place nulle part.

— Mais tu es si jolie ! s'écria-t-elle. Laisse-moi faire et tu ne connaîtras plus jamais ça. Bientôt, tout le monde voudra appartenir à *ton* groupe !

Je ne m'étais jamais considérée comme belle. Quand je me regardais dans les miroirs, je ne voyais que mes défauts.

Je me rappelai avec nostalgie les journées de printemps, lorsque Candace et moi achetions un magnum de vin blanc. On le mettait dans une corbeille à papier remplie de glaçons et on allait s'asseoir avec nos livres sur le gazon du campus vallonné, de midi au coucher du soleil.

Candace lisait ses gros manuels d'économie et cancanait sur les problèmes de l'école avec tous ceux qui passaient, pendant que je tâchais de me concentrer sur mes notes de russe ou de littérature, terrifiée à l'idée d'échouer, malgré mon A de moyenne. Au milieu de l'après-midi, j'étais trop détendue pour avoir peur et je m'allongeais joyeusement sur le dos pour contempler le ciel. Mais Candace continuait de travailler et de papoter.

Elle était impliquée dans toutes les activités mondaines, depuis l'organisation des soirées jusqu'à l'animation du club de danse. Elle allait à toutes les fêtes, avec la peur épouvantable d'être exclue. L'année de la licence, elle fut élue secrétaire de la promotion à une majorité écrasante, ce qui lui garantissait de demeurer la destinataire de juteux potins et le pivot d'importants événements mondains jusqu'à la fin de ses jours. Je la taquinais impitoyablement sur cette manie de se faire des amis. Je ne comprenais pas, jusqu'au jour où elle m'emmena chez elle. C'était pendant les vacances de Thanksgiving, l'année de licence.

Dans sa chambre d'enfant, toujours rose et blanc, une petite coiffeuse virginale occupait un angle, et des ours et poupées de porcelaine nous souriaient du haut de toutes les étagères.

— Je veux te montrer quelque chose, dit-elle soudain, et elle alla fouiller dans des cartons bourrés de vieux habits jusqu'à ce qu'elle eût découvert ce qu'elle cherchait – un truc barbare, quatre longues tiges métalliques qui formaient un corset surmonté d'un col.

On aurait dit un instrument de torture du Moyen Âge. Candace était pudique, mais ce soir-là elle se déshabilla rapidement et l'endossa par-dessus son soutien-gorge.

— Je le garde pour me rappeler, dit-elle, et elle rit de bon cœur devant son miroir, tandis que j'ouvrais des yeux incrédules. C'est un formidable antidépresseur. J'avais besoin de me rattraper ! Durant quatre années de lycée, j'ai dû porter cette horreur et je ne pouvais pas m'habiller normalement. Des *shmattes* de mémé et des robes de grossesse, c'est tout. Pas terrible pour draguer les garçons.

Nous avions décidé d'habiter ensemble à New York après la remise des diplômes. Candace trouva notre appartement par une annonce dans le *Village Voice*. Je la laissai s'occuper de tout : installer le téléphone, contacter la compagnie d'électricité, négocier avec le propriétaire qu'elle asticota jusqu'à obtenir un rabais de cent dollars.

Naturellement, ses parents furent horrifiés par nos conditions de vie. Notre deux-pièces vétuste était situé près d'Amsterdam Avenue. C'étaient les années quatre-vingt, et il y avait des revendeurs de drogue au coin de la rue. Des graffiti déparaient les briques sales du perron menant à la porte d'entrée munie de gros barreaux. Les murs penchaient tous vers la droite. Mais nous pouvions payer aisément les six cents dollars de loyer mensuel. Je commençais mes cours de littérature comparée à Columbia, et Candace un stage dans une grosse banque d'affaires. La première chose qu'elle fit fut de sympathiser avec les dealers de notre rue, se figurant que c'était l'usage. Une nuit où nous rentrions tranquillement d'un bar, je l'entendis dire :

— Salut, Ace ! Ça va bien ? Elle, c'est Céleste, ma *roommate*. Céleste, je te présente Ace.

— Salut ma poule, fit un énorme Noir, debout dans la pénombre. Tu veux de l'herbe ? De la blanche ?

— Peut-être une autre fois, dit-elle gaiement, en me tirant par le bras.

Candace pouvait boire toute la nuit, se changer, et partir travailler sans avoir dormi. Allongée dans mon lit, je me lamentais pendant qu'elle se baladait à travers la pièce, dans des serviettes de toilette roses assorties, l'une autour du buste, l'autre drapée en turban sur la tête, chantant : « *Oy, oy, oy, oy, a shikker is a goy, oy, oy.* » Cette vieille chanson était devenue une plaisanterie entre nous ; ses parents pensaient que j'avais sur elle une mauvaise influence, parce qu'ils croyaient que les Juifs par principe ne sont pas des ivrognes. *Eux* ne buvaient pas une seule goutte d'alcool. Mais Candace pouvait me faire rouler sous la table, moi et quatre-vingt-dix pour cent des types que nous connaissions.

À la coupure de printemps de l'année de licence, dans un bar de Fort Lauderdale, elle avait remporté un haletant tournoi de buveurs de bière contre un footballeur de l'université d'Alabama. Mais il fut bon perdant.

— De quelle fac vous êtes, vous ? dit-il d'une voix profonde et douce, en nous souriant de toute sa hauteur formidable.

Il avait un petit nez retroussé d'Irlandais, une face rose ébouillantée par le soleil, et était large comme une porte.

— D'une petite fac du Massachusetts où on vous apprend à boire, rétorqua Candace, tenant en l'air son trophée, un énorme verre à cognac avec une plantureuse sirène bleue étalée sur le verre.

Elle avait un bronzage absurde – brun devant et blanc derrière, comme une tranche de pain posée sur le gril par erreur.

Il l'invita à se promener sur la plage.

Elle revint à notre bungalow quelques heures plus tard sans son trophée. Comme elle se déshabillait, du sable ruissela de son soutien-gorge mais elle ne parut pas s'en apercevoir.

Candace ne douta jamais d'avoir fait le bon choix concernant sa vie, tandis que je me remettais moi-même sans cesse en question. Je me demandais ce que je faisais à New York, à poursuivre un doctorat alors que je ne voulais pas être professeur d'université. Je voulais écrire. J'écrivais chaque jour – de courtes histoires sur la solitude, sur mon père et Anna, sur Nathan MacKenna qui avait choisi de visiter l'Amérique latine au lieu de finir ses études. Ses lettres les plus récentes avaient été postées du Chili. Ce qu'il faisait là-bas, je n'en avais aucune idée. Au fond de moi, j'attendais qu'il se pointe à notre porte comme il l'avait toujours fait, dans son jean déchiré, barbu, avec son sac à dos et rien d'autre à son nom que son passeport. J'imaginais que Candace lui sourirait et dirait : « Ah, Nathan, quelle bonne surprise », comme s'il était déjà passé quelques jours plus tôt. Elle lui préparerait à manger et descendrait son linge sale à la laverie, pendant que je resterais tranquillement assise, à respirer sa présence, anxieuse de l'entraîner vers le lit.

Candace était le seul être au monde qui eût le droit de lire mes écrits. C'était un critique sévère, et elle ne me lâchait pas avant que je tienne quelque chose, mais quand il nous semblait qu'une nouvelle était aboutie, elle l'envoyait à des petits journaux et autres périodiques, avec des lettres brillantes et pleines d'assurance que je n'avais plus qu'à signer. Aux refus succéda enfin une acceptation par la *Paris Review* pour ma meilleure histoire qui parlait de la première fois où Nathan m'avait quittée, au printemps de ma deuxième année de fac.

J'étais ravie que la *Paris Review* eût sélectionné ma nouvelle ; pendant un mois, au moins, je crus en moi-même. J'avais l'impression que j'avais de l'avenir comme écrivain.

Pour Candace, il était inconcevable que ma vie future fût autre chose que magnifique.

— Voyons, Céleste, disait-elle en me tirant du lit. Viens avec moi à cette fête. Tu dragueras des directeurs littéraires ! Il faut foncer !

Cette année-là, ma première année new-yorkaise, lorsque le temps changea, Jacob et Samantha vinrent de Boston avec une petite remorque de location remplie de tous les vêtements de printemps et d'été de Candace. Cette opération était nécessaire, car nous n'avions pas assez de place pour accueillir sa garde-robe complète. Durant tout un après-midi, Samantha et Candace trièrent ses affaires d'hiver, enveloppant des tenues dans du plastique afin de les rapporter à Boston et faisant une pile pour l'Armée du Salut. Assis dans la cuisine, Jacob lisait le journal.

— Je vais laisser les pulls dans la rue, maman. Les pauvres les auront pris dans la minute.

— Non, non, non. Je les remporte à Boston et je les donnerai à l'Armée du Salut. C'est plus convenable, insista Samantha comme si c'était là un fardeau énorme mais incontournable.

Que cette mère connût chaque T-shirt, chaque corsage et chandail de sa fille me paraissait ahurissant. J'étais bien certaine que mon père et Anna n'auraient pas su décrire un seul de mes habits, fût-ce sous la menace d'une arme.

Ce soir-là, Jacob et Samantha nous invitèrent à dîner et, sur une idée de Candace, nous allâmes au Wolf's Deli, un piège à touristes brillamment éclairé où les serveurs portaient le smoking. Une fois assis, ses parents gardèrent une attitude rigide, jetant des regard durs et méfiants aux garçons et aboyant des questions sur la cuisine, comme si la prudence était tout ce qui faisait encore obstacle entre eux et une nourriture empoisonnée. Candace demanda un second verre de vin avant l'arrivée des plats, et je vis sa mère faire la grimace. Je mourais d'envie de commander moi aussi à boire, mais le courage me manqua. Jacob et Samantha mangeaient casher, mais, quand ils n'étaient pas là, leur fille ne se privait de rien. J'avais passé le précédent Thanksgiving chez eux, à Boston (c'était la seconde fois) et Candace et moi étions restées en ville une bonne partie de la nuit du samedi, à danser. Le lendemain, nous fûmes réveillées par l'aspirateur de Samantha, manié d'une main vigoureuse. Une assiette de bagels et un beurrier nous attendaient dans la cuisine.

— Mange, me dit Candace en cherchant dans le frigo la boîte de Maxwell House et du jus de fruits.

— Couteau ? demandai-je.

Elle désigna le tiroir à couverts et alla faire du café. J'y plongeai la main et en sortis un couteau à viande. Quand elle se retourna, c'était trop tard : il y avait du beurre étalé partout sur la lame dentelée. Elle faillit s'en étrangler. Puis, pouffant, elle m'arracha l'objet et courut à l'évier. Je commençai à m'excuser.

— Chut, dit-elle en le rinçant rapidement. Ils n'en sauront rien.

Elle prononça une prière dans sa barbe et mit le couteau de côté juste à l'instant où sa mère entrait dans la cuisine, l'air accablé de douleur et exténuée, des demi-lunes noires sous les yeux.

— À quelle heure êtes-vous rentrées ? fit-elle, d'une voix chevrotante.

— Je sais pas, maman. Il n'était pas très tard.

— Je suis restée debout toute la nuit à me ronger les sangs !

Là-dessus, elle fondit en larmes.

Je me tenais adossée aux placards, consternée et bourrelée de remords.

Candace se jeta au cou de sa mère et l'emmena. Elles passèrent un long moment assises sur le divan du salon, en tête à tête, Candace roucoulant et chuchotant tandis que Samantha continuait de pleurer.

Candace participait à tant de comités et d'associations charitables qu'il y avait toujours une soirée de gala le samedi soir. Parfois, la solitude me poussait à l'accompagner. Plus tard, nous finissions par atterrir dans un bar quelconque plein à craquer. Je tentais de l'arracher à l'étreinte d'un ivrogne flagorneur en smoking chiffonné, la cravate fixée par un clip de travers.

Ils disaient tous la même chose :

— Je suis tombé amoureux de vous. Je n'avais jamais rencontré quelqu'un avec qui je puisse parler vraiment.

Les regards que je leur jetais étaient si chargés de mépris que Candace se tournait vers moi, la main sur le cœur, et disait en riant :

— C'est pour plaisanter, Céleste !

Finalement, je la laissais dans ce noir et assourdissant maelström d'alcool renversé et de fumée de cigarettes, et je partais à la recherche d'une cabine publique. J'appelais mon meilleur ami garçon, Branko, lui aussi diplômé de fraîche date, et, s'il n'était pas occupé, j'allais chez lui boire quelques verres. Il avait une énorme collection de vidéos, et nous aimions passer la nuit à regarder deux *Parrain* ou deux films de Terrence Malick enregistrés bout à bout. Le jour venu, il m'accompagnait dans la rue et me flanquait dans un taxi. Si Branko n'était pas chez lui, j'appelais Joe Coutinho, un homme qui avait cinq ans de plus que moi et qui était producteur à ABC News ; on s'était connus à un cocktail. Il portait des vestes en tweed et des pantalons vert bouteille. Il avait toutes sortes de bons conseils à me donner sur ma dépression « post-partum ». S'il n'était pas pris, je lui demandais la permission de dormir chez lui.

Je ne sais pas où Candace allait avec ces hommes

rencontrés dans les bars, mais jamais elle ne les ramenait chez nous et jamais elle ne découcha.

Le lendemain soir, nous restions à la maison, nous ressaisissant avec lenteur, et je lui préparais un repas français. Elle aimait que je cuisine pour elle. Vers huit heures du soir, le téléphone sonnait, et elle sautait sur ses pieds pour aller décrocher. Mais ce n'était pas pour elle ; c'était souvent Joe Coutinho, espérant que j'avais décidé de renoncer à Nathan une bonne fois pour toutes. Je l'éconduisais avec une conversation vague, amicale. Ou bien c'était Branko, qui vérifiait que j'étais bien rentrée, que j'allais bien.

Ce printemps-là, j'entendis parler d'un professeur de yoga qui savait soigner les dos infirmes. On disait que c'était un génie, aussi persuadai-je Candace d'aller le voir, vu qu'elle n'avait rien à perdre. La culture physique n'était pas son fort, c'est le moins qu'on puisse dire. Mais elle accepta de se déplacer en me traînant dans ses basques. Il lui certifia que le yoga pouvait l'aider, et elle suivit des cours avec assiduité deux fois par semaine. Elle aimait vraiment les personnes de là-bas et revenait avec plein d'infos sur les dernières publications New Age, les mariages, les films, les divorces et les régimes. Je me demandais quand elle trouvait le temps de faire sa gymnastique.

Le gourou l'avertit que la guérison ne viendrait que lentement et après une certaine somme de douleurs – il fallait qu'elle repasse par les souffrances de son enfance –, mais Candace lui affirma qu'elle n'avait jamais souffert de sa vie.

Au bout d'un mois, elle abandonna.

— Tu perds la tête ? hurlai-je quand elle m'en informa. Tu abandonnes sans avoir lutté ! Tu ne pourras jamais avoir d'enfants si tu ne développes pas les muscles de ton dos.

— De toute façon, j'en aurai pas, dit-elle en balayant tout cela d'un haussement d'épaules.

Elle but une gorgée de vin blanc dans un grand verre à pied bleu indigo. Il y avait toujours un magnum de vin blanc au frais. Ça l'aidait à dormir, disait-elle.

— Qu'est-ce que tu entends par là ? C'est ridicule !

Je croyais encore que toutes les jeunes filles trouvaient un mari et avaient des enfants. Simplement, nous n'étions pas pressées de nous caser.

— Non, fit-elle simplement. Ne me dis pas comment je dois mener ma vie, Céleste, Madame Babar, la Reine des Éléphants. Moi je ne te dis pas comment mener la tienne.

— Mais si !

— Mais non ! Je sais que tu attends toujours le retour de Nathan et que tu n'aimes pas Joe Coutinho qui est pourtant l'homme le plus gentil et capable que tu rencontreras jamais. Mais je ne te juge pas. Là est la différence.

« Tu as de la veine, en fin de compte, dit-elle avec un soupir, d'aimer quelqu'un à ce point. Je n'ai jamais aimé ainsi.

— Et Brian ? dis-je, me rappelant le footballeur de cent dix kilos avec qui elle était sortie en deuxième année de fac.

— Brian !

Elle renversa la tête en arrière et rit.

— Brian m'a violée.

Le silence dans la pièce était haletant.

— Quoi ? chuchotai-je.

— Je ne l'ai jamais dit à personne. Toi en particulier. Je ne voulais pas faire d'histoires.

Elle se tut un moment.

— C'était horrible. Il m'a fait mal.

Puis elle me raconta tout : un cas classique. Il l'avait raccompagnée chez elle et s'était introduit de force dans sa chambre. Il savait qu'elle avait peur, pas seulement de lui mais du qu'en-dira-t-on si jamais elle appelait au secours.

Je voulais aller trouver Brian, où qu'il fût, et le tuer.

Pour avoir siégé elle-même au bureau judiciaire des élèves, elle avait vu trop de cas de jeunes filles traînant des garçons au tribunal pour des viols. Personne ne croyait au chef d'accusation, et les plaignantes devenaient objets de dérision et de mépris publics. Aussi Candace avait-elle simplement mis fin à son histoire avec Brian.

— Je lui avais peut-être donné de faux espoirs, conclut-elle en soulevant péniblement les épaules.

Sur le coup, j'eus le souffle coupé.

— Tu aurais dû faire un procès à ce salaud ! gueulai-je, en agitant les bras avec emphase.

Je savais que moi non plus je n'aurais rien dit, et j'avais honte.

— Tu aurais dû le faire payer !

Je tapai du poing sur la table.

Elle eut un rire sans joie.

— C'est ce que j'aime chez toi. Tu te fous de l'opinion d'autrui. Je ne voulais pas que ça se sache.

Elle me contempla tristement.

Je lui dis alors, d'une voix résolue mais douce, qu'un jour elle rencontrerait l'homme de sa vie.

XII

La migraine qui avait commencé dans le salon de Daphne comme un sac de billes était devenue grande et dure comme une boule de bowling. Le lit se balançait telle une barque sous l'orage. Ayant envie de vomir, j'allai dans la salle de bains, fermai la porte et fis couler l'eau dans le lavabo jusqu'à ce qu'elle fût froide comme la glace. Les mains en coupe, je m'aspergeai la face. En regardant mon reflet brouillé dans le miroir du placard, je vis des cernes gonflés sous mes yeux et des lignes amères à la commissure de mes lèvres. Ce n'était pas le visage heureux, plein d'espérances, d'une future jeune mariée.

J'éteignis le plafonnier, basculai le couvercle des W-C et m'assis, les coudes sur les genoux. La fenêtre rectangulaire projetait une ombre bleue dans la petite pièce.

Soudain, toutes ces émotions profondément enfouies éclatèrent à l'intérieur de ma cage thoracique et je me mis à pleurer. Mes poumons se dilataient au prix d'un immense effort ; je me pliai en deux, comme pour parer un coup. Je savais que c'étaient les larmes que je n'avais jamais versées pour Candace, et je pleurai longtemps.

Je me rappelai une journée d'hiver, froide et ensoleillée, à l'époque de Noël ; c'était notre deuxième année à New York. Nous descendions la 5ᵉ Avenue, emmitouflées avec chapeaux et écharpes, faisant du lèche-vitrines. Candace adorait les jours de fête, Noël en particulier.

— Je suis juive, et alors ? disait-elle. J'adore la décoration et l'ambiance.

Elle aimait acheter des cadeaux pour tous ses amis.

La tour Trump était en construction et, en haut des échafaudages, cinq homme munis d'instruments à vent s'installaient pour jouer.

— Oh, chouette ! dit-elle.

Douce Nuit surgit soudain comme un don des anges. Stoppant net dans mes traces comme si j'avais rencontré un mur, je fondis en larmes. Candace ne m'avait jamais vue pleurer. Elle prononça mon nom et me prit dans ses bras.

— Céleste, je suis là. Tu n'es pas seule.

— Ma mère me manque, dis-je en gémissant. Je regrette les moments où j'étais petite. Elle adorait *Douce Nuit.*

— Ta mère est près de toi, dit-elle.

Un vendeur de marrons nous contemplait fixement, sa figure tannée à moitié dissimulée par une grosse écharpe bleue. Elle m'essuya les joues de sa main gantée.

— Oh, des châtaignes ! On va en acheter comme l'an dernier. Tu adores ça.

Elle tendit au vendeur quelques dollars en disant :

— Choisissez pour mon amie vos plus belles châtaignes. Elle est triste aujourd'hui.

Il lui donna un sachet brun et lui rendit la monnaie.

— Joyeux Noël, dit-il.

— Joyeux Noël, dit-elle.

À ce souvenir je fus saisie d'une nouvelle crise de larmes, encore plus violente. J'enroulai les bras autour de mes tibias, incapable de relever les yeux. Candace avait été ma plus grande amie. Tout ce qui était à elle était à moi, et vice versa.

Sauf Ed.

Nous vivions ensemble à New York depuis presque trois ans quand elle fit sa connaissance par des amis de la banque, un frère et une sœur d'ascendance nordique nommés Nils et Birgitt, qui étaient, naturellement, grands, minces et blonds. Eux, à leur tour, avaient des fiancés tout aussi grands, minces et blonds. Ed, lui, avait les cheveux bruns et bouclés, comme Candace, mais ils étaient également grands et minces. Quand je sortais en leur compagnie, j'avais l'impression de me tenir parmi des arbres.

Ed était « leur » artiste désargenté, et ils payaient toujours ses consommations ou ses repas au restaurant. Candace fut captivée par l'idée qu'il écrivait un roman. Elle se mit à lire les premiers chapitres et lui fit part de ses critiques. Il travaillait sur les mêmes quatre-vingts pages depuis deux ans, mais Candace croyait en lui sans réserve, comme elle croyait en moi.

Ed prit l'habitude de passer la nuit chez nous au lieu de rentrer en métro à Brooklyn. Elle me demanda si ça m'embêterait de dormir sur le futon du salon. Je répondis que non, bien sûr, et Ed se mit à dormir dans mon lit, à côté d'elle. Quand je me levais pour faire pipi en pleine nuit, je les entendais chuchoter avec passion.

Un jour, je lui demandai pourquoi elle préférait partager la chambre avec lui plutôt que le grand futon.

— Toi, tu coucherais dans le même lit que Branko ? dit-elle, l'absurdité de la chose la faisant ricaner.

— Non, bien sûr.

— Précisément. Lui et moi, on est *amis*, Céleste.

Je toisais Ed avec méfiance, car j'étais mal à l'aise avec

les collègues banquiers de Candace, qui étaient trop sportifs et enthousiastes, et n'avaient jamais lu un roman de leur vie. Je ne voyais pas ce que Ed pouvait leur trouver.

À l'époque, les bars ouverts la nuit que nous fréquentions avaient commencé à me déprimer. Ils étaient bourrés de gens qui gueulaient à tue-tête pour couvrir le son des juke-box et renversaient nos verres. Chacun paraissait vouloir s'envoyer en l'air dans les plus bref délais, sans savoir s'il en était encore capable du fait de son ébriété.

Une nuit, nous allâmes au coin de la rue manger un hamburger chez Simpson. L'endroit était exceptionnellement plein à craquer. Agrippant le maître d'hôtel par le bras, Candace lui dit sur un ton de conspiration :

— Ted ! Tu veux bien faire quelque chose pour moi ? J'ai pas envie d'attendre.

Avec un sourire éclatant, elle ajouta :

— Tu sais que je suis une bonne cliente.

Cela m'embarrassa. Ted resta distant, mais il nous plaça à la première table qui se libérait.

Le serveur était harcelé et se trompa dans la commande de Candace, lui apportant du gin au lieu d'une vodka.

— *C'est quoi cette connerie ?* hurla-t-elle, avec une grimace dégoûtée.

Quand arriva l'addition, elle refusa d'ajouter le pourboire.

— Candace, il est fatigué.

Je tirai plusieurs billets de mon portefeuille et les étalai sur la table.

— Moi aussi, je suis fatiguée ! J'ai travaillé toute la journée, et c'est un *vrai* job.

— Ah merde, marmonnai-je, hochant la tête.

— Je paie, non ! Je suis en droit d'attendre un service correct !

— Je pourrais être à sa place, dis-je d'une voix glaciale. Elle me dévisagea comme si je venais de lui parler en arabe.

— Je pourrais être en train de te servir.

Non, non, ça n'est pas vrai, disait ma voix intérieure. *Car au fond tu n'es pas courageuse. Si tu n'avais plus d'argent, tu irais faire ton droit, comme ton père le voulait.* J'en eus froid dans le dos. La honte crispait les muscles de mon visage.

Pendant des années, j'avais étudié le russe et je mourais d'envie d'aller en Russie pour améliorer mes compétences scolaires et me renseigner discrètement sur Varlam Chalamov, l'insaisissable rescapé du goulag qui avait écrit les *Récits de Kolyma* et sur qui personne ne semblait rien savoir. J'avais postulé à un stage linguistique de six semaines à Moscou et ma candidature fut retenue. Mais j'avais peur de m'éloigner de chez moi. J'étais partagée. Le groupe partait le 16 juin. Candace m'encouragea, sachant que je parlais de visiter la Russie depuis des années.

— Qu'est-ce que tu crains ? Que je ne sois plus là à ton retour ?

Le week-end de Memorial Day approchait. Elle me demanda de l'accompagner à Montauk, de loger chez Birgitt et Nils. Candace et moi avions passé ensemble tous les Memorial Days depuis huit ans, et elle disait que ça portait malheur de « rompre avec les vieilles habitudes ». Elle promit que ce serait un week-end calme et reposant. On irait à la plage, évitant les bars à touristes. Je finis par accepter, car je ne voulais pas rester seule à New York ni retourner voir mon père et Anna dans le Connecticut.

Le samedi soir, nous allâmes tous sur les quais pour manger du homard dans un petit resto tranquille, éclairé par la lune. Des mouettes criaillaient au-dessus de nos têtes et des cygnes glissaient sur les eaux calmes.

Je semblais être la seule à n'avoir pas une vision précise du futur. Même Ed avait son roman. J'étais intimidée par leur clairvoyance, leurs visages paisibles, pleins d'assurance. Ed, qui s'était retrouvé à mon côté, me demanda si j'avais l'intention d'utiliser mon doctorat pour enseigner. Je répondis que je ne voyais pas à si long terme – je poursuivais toujours des recherches pour ma thèse –, quand Candace lança gaiement :

— On a publié une nouvelle de Céleste dans la *Paris Review* !

— Je savais pas que tu écrivais, dit Ed.

— Oh, ce n'est pas une profession à proprement parler, répondis-je, riant nerveusement.

Les autres me regardaient comme si Candace venait de révéler que je me jetais des falaises à mes moments perdus.

— Je vois ce que tu veux dire ! fit Ed, et l'instant d'après nous étions comme deux conspirateurs, ligués contre le reste du monde.

Il me demanda quels étaient mes auteurs favoris. Je répondis que pour le moment je me concentrais sur Primo Levi et Varlam Chalamov, mes sujets de thèse. Il n'avait jamais lu Primo Levi et ne connaissait même pas de nom Varlam Chalamov, mais il voulut en savoir plus. Je me laissai gagner par l'enthousiasme, expliquant que Chalamov était quasiment inconnu, même dans son propre pays. J'allais passer six semaines à Moscou cet été pour tâcher d'en savoir plus. Ed acquiesça d'un air encourageant et se mit à parler de *La Mouette*, disant que c'était la plus belle pièce qu'il eût jamais lue.

— Hé, mademoiselle ! Mademoiselle ! cria Candace à la serveuse qui circulait parmi les tables avec un grand plateau.

Elle brandit son verre vide d'un air ulcéré. Quand la serveuse revint, elle lâcha : « Merde, c'est qu'on crèverait de soif avec vous ! » et commanda une autre tournée pour toute la tablée. Furieuse contre elle, je demandai une tequila. Ed trouva que c'était une bonne idée et m'imita.

Les commandes arrivèrent. Le temps s'écoula et je finis par me détendre. Ed, qui avait changé de sujet pour parler de Martin Scorsese, commençait à me paraître très attirant.

Au moment où nous décryptions l'addition, il m'embrassa, un long et doux baiser pénétrant, juste sous le nez des autres, et il ne me vint pas à l'idée de l'arrêter.

Candace et moi nous rentrâmes à la villa dans notre voiture de location. Son silence me mettait sur la défensive. J'aurais voulu lui dire : Je déteste tes amis « yuppies », et parfois je te déteste aussi, parce que tu es en train de changer. On s'éloigne de plus en plus l'une de l'autre. Je me préparais à dire cela, à me bagarrer.

Comme je rassemblais mes forces, elle déclara, l'air de rien :

— Je suis amoureuse de lui, Céleste. Il n'est pas au courant. Je l'ai aimé dès le début, mais pour lui je ne suis qu'une amie. Il se confie à moi, il me fait confiance. Excuse-moi, j'aurais dû te prévenir. (Elle soupira.) Ils veulent *toujours* être mon meilleur ami.

Comment avais-je pu ne rien voir ?

— Il ne m'intéresse pas, dis-je vivement.

Avec une dureté qui ne lui ressemblait pas, elle répliqua :

— Épargne-moi ces conneries.

Cette nuit-là, elle et moi partageâmes une chambre aux cloisons minces comme du carton. Allongée sur le dos, à quelques centimètres d'elle, je contemplais le plafond éclairé par la lune en écoutant les respirations de chacun, me demandant laquelle était celle de Ed, où il était couché, et s'il pensait à moi.

Après ce week-end, il cessa de passer la nuit chez nous et se mit à m'appeler dans la journée, quand Candace était au travail.

Repensant à Ed, ce qui était assez fréquent au cours de mes nuits blanches, quand toutes mes fautes et mes regrets étaient tapis dans les recoins sombres de ma chambre, je cherchai à comprendre pourquoi j'avais poursuivi ce badinage avec lui. J'aimais croire que pendant un temps j'avais espéré qu'il serait celui que j'attendais, celui qui me ferait oublier Nathan. Quelquefois, je me disais que Candace et moi avions accumulé de la vitesse, comme des boules de neige dévalant une colline et qui toucheront inévitablement les arêtes tranchantes d'un rocher. Ou était-ce simplement que j'avais trop bu les deux fois où je l'avais dragué ? C'était l'excuse que j'invoquais toujours pour me dédouaner de toutes mes mésaventures.

Après Montauk, je ne le revis qu'une seule fois, à Greenwich Village, dans un bar sombre. Les genoux se touchant sous la table, nous parlions à voix basse, tel un couple illégitime. Tout en sirotant des cocktails à la vodka, nous discutions de nos œuvres, de combien il était difficile d'écrire dans une ville comme New York. En riant, nous fîmes la liste morbide de tous les écrivains que nous avions lus et qui avaient mal fini. Les deux noms suggérés par Ed étaient les plus évidents (Hemingway et Fitzgerald). J'aurais supposé plus d'originalité de sa part. Au bout du quatrième ou cinquième verre, il m'invita à le suivre dans le loft d'un ami, à deux pas de là, pour sniffer de la coke. Il prétendait garder les chats du type en l'absence de ce dernier.

J'y réfléchis un moment. Quel être dans son bon sens aurait refusé quelques lignes de coke ?

Le loft était apparemment encore en construction ; il y avait de grands échafaudages contre des murs de brique ouverts. Le long espace plein d'échos sentait la litière pour chats engorgée. Un voile de plâtre recouvrait tout. Ed prit place sur le divan, soulevant un nuage de poussière autour de lui. Il répandit des lignes de cocaïne sur un grand miroir que barrait un « Budweiser » inscrit en rouge. La coke se distinguait difficilement du plâtre. Il me passa le miroir et roula un billet de un dollar. Je reniflai les lignes et lui rendis le miroir.

La face collée à la glace, tel Narcisse penché sur l'onde, Ed me dit par deux fois qu'il n'y avait jamais rien eu entre lui et Candace. Comme il me jetait un léger coup d'œil, une expression furtive, coupable, assombrit ses yeux bruns. Une boule de colère me noua la gorge. N'avait-il donc aucun sentiment pour elle ? Il était de plus en plus clair que ce n'était pas lui l'élu. J'éprouvai de nouveau du désir pour Nathan, et cette douleur me tordait l'estomac comme la faim, ou la peur.

Nous nous embrassâmes sur le divan plein de plâtre et, glissant la main sous mon T-shirt, il caressa mes seins à travers le soutien-gorge. Le remords laissa un arrière-goût amer sur ma langue et au fond de ma gorge. Ed cessa de répandre des lignes. Je me levai pour partir, cherchant ma veste des yeux.

— Qu'est-ce qu'il y a ? dit-il, pinçant son nez et reniflant.

— Il faut que j'y aille…

— Reste. J'en ai encore.

Il brandit son dollar.

Par chance, j'étais de ceux qui peuvent s'éloigner de la cocaïne. Je pouvais rentrer me coucher quand d'autres grinçaient des dents et suppliaient leur fournisseur au téléphone. Je ramassai ma veste et l'endossai. Je commençai à taper sur mes manches pour ôter le plâtre.

— À la prochaine.

— Revoyons-nous dans quelques jours, dit-il, hésitant. Disons jeudi ?

— D'accord.

Il était assis là, ahuri, le billet toujours à la main, quand je tournai les talons.

Bien sûr, je racontai à Candace que j'avais été avec Joe Coutinho, le producteur d'ABC News.

— Ah, dit-elle gentiment. Je croyais que tu étais avec Ed.

Elle me regarda attentivement, scrutant mon visage, et je dus détourner la tête.

J'avais accepté de le revoir, mais le jour venu je téléphonai et parlai sur le répondeur, prétextant que j'étais malade. Après cela, je cessai de décrocher et laissai notre propre machine prendre ses messages que j'effaçais avant le retour de Candace. J'ignorais si elle continuait de voir Nils et Birgitt, mais lui ne passa plus une seule nuit chez nous.

Candace et moi ne discutions pas de lui, ni d'aucun sujet dérangeant. Quand je regardais dans ses yeux, je voyais de la gêne et du chagrin ; je me demandais si elle voyait la même chose en moi.

Quelques jours s'écoulèrent sans appels de Ed ; puis un ultime message. Il était sur le répondeur quand je revins de la fac.

— On s'était pourtant bien marrés l'autre nuit, disait sa voix geignarde, obscène, à peine identifiable. Je croyais qu'on était bien ensemble, tous les deux. T'as un sacré tempérament.

Il faisait comme si on avait couché ensemble. Furieuse, je déposai à mon tour un message :

— Écoute, ordure : appelle-moi encore une fois, et je vais trouver les flics.

J'espérais que ça s'arrêterait là.

Je me mis à traîner avec mes camarades de fac dans un établissement tranquille, le West Sider, près de Columbia. Je rentrais le plus tard possible, espérant qu'elle serait couchée.

Une nuit, je fis un cauchemar. J'étais seule dans l'appartement et toutes les affaires de Candace avaient disparu. Un vent glacial soufflait dans les pièces vides. Je l'appelais en marchant, mais elle n'était pas là. Je me réveillai sur le futon, couverte de sueur, encore enivrée par les tequilas du West Sider Bar mais déjà tremblante et atteinte par la gueule de bois. Je me traînai à tâtons dans l'étroit couloir qui menait à la chambre et me heurtai contre un inconnu nu et musclé. Ce n'était qu'une silhouette ; tout ce que je voyais, c'était le blanc de ses yeux qui brillait dangereusement.

— Qui êtes-vous ? dis-je, tâchant de lui cacher combien j'avais la frousse. Qu'est-ce que vous faites ici ?

— J'en ai pas la moindre idée, grommela-t-il avec colère.

Je l'écartai de mon chemin pour aller m'enfermer dans la salle d'eau. Je demeurai quelque temps assise sur les W-C, ne sachant que faire. Quand je sortis, la cuisine était éclairée et la porte d'entrée grande ouverte. Le silence était à couper au couteau. Je fermai la porte au verrou et courus vers la chambre. Candace était sur le dos, bras et jambes écartés.

— Candace ! (Je la secouai.) Candace. Merde !

Enfin, elle remua et ouvrit un œil aveugle, comme quelqu'un émergeant du coma.

— Candace ! Qui était ce type ? Il y avait un mec nu dans le couloir.

— Quel mec ?

Elle souleva sa tête comme si c'était un poids insupportable, et regarda autour d'elle. Ses vêtements étaient répandus partout, son soutien-gorge pendu à l'abat-jour de la lampe, comme arrêté là en plein vol.

— Y a pas de mec. Tu dois rêver, dit-elle, et ses yeux chavirèrent.

Le lendemain, j'abordai de nouveau la question, mais elle soutint avec véhémence qu'il n'y avait eu personne.

— Tu as ramené un parfait inconnu chez nous ! Il aurait pu t'assassiner ! Et moi avec ! Tu as perdu connaissance, Candace.

J'étais furieuse ; je voulais qu'elle admît la vérité.

— Je n'ai jamais perdu connaissance de ma vie, dit-elle, outrée. N'en parlons plus.

J'ignore combien de temps je restai ainsi, pliée en deux, à pleurer dans la salle de bains de Daphne. Enfin, exténuée, je recouvrai un certain calme.

La pièce carrelée était plus sombre, toujours teintée de ce bleu déconcertant. Le robinet gouttait. Des talons aiguilles sonnaient impatiemment dans l'escalier en colimaçon.

Daphne me trouva assise sur le couvercle des W-C, la tête dans les bras. D'un geste, elle alluma la lumière qui reprit vie en bourdonnant par-dessus nos têtes. Je levai les yeux vers elle et fis la grimace.

— Tu es pâle comme un linge. Ça ne va pas ?

— Est-ce que tu avais invité Candace ?

Les yeux noisette de Daphne firent le tour de la pièce et se fixèrent sur moi.

— Non, bien sûr que non, s'empressa-t-elle de dire, et elle passa le bras autour de mes épaules.

Elle m'arracha de mon siège et m'éloigna de la salle de bains, comme si c'était cette dernière la coupable.

— Désolée, mon chou.

— J'ai mal à la tête, murmurai-je.

Daphne me conduisit vers le lit et m'aida délicatement à m'étendre sur les moelleux oreillers.

— Je vais te chercher de l'aspirine.

Elle partit en courant pour revenir l'instant d'après avec une compresse froide, un verre d'eau, et deux cachets.

— Tiens. Repose-toi, dit-elle avec douceur.

Je fermai les yeux.

Candace me manqua terriblement pendant mon séjour à Moscou. Varlam Chalamov se révéla plus fuyant que prévu. Rares étaient ceux qui admettaient le connaître de nom, et plus rares encore ceux qui reconnaissaient avoir lu son œuvre. Un jour, chez un dissident, on me montra un exemplaire ronéoté d'une de ses nouvelles. J'en avais déjà vu un, à la fac. Il avait franchi clandestinement la frontière grâce à Viktor Bezsmertno.

— Chalamov était rentré chez lui après avoir passé un quart de siècle au goulag, me dit mon hôte moscovite. Il vivait ici paisiblement, écrivant. Puis un foutu professeur américain sortit les *Récits de Kolyma*, et les fit traduire et publier aux États-Unis. Pour le châtier, le régime l'enferma dans une clinique psychiatrique, la pire de toutes, ici même à Moscou. C'est là qu'il a fini ses jours, sans avoir reçu de visite, sans amis. Seul.

Combien se souviendraient de lui ? me demandai-je, la mort dans l'âme. Combien sauraient qu'il avait laissé le plus grand testament littéraire sur les atrocités du stalinisme ? Pour moi, il était plus que jamais impératif de rentrer en Amérique pour achever ma thèse.

De Moscou, j'envoyai à Candace les cartes postales les plus scandaleusement communistes que je pus trouver. Lénine en rouge haranguant le sous-prolétariat ; le drapeau soviétique, avec la faucille et le marteau, flottant au vent ; de jeunes pionniers, un foulard rouge autour du cou, portant secours aux personnes âgées. Je lui écrivis six cartes en six semaines. Leur ton, au début jovial, devint de plus en plus apologétique pour finir dans l'hystérie. Finalement, je la conjurai d'expliquer son silence.

Elle ne me répondit pas. Je décidai que, pour une fois, j'affronterais mes problèmes, et cela dès mon retour. Je lui dirais la vérité sur Ed. Je lui dirais qu'il ne valait pas la salive que j'avais dépensée, j'expliquerais que rien ne s'était passé et qu'il ne comptait pas pour moi. J'étais certaine qu'elle me croirait. Ce n'était pas trop tard.

Tenant la porte ouverte de mon épaule, je jetai mes lourds bagages dans l'appartement. Une enveloppe glissa sur le sol de la cuisine. À l'intérieur se trouvaient les clés de Candace et un mot.

> *Chère Céleste,*
> *Tu dois me croire complètement débile. J'ai entendu les messages de Ed, y compris celui où il disait combien vous vous étiez bien marrés cette nuit-là. Tu les effaçais avant mon retour, mais j'appelais toujours du bureau pour voir si j'avais des messages. Pourquoi m'as-tu menti ? J'aurais compris si tu m'avais dit la vérité. Je ne veux plus rester à New York. C'est une ville malsaine. Je rentre chez moi, à Boston. J'ai demandé qu'on garde ton courrier au bureau de poste. Tu peux aller le chercher. Je te prie de ne pas appeler mes parents car je ne veux plus te parler. Qui es-tu ? Tu n'es plus celle que j'ai connue.*
>
> *Candace*

Sur la table de la cuisine, il y avait les deux premières cartes que je lui avais envoyées de Moscou. Celle qu'elle m'avait donnée la nuit précédant mon départ était exposée dans la bibliothèque du salon. Je la ramassai. C'était une caricature représentant une souris volant sur le dos d'une oie, au milieu du troupeau. Je l'ouvris. La légende disait : « Bon voyage ! » Dessous, il y avait la grosse écriture ronde et enfantine de Candace. « Accroche-toi à tes rêves et tu trouveras ta voie. »

Je lui écrivis plusieurs lettres, les envoyant à l'adresse de ses parents. Elles me revenaient intactes. J'avais peur d'appeler. Périodiquement, je vérifiais, mais elle n'était jamais dans l'annuaire de Boston.

Deux fois par an, le bulletin de l'amicale des anciens élèves arrivait, avec un petit texte de Candace à l'intérieur, et chaque fois mon cœur se contractait dans ma poitrine. Je pouvais à peine souffrir d'ouvrir cette revue, mais je le faisais quand même. Tout le courrier de la promotion était adressé directement au domicile de ses parents. Elle rédigeait des billets pleins d'entrain, enthousiastes, cancanant sur qui était mariée, et qui avait eu un enfant. Elle ne manquait jamais de mentionner les anciennes qu'elle avait croisées par hasard à Boston, qu'elle n'était pas mariée et n'avait aucun projet de ce genre. Elle avait trouvé une bonne situation dans une banque commerciale, vivait seule dans le centre-ville, et faisait « toujours la fiesta avec mes vieilles copines de fac ».

Le lendemain de ma fête, je me forçai à appeler Jacob et Samantha. Samantha décrocha la première et, un instant plus tard, j'entendis un second déclic.
— Est-ce toi, Jacob ? demanda-t-elle.

— C'est moi, dit-il, et ce fut tout.

Je leur annonçai que j'étais fiancée.

— C'est merveilleux, dit froidement Samantha. J'en informerai Candace sans faute. Eh bien, bonsoir.

Elle raccrocha.

Ma main tremblait sur le récepteur. Finalement, quand la tonalité sonna occupé, je le reposai.

Allant à la fenêtre, je regardai la 79e Rue qui semblait si petite, tout là-bas. Le long canyon rectiligne s'étirait jusqu'à la 5e Avenue et Central Park. Si on avait pu voir à travers les grands arbres verts du parc, on aurait découvert un chemin en courbe qui menait à Amsterdam Avenue et à notre vieil appartement – confiné, de guingois, mais empli de nos rêves. Où étaient-ils passés ? Étais-je vraiment devenue quelqu'un que Candace ne reconnaissait plus ? Avais-je mérité le châtiment qu'elle m'avait infligé ?

Appuyant le front contre la vitre fraîche, je me mis à prier pour la première fois depuis très, très longtemps.

XIII

Après cette fête, je me mis à dormir trop dans la journée, et le soir j'avais des insomnies. Je m'inquiétais pour tout, spécialement pour les gosses de Harlem. Il ne nous restait qu'une séance, et ensuite je ne les reverrais jamais plus. J'ignorais si je les avais aidés. J'avais tenté de le faire. Par ailleurs, mon recueil n'avançait pas du tout. Chaque fois que je m'installais pour écrire, je me surprenais à examiner ce qui avait eu lieu au Mexique. Qu'importe le nombre de fois où ma voix intérieure me fustigeait – *c'était ta faute, tu étais ivre et tu as fait l'imbécile* –, une autre part de moi-même ne voulait pas lâcher prise. Il s'était passé là-bas quelque chose de terrible.

La nuit, quand j'étais couchée, la colère que je ressentais faisait battre mon cœur trop vite. Les écouteurs aux oreilles, je regardais Discovery Channel pour calmer mes nerfs en pelote.

La mère d'Alex appela le vendredi après-midi, durant ma sieste. Aurelia était en ville pour quelques jours et proposait de nous retrouver le dimanche soir au Nero, le

225

restaurant où le dîner prénuptial aurait lieu, afin de faire le point avec Alex, la patronne et moi.

Plus tard, je me réveillai sous le beau visage fatigué d'Alex, qui me scrutait de ses yeux myopes. Le soleil couchant projetait à travers les stores des rubans de lumière rose sur le mur d'en face.

— Hé, fainéante… Je voulais te faire une surprise et j'ai rapporté le dîner à la maison.

— Ta mère a appelé, murmurai-je en m'étirant. Elle suggère qu'on se voie dimanche soir au Nero.

— Très bien.

J'allai me percher sur le comptoir de la cuisine avec un verre de vin blanc, tandis qu'Alex sortait d'un sac en papier blanc des tranches de thon grillé et un vaste choix de légumes et salades vertes de saison. Il se procura un bol et y versa les crudités et le contenu de la barquette de vinaigrette.

— Oh là là, Alex. On en mangerait !

La salade prête, il emporta notre nouveau grand saladier en bois dans le living et le posa sur la table. Il alluma les nouveaux chandeliers, dressa le couvert avec notre nouvelle argenterie, les nouvelles assiettes. La table était ravissante, prometteuse. Chacun prit place et mangea pendant quelque temps en silence.

— Alex, je crois que je devrais aller parler à quelqu'un.

— Comment ça ?

— Tu sais, un psy… Je ne me sens pas bien. La nuit je ne peux pas dormir et le matin je n'arrive pas à me réveiller.

— C'est peut-être encore ce microbe… Qu'est-ce qui te fait croire que tu devrais voir un psy ?

Je marchais sur des œufs.

— Eh bien, ça fait un moment que je suis… hantée par toutes sortes de pensées…

— « Hantée » ?

Il détourna les yeux, ôta ses lunettes et les embua avec son haleine, puis les essuya avec sa serviette.

— Écoute, Céleste, patiente jusqu'au mariage et ensuite tu feras comme tu l'entends, d'accord ? À mon avis, il ne serait pas judicieux de déterrer le passé actuellement. Pas juste avant le mariage.

Il rechaussa ses lunettes, baissa les yeux sur son assiette, ses oreilles empourprées trahissant son embarras.

Un instant plus tard, il déclara :

— Ça me fait plaisir de voir ma mère... la dernière fois c'était... voyons, en mars ? J'espère qu'elle a constitué sa liste d'invités conformément à sa promesse. Elle n'est pas très fiable lorsqu'il s'agit de ces choses.

Quand j'eus débarrassé, il sortit le dossier « Mariage » de son attaché-case, étala les papiers sur la table et les parcourut. Il avait informatisé la liste maîtresse, qui contenait les noms – classés par ordre alphabétique – et adresses des personnes invitées, et ajouté un petit carré dans la marge pour pouvoir cocher les confirmations. Il y avait une « Liste fiançailles Alex/fiançailles Céleste » avec tous les cadeaux répertoriés près des noms des invités à nos petites fêtes respectives. Il y avait une « Liste cadeaux de mariage », qui comprenait la date de réception du présent et un cadran de contrôle permettant de vérifier quand le mot de remerciement avait été envoyé. Et la « Liste dîner prénuptial », incomplète parce que sa mère ne lui avait pas fourni le nom de ses invités.

Le père d'Alex ne contribuant pas à ce dîner, Alex partagerait l'addition avec sa mère. Aurelia, qui se consacrait aux enfants séropositifs au Zaïre, avait suggéré le Nero parce qu'elle était allée en fac avec la patronne, Maria Nero, qui leur ferait certainement un prix très avantageux. Alex n'était pas emballé par la cuisine italienne, mais il s'était renseigné, et on lui avait dit que le Nero était un restaurant de premier ordre, à la réputation bien établie ; aussi y étions-nous allés plusieurs fois pour goûter les plats et concevoir le menu.

Alex était un peu inquiet sur le plan de table, dans la mesure où les deux côtés de la famille viendraient alors que ses parents avaient divorcé quand il était petit. Ils ne se voyaient plus et n'avaient rien en commun à part leur fils.

— Je suis content qu'elle daigne me voir avant mon départ à L.A., dit-il. Tout cela doit être réglé avant que je m'en aille.

J'avais oublié qu'il serait absent une bonne partie de la semaine suivante. Mon soulagement me fit honte.

Aurelia arriva avec trente minutes de retard, comme de coutume. Elle entra tambour battant – une véritable amazone par sa taille et son assurance.

— Hello, hello, mes chéris ! s'écria-t-elle.

— Bonsoir, maman, fit Alex.

Elle lui donna l'accolade, ce fut ensuite mon tour, se retirant brusquement au moment où j'essayais de planter un baiser sur sa joue. On ne s'embrassait pas non plus dans sa famille. C'est juste, pensais-je, c'est le côté français qui embrasse.

— Raconte-nous le Zaïre, dit Alex quand tout le monde fut enfin installé.

Il croisa les bras sur la table et se pencha en avant dans une attitude d'attente, souriant de ses belles dents blanches.

— Le Zaïre, fantastique, mais l'Ouganda ! Oh, Seigneur ! Dans un village, nous avons voulu expliquer comment on se sert d'un préservatif en utilisant un manche à balai. Le lendemain, lors de notre visite de contrôle, ils nous montraient fièrement tous leurs balais avec les préservatifs qu'on leur avait donnés enfilés sur le manche !

Alex et elle pouffèrent en même temps. Assise entre

eux, j'avais l'impression étrange de contempler deux versions du même visage – l'un plus âgé et plus féminin mais, sinon, presque identique. Tous deux avaient des cheveux blond foncé, courts et épais, des yeux bleu sombre, insondables. Dans les rares moments que j'avais passés avec elle, je l'avais écoutée dans un silence perplexe narrer sa rencontre avec Mobutu (« Je l'ai traité de grand serin, ça lui a plu ») ; de la fois où elle s'était quasiment assise sur un crocodile dans la jungle amazonienne (« Je l'avais pris pour une souche ! ») ; de son survol du continent américain en montgolfière avec un millionnaire de ses amis (« Hank aimait épater la galerie »). Elle avait tant roulé sa bosse que rien ne pouvait la faire bondir excepté la vue d'enfants faméliques et de femmes opprimées. J'aimais son engagement. Et même ses opinions. Mais je n'aimais pas le fait qu'on ne puisse pas voir derrière ses yeux.

Ils commandèrent chacun un rhum-tonic. Je demandai une bouteille de San Pellegrino, espérant faire bonne impression.

— Alors, qu'est-ce qui t'a mise en retard, *cette fois-ci* ? demanda Alex, qui allongea le bras pour lui boxer légèrement le coude.

— Frederico, bien sûr. Il n'avait pas ses clés, j'ai donc dû attendre...

Alex l'interrompit.

— Parlons du dîner prénuptial...

Quand ils eurent fini leur cocktail, Maria Nero nous servit une bouteille de chianti. Alex s'empressa de remplir nos verres. Il était visiblement en proie à une certaine émotion.

— Pas mauvais du tout ce vin-là, dit Aurelia. On pourrait peut-être commander cela pour le dîner.

Elle souleva la bouteille et compléta mon verre, auquel je n'avais pas encore touché. Ça paraissait trop compliqué de refuser, de dire *J'essaie de réduire ma consommation*, aussi décidai-je de le siroter soigneusement, de le faire durer.

Nos plats de pâtes arrivèrent, et Alex commença à interroger sa mère sur sa liste d'invités. Il était en train d'établir l'ordonnance des toasts et souhaitait savoir si quelqu'un parmi les amis de sa mère avait l'intention de prendre la parole.

— Mais je n'en ai aucune idée ! Ça supprimerait entièrement la part de surprise.

— Justement. Je ne veux pas qu'on glose pendant une éternité sur les bêtises que j'ai pu faire à l'université.

Elle eut un gloussement amusé.

— Oh, tu veux dire comme quand tu as dérouillé ce footballeur qui avait insulté ton ami noir et que tu as dû demander un congé exceptionnel…

Je le regardai, bouche bée.

— Non, maman, je ne veux pas dire ça *du tout*, fit-il entre ses dents.

— Eh bien, je n'ai pas encore fait de liste, Alex, et je crois que je vais te laisser ce soin.

Alex se tut, vexé.

Une autre bouteille de vin fut apportée, et plus tard du champagne avec le dessert, trois parts de gâteau expresso aux amandes, spécialité de la maison.

— Maria nous gâte ce soir ! s'exclama Aurelia.

Alex remplit avec brusquerie sa flûte jusqu'en haut. Des bulles débordèrent et coulèrent le long du pied. Il nous servit ; sa mère d'abord, puis moi.

— Eh bien, dit Aurelia en levant son verre. Je suis bien contente que tout soit réglé. À toi, Alex, pour t'être aussi bien débrouillé. Tes dons d'organisateur surpassent largement les miens. J'espère seulement que tu n'as pas invité en trop grand nombre les enquiquinants amis de ton père.

— Bien sûr que non, fit Alex, avec un sourire affreux.

Il sortit de sa chemise une feuille de papier pliée et la flanqua sur la table ; les verres en tressautèrent.

— Voici l'état actuel de la liste. À présent je désire que tu restes tranquille une minute et que tu *réfléchisses* aux personnes que tu souhaiterais inviter.

Aurelia refusa d'un geste.

— Je suis sûre que tu peux décider sans moi.

— Maman, dit Alex sur un ton lourd de sous-entendus. Je veux que tu dises ton mot sur la question.

— Mais je viens de le dire. Je pars demain pour le Mississippi et je serai absente pendant au moins une semaine. C'est très important pour moi, Alex, je…

— Et ça, ça ne l'est pas, grommela-t-il en regardant la table, une rougeur diffuse sur les joues.

D'un trait, il termina son champagne et se resservit.

— Bon, d'accord, se résigna Aurelia. Voyons cela. De toute façon, tu n'aimes pas mes amis.

Les oreilles de son fils étaient écarlates. Quelque chose était en train d'émerger des profondeurs de ses yeux calmes, sereins. En l'observant, j'eus la vision effrayante d'un Alex renversant la table.

Aurelia jeta un coup d'œil à la liste et la mit de côté.

— Bon, il faudra demander à Frederico, bien sûr, dit-elle vaguement. Et ces médecins, voyons… Isabelle Green…

Il avala d'un coup son champagne et dévisagea sa mère avec des yeux humides.

— Oh, Alex, soupira-t-elle. Arrête d'être aussi coincé.

Ce n'était visiblement pas la chose à dire. Une succession de phrases jaillirent de sa bouche comme autant de projectiles, bien qu'il n'élevât jamais la voix.

— Quand j'étais petit, tu m'as laissé seul avec une domestique idiote pour pouvoir te balader à travers le monde et prendre soin des gosses des autres. C'est mon *dîner prénuptial* et tu n'as pas la moindre idée de qui tu voudrais inviter. Tu n'es même pas foutue de faire semblant de t'y intéresser. Tu es l'être le plus égoïste, le plus nombriliste que j'aie jamais connu. Quel malheur que tu sois justement ma mère.

Puis, tout à fait calme, il ajouta : Pourquoi suis-je donc étonné ? et il se mit à donner des petits coups au bord de son assiette avec sa fourchette.

Aurelia le regarda, ahurie, ses lèvres roses légèrement écartées découvrant ses petites dents blanches et régulières.

— Mon Dieu, Alex. J'ai fait de mon mieux. J'étais seule pour t'élever.

— Tu n'as jamais été seule plus de trente secondes dans ta vie. Peter, Hank, John, et maintenant, pardon, quel est son nom ? Ah oui, *Frederico*. Pour eux, tu avais le temps. Tu as eu le temps pour la faculté de médecine quand j'étais enfant, et tu as assurément eu celui d'être la première de ta promotion.

— J'ai joué au tennis avec toi, j'ai payé tes stages de tennis. J'ai payé Choate toute seule, bon sang !

Alex ne dit rien, mais examina fixement les miettes dans son assiette et se mit à les écrabouiller avec sa fourchette.

— Et aux vacances on allait toujours là où tu pouvais t'entraîner avec les meilleurs pros. J'ai fait de mon mieux. J'avais ma vie à vivre, après tout.

Alex se servit de nouveau et leva sa flûte.

— Repose ce verre, Alex, dis-je dans un murmure.

Son visage se braqua dans ma direction et il me toisa avec un mépris glacial.

— C'est l'hôpital qui se fout de la charité, ne trouves-tu pas ?

— Pas ce soir, dis-je en rougissant, quittant vivement sa mère des yeux pour contempler mon verre à moitié plein.

— Enfin, dit-il en soupirant profondément. Ça n'a aucune importance. Je m'occuperai de cela. Je m'occupe bien de moi-même depuis que j'ai cinq ans.

Sa figure ne m'était plus familière ; il était devenu un petit garçon craintif. Dans les commissures tremblantes de ses lèvres, je vis des lueurs de l'adulte luttant pour retrouver son sang-froid.

J'étais troublée, j'avais peur de lui, et le sol parut se dérober sous mes pieds. Je tendis la main vers ma flûte et avalai le champagne d'un trait. D'une main tremblotante, je pris la bouteille et m'efforçai de remplir mon verre avec nonchalance.

— J'ai fait de mon mieux, répéta Aurelia d'une voix douce, posant sur moi un regard suppliant. Son père n'avait même pas voulu payer la location du smoking pour le bal du lycée. J'ai dû tout faire. Je ne comprends pas pourquoi...

Sa voix s'estompa.

— Je suis sûre que vous avez été une mère formidable, dis-je. Vous avez bien réussi.

Je mis la main sur les siennes et souris faiblement. Ses longs doigts étaient glacés.

— Bon, puisque nous en avons terminé..., fit Alex, se levant et redressant les épaules.

Et il quitta le restaurant à peu près comme sa mère y était entrée.

— On s'appelle demain ? dis-je à Aurelia, et je courus après son fils.

Je le découvris deux rues plus loin, en train de démolir un Abribus. Il avait soulevé une poubelle en métal et la balançait avec acharnement contre les cloisons en verre Securit, qui commençaient à se craqueler. Gobelets en carton, bouteilles en plastique, cannettes et papiers gras jaillissaient de la poubelle et volaient autour de lui.

— Alex ! Stop !

Sur le trottoir d'en face, les gens s'arrêtaient pour regarder, tandis que de notre côté ils se dépêchaient de passer. Je m'approchai par-derrière et tentai de retenir son bras. Il m'écarta brutalement comme si je n'étais pas plus lourde qu'une veste. J'allai m'écraser contre une automobile en stationnement, mes côtes percutant le capot.

Hors de lui, comme possédé, il parvint à coups de pied et de poing à sortir le verre épais et fragmenté de son enveloppe. Les gros morceaux de vitre tombèrent en vrac sur la chaussée comme des glaçons secoués d'un énorme sac. On entendit la sirène d'une voiture de flics qui approchait, et soudain Alex se redressa et regarda autour de lui. Il m'agrippa le bras et me traîna en courant dans une rue transversale, vers la prochaine avenue. À la première intersection, il héla un taxi et me poussa à l'intérieur avant de monter à son tour et de claquer la portière. Il haletait, l'haleine chargée d'alcool. Les yeux du chauffeur brillaient dans le rétroviseur comme des poissons passant dans un sombre aquarium. Je lui donnai l'adresse.

Alex hurla : « Merde ! » et enfouit sa figure dans ses mains ensanglantées. Je n'aurais su dire s'il sanglotait ou si c'étaient seulement de gros soupirs. Je me serrai contre la portière, redoutant une nouvelle explosion.

— Ils ne se sont jamais intéressés à moi, ni l'un ni l'autre. J'étais une erreur, dit-il entre deux soupirs douloureux. Mon salaud de père n'a même pas voulu me prêter l'argent pour ma maîtrise de gestion. Je ne lui demandais pas de m'en faire *cadeau*, nom de Dieu ! Et cette conne de Babs ! Elle me hait !

Je restais figée, stupéfiée.

— C'est fini, le rassurai-je. C'est fini.

Mais il n'eut pas l'air de m'entendre.

Il entra en titubant dans la chambre, semant ses vêtements en chemin. Puis la porte se referma derrière lui et le rai de lumière en dessous s'éteignit.

Plus tard, après deux grands cognacs, je le rejoignis. Tandis qu'il dormait comme une bûche, je mis le casque et suivis une émission sur la naissance et la mort des étoiles.

D'une voix grave et mesurée, le narrateur disait que notre propre soleil se transformerait en nova dans approximativement quatre ou cinq billions d'années. Une vision me frappa : le lit était aspiré dans un minuscule trou noir et la pièce entraînée à sa suite, puis l'immeuble, la ville de New York, le continent américain et enfin la Terre – jusqu'à ce que tout ne fût plus qu'un grain de poussière flottant dans l'espace.

Le lendemain, je fus réveillée par ses préparatifs de départ. Il était pressé. Je me redressai sur mon séant pour le voir circuler avec hâte, tâchant de ne pas faire trop de bruit et se parlant à lui-même, vérifiant certaines choses sur une liste imprimée dans sa tête. Il était en costume bleu foncé, rasé de près, ses blonds cheveux lissés en arrière, et ses petites lunettes rondes brillaient d'un vif éclat.

— Alex, est-ce que ça va ?

— Chaussettes… Chaussettes de gym… Très bien, dit-il en regardant dans ma direction, le front légèrement ridé.

— Tu étais bouleversé hier.

Il s'interrompit dans sa tâche et s'immobilisa un moment.

— Pardon, j'étais un peu ivre. C'est ma mère… parfois elle me met en colère. Ça fait longtemps que… Écoute, je ne désire plus en parler. Ça va. Je ne me souviens même plus de ce que j'ai dit.

Il consulta sa montre. Ses articulations étaient meurtries et couvertes de croûtes.

— Je vais être en retard.

Il ouvrit et referma la main comme s'il ne la reconnaissait plus.

— Comment vas-tu expliquer cela ?

— Je n'ai pas à m'expliquer. De plus, ça foutra la pétoche au mec assis devant moi.

Il se tint un instant sur le seuil, l'air si équilibré, si fort et maître de lui, si adulte, que j'eus l'impression d'avoir assisté à une déchirure temporelle et que cette réalité n'avait aucun rapport avec l'autre, la sombre réalité de la veille. J'avais mal aux côtes là où j'avais heurté le capot de la voiture.

— Je t'appelle de L.A., ça te va ?

— Non, ça ne me va pas ! hurlai-je, soudain hystérique. Tu as bousillé un Abribus la nuit dernière ! Ça ne va pas du tout !

— Il n'est pas nécessaire d'user d'un tel langage, dit-il d'une voix sereine, paternelle. Je n'ai pas le temps de discuter de cela dans l'immédiat.

— Tu n'as jamais le temps, Alex. Tu n'as *jamais* le temps !

— Tu exagères, comme toujours. Pourquoi tu ne ferais pas quelque chose aujourd'hui au lieu de t'inquiéter pour rien ? Tu pourrais aller au musée.

— Tu ne peux pas faire comme si rien ne s'était passé, Alex ! Comme si je n'étais pas là ! Tu ne peux pas partir en laissant cette chose-là en plan !

— Pourquoi crier, Céleste ? Tu perds complètement les pédales.

— *Moi*, je perds les pédales ? *Moi*, je perds les pédales !

— On ne peut pas parler avec toi quand tu es ainsi.

Il sortit, laissant la porte d'entrée claquer derrière lui.

XIV

Je devais rester occupée, surtout *ne pas* penser à Alex, aussi ma matinée fut-elle consacrée à dactylographier les plus beaux poèmes et textes des enfants, et à coller leurs dessins sur des pages afin d'être avant midi au Writer's Way pour qu'ils en fassent des photocopies. Je passerais les prendre plus tard dans la journée et les donnerais aux enfants le lendemain. J'avais toute la semaine pour le faire mais, à présent, j'avais une mission. *Ne pas* penser à Alex.

Au retour, je m'arrêtai à ma boîte. Une lettre de ma grand-mère attendait parmi les prospectus, les factures et coupons de confirmation pour la cérémonie. Je reconnus son écriture fine et verticale sur l'épaisse enveloppe coquille d'œuf.

Pendant ces neuf dernières années, elle m'avait adressé une carte pour mon anniversaire, à Noël et à Pâques, et je répondais de temps en temps avec une mielleuse carte Hallmark qui ne portait que ma signature. Pourtant je lui avais envoyé une invitation avec un petit mot disant : « J'espère que tu viendras, Céleste. » Je n'avais jamais espéré que ce serait le cas, mais maintenant mon cœur sautillait et gambadait. Je ne pus attendre d'être remontée pour décacheter l'enveloppe. La lettre était en français. Ma grand-mère m'avait dit qu'elle lisait plusieurs langues romanes mais qu'elle refusait catégoriquement d'apprendre à écrire ou à parler autrement qu'en français, qui était, à son avis, la seule langue parfaite au monde.

Château Laroq
Cadaujac
7 juin

Ma très chère Céleste,
Pardon d'avoir tant tardé à te répondre mais j'attendais de voir comment Albert, mon époux, se sortirait d'affaire après sa toute récente crise cardiaque. Comme il se remet lentement, je ne pourrai par conséquent assister à ton mariage. C'est une grande déception et j'espère que tu envisageras de venir me voir en France avant que je ne disparaisse. Ton mari est bien sûr le bienvenu. On ne fera pas la même erreur deux fois ! (Ah ah, petite plaisanterie.)
Tant de questions sont demeurées en suspens entre ta mère et moi, et aussi entre toi et moi au terme de ta dernière visite. Est-il possible que cela fasse maintenant neuf ans ? Écris-moi, je t'en prie. Tu ne voudras peut-être pas le croire mais chaque jour j'attends une lettre de toi et cela m'attriste quand je vois qu'il n'y a rien. Comment se fait-il que je réussisse toujours à faire un horrible gâchis de tout ?
Ton affectueuse et dévouée grand-mère,
Sophie de Fleurance de Saint-Martin

Je relus la lettre pour la seconde fois à l'étage, marchant de long en large dans l'appartement. Je ne savais pas que faire de moi-même.

Ainsi, elle ne viendrait pas. J'en avais des picotements et

des démangeaisons sous la peau tandis qu'une fureur impuissante essayait de faire surface. Avec cette émotion non désirée vint la terreur, et cette pensée : *Tout cela est une farce. Tu n'es pas à ta place ici.*

Je n'avais jamais vraiment escompté sa venue, alors pourquoi cette réaction ?

Je soulevai les stores vénitiens du living et collai mon visage à la vitre. Le ficus me chatouilla l'épaule et le cou. Je l'avais rapporté un jour du hall ; il avait perdu la plupart de ses feuilles et la terre dans le pot était grisâtre et craquelée. Un sans-cœur l'avait abandonné là en déménageant. À présent il était vert, bien portant et plein de gratitude.

— Qu'est-ce que tu veux ? lui dis-je, comme s'il m'avait interrompue. De l'eau ?

J'allai chercher le broc en plastique. Tout en arrosant, je regardai dans la rue, matraquée aveuglément par le soleil. À l'intérieur, de l'air frais bourdonnait discrètement à travers les conduits de ventilation. Tout en bas, un taxi vira à l'angle et percuta un break rouge qui attendait au feu. Les deux minuscules conducteurs sortirent en balançant poings et jambes. C'était comme suivre une scène de combat dans un film muet. Je commençais à avoir le vertige et m'éloignai de la fenêtre.

Cet Albert était un nouvel époux que je ne connaissais pas. L'autre, celui qui souffrait de la goutte à l'époque des obsèques de ma mère, était mort en 1982. Ma grand-mère m'avait écrit une lettre brève et concise m'informant de la mort du *Professeur**. Apparemment, il s'était éteint paisiblement dans son sommeil. J'ignorais pourquoi elle l'appelait *Le Professeur*, car c'était un pharmacien

---

* En français dans le texte, de même que les autres mots ou phrases en italique suivis d'un astérisque.

dont la famille avait connu des revers de fortune. Je l'avais rencontré quand j'avais neuf ans, lorsque ma mère et moi étions allées là-bas au cours de l'été 1969. La seule image qui m'en restait était celle, frappante, d'un vieillard qui ressemblait à un coq déplumé. Quelques touffes de cheveux blancs duveteux se dressaient sur sa tête, son nez était crochu et sa peau molle, froide et moite. Il allait et venait en ronchonnant comme si le monde s'employait à plein temps à offenser sa susceptibilité. Tous ses doigts, sauf les pouces, étaient palmés, une tare congénitale dont il était fier de vous expliquer qu'elle remontait à sept générations. Cela ne l'empêchait pas d'avoir une assez bonne dextérité, et il aimait se saisir de moi pour me pincer la joue. J'étais fascinée et dégoûtée par ces mains et les regardais à la dérobée en toute occasion. Ses doigts étaient clairement formés et collés ensemble sous une épaisseur de peau qui enveloppait sa main comme un bandage.

À chaque Noël, d'aussi loin que je me souvienne, ma mère lui envoyait une paire de gants. Elle cherchait l'article idéal pendant des jours, passant au peigne fin le rayon de mode masculine, avec moi dans ses basques, pour finir par jeter son dévolu sur des gants en agneau d'un grand couturier au prix astronomique. Elle les envoyait par la poste dans une élégante boîte avec une petite carte de Noël exubérante, et attendait avec impatience la réponse. Invariablement, un petit mot arrivait en janvier, la remerciant pour ce beau cadeau et la délicate attention, mais demandant si, à tout hasard, le fabricant n'aurait pas, dans la même taille et la même qualité, une paire de moufles. Jamais il ne renvoyait les gants.

Au dîner, dans la vaste salle à manger de ma grand-mère, éclairée aux chandelles et pleine d'échos, on prit place autour de la longue et sombre table de chêne qui était dans le château depuis des générations.

— Viens ici, *mon petit**, dit ma grand-mère avec tendresse. Je vais te montrer quelque chose.

Je sautai de mes *annuaires** pour m'approcher à petits pas élégants, minaudant dans ma robe toute neuve de tulle jaune qui avait un jupon, des manches et une collerette en dentelle, ainsi qu'un gros nœud dans le dos. Elle était arrivée dans un paquet-cadeau et sortait de chez Bélina, l'une des plus luxueuses boutiques pour enfants de Paris – présent de ma grand-mère, tout comme la poupée de porcelaine ancienne qui fermait les yeux quand on la couchait et qui avait elle aussi une robe jaune toute neuve. Ma grand-mère m'avait dit que cette poupée avait appartenu, autrefois, à ma mère.

Prenant ma main dans ses doigts fermes et potelés, elle me fit palper des rainures sombres qui étaient creusées dans le bois de la table, là où personne n'était assis.

— Tu sens ? dit-elle avec douceur. Il y en a quatre, comme des marques de doigts. Vois comme c'est délicat. Elles ont sûrement été faites par une dame. Une dame du temps passé qui était assise près de son mari et qui se tracassait. À quel sujet – nous n'en savons rien. Imagine comme elle a dû rester longtemps assise pour faire de telles marques ! C'était l'une de tes ancêtres, peut-être Madeleine de Figeac de Fleurance, qui mourut en 1742...

— Pfff, dit ma mère, soufflant entre ses lèvres pincées. Ne va pas lui farcir la tête de telles bêtises !

— Quoi ? fit ma grand-mère, comme scandalisée. Mais c'est la vérité ! C'est toi qui n'es pas digne de foi dans cette famille, Nathalie, pas moi !

Le Professeur gloussa de tout son cœur, acquiesçant à l'autre bout de la table. En le regardant, je sentis mon cœur se changer en glace – un gros iceberg posé sur une mer sombre et froide.

— Elle a pas menti ! C'est toi qui mens !

Je pointai le doigt sur lui.

Il riait, tout son corps torturé par l'hilarité.

— Tu as raison de défendre ta maman, dit ma grand-mère. Tu es une bonne petite fille loyale. Mais il ne faut pas montrer du doigt. Si seulement ma propre fille m'avait défendue ainsi…

Sa voix s'estompa sur une note de tristesse.

— À propos, Nathalie, reprit-elle en replaçant une boucle de mes cheveux. Mes compliments pour son français. Encore un petit effort, et personne ne pourra deviner qu'elle n'est pas française.

Bien que le château-laroq rouge eût été classé parmi les crus exceptionnels dans les graves 1953 et les classifications officielles 1959, ma grand-mère se plaignait que ce classement aurait dû intervenir bien plus tôt. D'après elle, certaines de ses meilleures années étaient supérieures aux château-haut-brion premiers crus, et on traitait toujours son blanc à la légère pour quelque incompréhensible raison. Elle était extrêmement fière du fait que le domaine était resté dans la famille depuis plus de quatre cents ans, sans succomber aux pressions des multinationales étrangères, comme tant d'autres dans le Bordelais. Voilà de quoi nous discutions quand ma grand-mère m'emmenait faire de longues promenades en fin d'après-midi, « bonnes pour la santé », à travers les rangées innombrables de grappes mûrissantes. La terre, mouchetée de cailloux gros comme le poing, descendait en pente douce vers les rives de la Garonne. Le château lui-même se dressait au milieu de la vigne, de bois domestiqués et de pinèdes qui s'étendaient dans le lointain. Derrière le château, il y avait un pré clôturé où quelques vieux pur-sang flânaient dans la chaleur clémente des jours.

— Ton véritable grand-père Saint-Martin était pauvre, mais exceptionnellement intelligent et très beau. Il n'a jamais rien fait dans sa vie à part lire et étudier. Il a lu tous les livres de la bibliothèque. Il était gentil avec les enfants et me fichait la paix, béni soit-il.

Ma grand-mère se pencha sur un bouquet de petites grappes vertes qu'elle examina de près à travers ses lunettes à double foyer, m'oubliant complètement pendant un certain temps.

— Bien, dit-elle, en repartant. Laisse-moi te donner un conseil, Céleste...

Elle prit ma main dans la sienne, qui était sèche et potelée.

— ... bien que tu sois peut-être trop jeune pour en profiter. Épouse un faible. Aime des hommes forts, c'est mieux. Mais les femmes de notre lignée, les finaudes, ont toujours épousé des faibles, et c'est pourquoi j'ai réussi à conserver ce domaine...

« Tu es à moitié française, dit-elle sévèrement, et tu ne dois jamais oublier que ce lieu, cette terre et ce vin sont à toi. Parfois je regrette que ton oncle François ne soit pas moins crétin et plus homme. J'aurais voulu aussi avoir plus d'enfants pour perpétuer la tradition. J'ai peur que François ne vende après ma mort – pourquoi pas ? Il est avide et bête. Ta mère est bien plus brillante que lui. Rebelle, indomptable, certes, mais combien plus brillante... Aimerais-tu revenir et vivre en France avec ta vieille *mamie** qui t'adore ?

— Oh, oui !

Manifestement, ses relations avec maman s'étaient quelque peu améliorées pour qu'elle ose seulement faire pareille suggestion.

— Mais... et *Le Professeur* ? dis-je avec une certaine inquiétude.

— *Ah, lui** ! (Elle haussa les épaules.) Il n'est pas méchant. Ce n'est qu'un vieux fou.

Ma mémoire est remplie de ces journées chaudes et ensoleillées, du parfum du vin généreux, servi à tous les repas, et dont on versait de grosses larmes dans mon verre transparent ; de ces repas raffinés et interminables qui finissaient en *hachis Parmentier** : ayant coupé en menus morceaux tous les restes de viande de la semaine, le cuisinier les recouvrait d'une couche de purée de pommes de terre au lait et les enfournait dans un plat creux. Et puis il y avait les cadeaux somptueux de ma grand-mère, le plus beau étant un énorme ours brun provenant du Nain Bleu à Paris et qui était arrivé dans une grande boîte en carton.

— Arrête, maman, tu vas la gâter, protesta ce jour-là ma mère.

— Pff ! Ça ne lui fera pas de mal. Je vois que tu as adopté la morale calviniste d'outre-Atlantique, dit ma grand-mère sur un ton plein de sous-entendus.

Là-dessus, ma mère sortit de la pièce comme un ouragan.

— Elle n'est pas si méchante, dis-je avec précaution cette nuit-là, tandis qu'elle me bordait dans mon lit. Pourquoi tu te fâches toujours contre elle ?

Je me demandais pourquoi ma mère m'avait préparée à rencontrer une vieille sorcière monstrueuse, alors que ma grand-mère était en réalité une dame attachante, bonne et généreuse.

— Pff ! Tu ne la connais pas. Elle essaie de te soudoyer, tu ne vois pas ? Elle est très charmante quand elle veut, mais quelle vipère !

Quelques jours plus tard, une terrible dispute éclatait. Des portes claquaient et des voix se fracassaient contre les murs de pierre au rez-de-chaussée, résonnant dans la chaleur et la quiétude de la nuit. Ma mère entra telle une tornade noire et fit mes bagages en vitesse. Elle était toute rouge, affolée, et semblait avoir fondu ; ses vêtements flottaient maintenant sur ses épaules, comme si ma grand-mère avait pompé toute son énergie.

— Quoi ? Quoi ? m'écriai-je, me redressant dans le grand lit.

— On s'en va, voilà ce qu'il y a.

— Je peux prendre les habits ? Je peux prendre la poupée et l'ours ? demandai-je craintivement.

— Non, pas ce foutu ours, il est plus grand que toi.

— Je le porterai, promis !

— Bon, d'accord. Mais demande-moi une seule fois de le porter et je le vire. Je ne plaisante pas.

De bon matin, Georges, le chauffeur, nous conduisit à la gare de Bordeaux. Nous montâmes dans un train qui allait en Italie sans dire au revoir à ma *mamie**. L'ours, qui s'appelait Monsieur Laroq, occupa tout un siège à lui seul.

— On ne va pas dire au revoir et merci ? demandai-je à ma mère, car, après tout, c'est ainsi qu'elle m'avait élevée.

— Non, on ne va pas dire au revoir et merci, fit-elle, imitant ma voix pleurnicharde et faisant la grimace.

J'aurais voulu lui donner un coup de pied dans les tibias et retourner chez ma grand-mère.

Repentante, ses traits radoucis, elle déclara avec un sourire de sainte nitouche :

— Mais je vais te dire ce qu'on va faire : on va aller dépenser tout l'argent que j'ai sur mon compte spécial et on vivra comme des princesses ! Après, et seulement après, on rentrera à la maison.

Ma deuxième année de fac toucha à son terme dans une bousculade d'examens et de paperasses. Mes résultats étaient incroyables. J'avais quatre A et un A+. J'étais seule à savoir que si je m'étais concentrée autant pendant les cours et sur mes devoirs, c'était pour pouvoir aller boire ensuite avec Candace. L'idée de passer de nouveau trois longs mois étouffants à faire la serveuse dans le Connecticut m'était insupportable. Je ne voulais pas non plus rester là, à attendre des nouvelles de Nathan dont la toute récente lettre passionnée avait été postée d'Oaxaca, au Mexique. J'étais saisie d'un sentiment de malaise et de terreur quand je songeais à lui. Je sentais que nous avions laissé les choses complètement en suspens et, chaque fois que ma pensée l'évoquait, j'étais baignée d'une sueur froide qui me paralysait tout à fait et me donnait envie de sauter par la fenêtre.

Je profitai de l'occasion pour écrire à ma grand-mère et lui demander si je pouvais venir chez elle pour les vacances d'été. Cela me semblait la porte de sortie idéale, et dans mon enthousiasme je commençai à revoir avec affection le grand et frais château de pierre et son haut toit d'ardoise, l'étang aux carpes, les grillons qui chantaient toute la nuit, la vigne généreuse aux fruits succulents, les bois, la Garonne suivant son cours, plus bas, dans la vallée, et les vieux chevaux de course qui parcouraient la prairie sur leurs longues jambes.

Elle me répondit par une lettre informe et pleine de ferveur, joignant dans l'enveloppe un chèque de mille francs pour le billet d'avion. Elle m'annonçait qu'elle en profiterait pour faire un tour à Paris. Georges, le chauffeur, nous ramènerait à Bordeaux, nous épargnant ainsi le long et inconfortable voyage en train. Pour elle, faire Paris-Bordeaux en avion était un sacrilège. Les avions polluaient l'atmosphère et faisaient du bruit. Les trains étaient le seul moyen de transport civilisé en France. Je n'allais pas la contredire.

Elle me retrouva à l'aéroport Charles-de-Gaulle, monstre antédiluvien qui n'existait pas quand j'avais neuf ans et qui m'effraya quand je sortis de l'avion, avec une gueule de bois due à l'alcool que j'avais ingurgité pour calmer ma hantise de l'avion. Elle se tenait devant tout le monde, bien plus petite que dans mon souvenir, ronde et solide comme un roc dans son tailleur de lin bleu foncé.

— *Bonjour, mamie**, dis-je.

— *Mon Dieu, mais tu as vraiment mauvaise mine* !*

Sa main se posa sur mon front.

— Qu'y a-t-il, ma chérie ?

— J'ai le cœur brisé, dis-je avec indifférence, non sans bravade.

Et je me mis à rire, bien que guettée par les larmes.

Dans le contact de sa main, l'odeur de son poignet, j'avais identifié l'essence même de ma mère, et je compris avec un frisson que ma grand-mère m'était bien plus familière que mon père ou Anna. Elle était, je le savais désormais, mon dernier lien avec ma mère, que j'avais aimée avec une farouche et terrible dévotion qui frisait l'obsession, tant j'avais toujours, depuis mon plus jeune âge, eu peur de la perdre à tout moment.

— *Allons, allons, on peut tout réparer. Même les chagrins d'amour**, dit ma grand-mère avec assurance. Viens, allons chercher tes bagages. Tu as deux mois entiers pour tout me raconter.

Le Professeur attendait dans la Citroën, m'apprit-elle, parce qu'il pouvait à peine marcher, sa goutte ayant beaucoup empiré.

Le château était tel que dans mes souvenirs d'enfance. Seulement, les théâtrales tours pointues au toit d'ardoise qui se dressaient aux quatre coins de l'édifice principal ne me semblaient plus aussi hautes. Les terrasses de pierre qui descendaient jusqu'à la vigne ne me paraissaient plus aussi vastes. L'ample escalier de marbre qui menait depuis le milieu du hall jusqu'aux chambres n'était plus le formidable obstacle d'autrefois.

Les chambres du premier étage se succédaient le long d'un large couloir qui se scindait en deux à partir du corps

247

central. Les murs et la cage d'escalier du hall s'ornaient de peintures anciennes. Le mobilier était un mélange de plusieurs *siècles**, surtout du Louis XI et du Louis XIII. Ma grand-mère me désignait les objets, citant les époques, et déclara que les Fleurance avaient toujours aimé ces deux Louis-là. Au pied de l'escalier, il y avait deux gigantesques vases *Empire** qui représentaient des batailles napoléoniennes dans d'héroïques panoramas. Comme ils retenaient mon attention, elle signala avec un soupir :

— Oh, ils étaient là avant. Ce fut la contribution de mon bisaïeul Alphonse de Fleurance. Que veux-tu, il aimait Napoléon…

Elle m'installa dans l'ancienne chambre de ma mère, qui avait un lit à baldaquin et offrait une vue sur le pré aux chevaux et la pinède au-delà.

Avant le dîner, elle m'offrit un apéritif exquis – un genre d'alcool blanc à base de prunes. *Le Professeur* passait en traînant les pieds, ronchonnant et gloussant tout seul. Au beau milieu d'une conversation, il s'interposa entre nous, alluma le journal télévisé et s'assit, poussant le volume à fond.

— Allons dans le solarium, dit ma grand-mère. Le pauvre vieux est sourd comme un pot.

Elle en rit de bon cœur, et pendant quelques instants j'eus pitié de lui.

Le vent bruissait derrière les vitres du solarium. Le soleil était une braise d'un orange ardent parfaitement dessiné par-delà les bois lointains. Il tomba rapidement derrière les arbres, pour ne laisser qu'un minuscule éclat, et puis plus rien. Le ciel déployait un vaste spectre de roses et de rouges. Nous avions voyagé toute la journée et j'étais lasse et abrutie. Dans une cage, au-dessus de nos têtes, de petits oiseaux verts pépiaient avec entrain parmi une jungle florissante. Mon cœur se serra quand je me souvins des plantes de ma mère dans la cuisine et avec quel amour elle leur prodiguait ses soins. Ma grand-mère gazouilla avec ses oiseaux.

— Nous pourrions organiser une grande dégustation de vins, qu'en dis-tu ? Ça te remonterait le moral ?

— Comme tu voudras. Je suis si contente de te revoir, et tellement en forme.

— Pff, fit-elle, soufflant entre ses lèvres froncées comme ma mère avait l'habitude de le faire.

Mes yeux se remplirent de larmes.

— Je ne sais pas ce que j'ai ! m'écriai-je. Je suis malade !

— L'amour peut rendre aussi malade que *la grippe**. Raconte-moi ce qui s'est passé.

Je lui appris donc toute l'histoire, à commencer par le suicide de Sally, tout en me balançant dans un antique rocking-chair d'osier et en regardant les étoiles apparaître dans le ciel obscurci. Je lui parlai des rêves où je voyais Sally, et comment, tout à coup, elle prenait les traits de ma mère. Ma grand-mère changea aussitôt de figure. Son teint devint terreux, ses yeux durs comme deux petits cailloux, son corps raidi pareil à une forteresse. Je passai vivement à un autre sujet et lui parlai de Nathan : son tempérament passionné, ses tendances casse-cou, son brillant intellect, sa tristesse.

— Il a l'air complètement fou, dit-elle, ses yeux retrouvant leur éclat. Comme un cheval sauvage. Ne sont-ils pas sexy quand ils sont ainsi !

Elle avait employé le mot anglais « sexy », ce qui me fit rire. Elle ne disait jamais, par exemple, « week-end », terme à présent largement accepté en France, mais *« fin de semaine** »*. Elle ne pouvait pas souffrir la corruption de sa langue bien-aimée.

— Il parle le français à la perfection, l'espagnol aussi et un peu d'italien. Il est allé à l'école en Angleterre...

— Bien, bien, fit-elle, en opinant du chef. Rien ne vaut

les écoles anglaises pour apprendre les usages. Où est-il en ce moment ? demanda-t-elle en se penchant sur moi avec des yeux curieux.

— À Oaxaca, au Mexique. Dans un hôtel. Tu te rends compte, *mamie**, il a déjà réussi à se faire embaucher sur un chantier de fouilles...

— S'il te manque à ce point, je vais te l'amener. Non, ne prends pas cet air scandalisé. Je lui enverrai un billet d'avion aller et retour, et il pourra retourner ensuite en Amérique latine, ou bien où ça lui chante. Il ne refuserait quand même pas un billet gratuit pour la France, non ? Tu connais le nom de cet hôtel ? Dieu merci, les liaisons téléphoniques se sont améliorées dans ce pays en dix ans. Nous allons appeler au Mexique et lui parler. Ça m'étonnerait que les hôtels mexicains n'aient pas le téléphone !

Je devais avoir l'air frappée par la foudre, car elle se hâta vers moi, m'attirant contre sa vaste poitrine, fermement emprisonnée dans un soutien-gorge compact.

— Allons, allons, ne sois pas si inquiète. Je vais te le trouver, promis.

Un instant plus tard, elle ajouta :

— Je crois que je connais quelqu'un à Oaxaca. Un fonctionnaire très haut placé, me semble-t-il... Rassure-toi, Céleste.

Pendant un jour et une nuit, je n'en dormis pas, tandis qu'elle lançait des appels à l'étranger pour tenter de localiser Nathan. Finalement, le diplomate mexicain le fit ramener par son chauffeur dans son vaste domaine, et quand enfin elle le joignit au téléphone il était minuit passé à Bordeaux.

Sa part de la conversation fut simple et directe. Moi, je me tenais dans un coin du salon, martyrisant mon mouchoir et me rongeant les ongles.

— Jeune homme, lui dit-elle en français. Ici Sophie de Fleurance de Saint-Martin, la grand-mère de Céleste. Il faut de toute urgence que vous veniez la rejoindre en

France… Oui, au château Laroq mais vous n'avez pas besoin d'en savoir davantage, mon secrétaire vous envoie un billet aller et retour pour Paris. De là, vous prendrez le train pour Bordeaux… Peu importe où vous irez ensuite, à l'île du Diable si ça vous chante, pour ce que ça m'intéresse… Non, elle n'est pas bien du tout et je suis très inquiète. En la présente circonstance, jeune homme, les questions d'argent n'entrent pas en ligne de compte.

Avec sa fortune, ma grand-mère pouvait déplacer des montagnes, ou s'y refuser, ce qui avait l'air d'être le cas le plus fréquent quand elle traitait avec le reste de sa famille, qui pleurnichait, suppliait et la talonnait sans vergogne.

C'était précisément le genre d'aventure que Nathan n'aurait jamais refusé, et j'avais honte de le soudoyer ainsi. Mais qu'importe – le revoir ! Un héroïnomane doit éprouver la même sensation. Les sueurs froides, la peur, la maladie de l'âme ; et soudain, par la grâce d'une seule injection, votre sang se mêle à la drogue et vous redevenez un être complet, la vie vous sourit de nouveau, les souffrances ne sont plus qu'un vague souvenir, provisoirement effacé.

Nous étions en retard en arrivant à la gare de Bordeaux, parce que *Le Professeur* avait insisté pour nous y conduire et qu'à la dernière minute il avait égaré ses clés. En fouillant le salon et le hall, paniquée, j'eus la conviction qu'il l'avait fait exprès et une fois de plus je ressentis pour lui cette vieille haine, amère et glaciale.

Ma grand-mère et moi nous précipitâmes à travers la foule vers le quai, cherchant Nathan. Il était là, dominant cette marée humaine, plein de santé, hâlé, vêtu d'un jean et d'une ample chemise mexicaine bleue, les cheveux longs et en bataille. Au moment où mes genoux flanchaient, je sentis ma grand-mère empoigner fermement mon coude. Il vint au-devant de nous, courant à grandes enjambées, et nous prit toutes les deux dans ses bras. La figure contre sa chemise, j'entendis le rire étouffé, embarrassé de ma grand-mère.

— Mais ce n'est pas du tout *comme il faut** !

L'espace d'un instant, j'eus l'impression d'être chez moi, en paix, et proche, si proche, du paradis.

Elle lui attribua une chambre dans une aile éloignée.

— Faites ce que vous voulez, mais avec discrétion, me dit-elle. Les domestiques jasent.

Ce soir-là, elle se coucha de bonne heure et ne posa aucune question. Quand Nathan me toucha, je reconnus son odeur, les lignes de son corps, le battement de son cœur, comme si déjà la veille nous avions été réunis. Il aurait voulu que je m'extériorise et fit tout son possible pour me faire crier, mais il en fut pour ses frais. Pas chez ma grand-mère.

Le lendemain matin, au petit déjeuner, elle lui offrit de son eau-de-vie centenaire qui provenait d'un domaine *« pas trop loin d'ici** ».* Elle n'offrait jamais à personne de ce précieux breuvage, et je fus donc très étonnée de voir ce matin-là un second petit verre sur le plateau. Ma grand-mère versa l'alcool, un rite matinal, d'une carafe en cristal dans l'un de ces verres – également en cristal – qu'elle exposa à la lumière après l'avoir fait tournoyer.

— *Quelles jambes** !* s'exclama-t-elle, tandis que l'épaisse et riche liqueur traçait en dégoulinant de fines lignes parfaitement égales sur les parois, brûlant d'un ambre intense au soleil matinal. Je trouve que cela ajoute un je-ne-sais-quoi à la journée… Mais un, c'est assez ! l'avertit-elle après l'avoir servi, levant son index potelé. Vous avez besoin de vos forces, après tout.

Nathan lui adressa un regard coquin et sourit avec une feinte timidité, son nez dans le verre. Gênée, je détournai ma figure cramoisie.

— Je suis heureuse de voir que vous savez apprécier les bonnes choses, dit-elle en lui tapotant l'épaule. Je ne saurais me fier à un homme n'aimant pas les vins fins et une bonne eau-de-vie.

Ma grand-mère, qui était extrêmement cultivée, passait des heures dans le solarium à discuter littérature avec Nathan. Elle lui réservait l'exclusivité de ces conversations, comme si elle m'avait crue incapable de m'exprimer sur ces sujets, à moins qu'elle ne jugeât peu *comme il faut** pour une jeune femme d'étaler ses connaissances en ce domaine. Plutôt que de m'en formaliser, je les écoutais argumenter avec ferveur à propos, par exemple, de traductions. Nathan soutenait que celles de Tolstoï par Aylmer Maude resteraient inégalées. Ma grand-mère rétorqua que c'était discutable, dans la mesure où Tolstoï ne pouvait en aucun cas être correctement rendu dans une langue aussi inutilement compliquée que l'anglais. Tolstoï devait être lu en français. Ils se disputaient aussi sur les divers courants poétiques. Ma grand-mère n'aimait pas *les Espagnols**, englobant par là tous les hispanophones, car elle trouvait le « réalisme magique » trop bien orchestré. Nathan se montra en complet désaccord avec cette thèse. Elle lui répondit d'un air supérieur qu'il était un rêveur romantique ; il répliqua avec un sourire mutin qu'elle aussi était une rêveuse romantique mais qu'elle ne voulait pas l'admettre.

— Non, non, jeune homme. J'aimerais bien être une rêveuse romantique mais je ne peux me permettre d'être autre chose qu'une vieille dame pragmatique et bornée.

On buvait de grandes quantités de vin que nous allions choisir nous-mêmes dans les *caves** anciennes et pleines de poussière, avec leurs rangées de bouteilles qui, d'après ma grand-mère, avaient été les préférées des grands chefs d'État et des rois. Elle déclara qu'elle ne les ouvrait que pour les grandes occasions et que la visite de sa petite-fille bien-aimée entrait précisément dans cette catégorie. Nathan se prit de passion pour le processus de fabrication du vin, et elle nous emmena faire le tour des *chais**, là où les crus vieillissaient en fûts de chêne.

Une fois, elle laissa même Nathan lui tirer les cartes. Il lui prédit qu'elle se marierait à nouveau dans un avenir pas si lointain et que son prochain époux serait énergique et passionné. Cela lui plut beaucoup et elle déboucha un grand champagne qu'elle avait troqué contre un château-laroq 1968. Comme nous levions à maintes reprises nos coupes à la sagesse des cartes, je me gardai de lui signaler que je ne voyais aucune différence entre ce champagne-là et une bonne Veuve-Clicquot.

Elle organisa une réception extravagante, un dîner de sept plats accompagnés de vins provenant de la France entière. Elle invita tous les amis, parents et connaisseurs des environs, nous expliquant que ce n'était pas une vraie dégustation, juste une « fausse ». À tous elle me présenta comme sa petite-fille américaine perdue de vue depuis longtemps. On lui dit que je lui ressemblais beaucoup, ce qui l'enchanta et la fit rougir. Personne ne fit allusion à ma mère. Ce n'était pas surprenant, car les Français n'abordent jamais en public les affaires de famille comme la santé, la mort ou un divorce.

Nathan resta trois semaines. Il avait l'intention de retourner vivre quelques mois à Oaxaca puis de descendre dans le Sud, vers le Guatemala. La veille de son départ, comme nous étions pelotonnés dans son grand lit, il me déclara que, où que je puisse me trouver, il m'aimerait toujours et m'admirait de poursuivre ma propre voie.

Sa figure était enfouie dans l'oreiller quand il ajouta avec précaution :

— J'espère que tu as commencé à voir d'autres garçons.

Je repoussai les draps et entrepris de m'habiller avec une rage aveugle.

— Shh… tu vas réveiller tout le monde. Reviens.

Il se leva pour me ramener. Je voulus résister mais il me plaqua contre le matelas. Là, il se mit à me chatouiller, et moi à le boxer, et cela se termina par des rires.

— Promets-moi juste une chose, dit-il doucement en m'embrassant dans le cou. Si un jour tu rencontres quelqu'un, préviens-moi.

Sur le moment, il me semblait que j'aurais pu l'attendre jusqu'à la fin des temps.

— C'est promis.

Le lendemain, il prenait le train pour Paris.

Pendant quelques jours, je fus plongée dans un état de stupeur. Pour me distraire, ma grand-mère suggéra un voyage à Paris, mais je ne voulais pas m'éloigner des terres du château.

Je me remis à rêver de ma mère. Une nuit, j'ouvris les yeux pour la découvrir au pied du lit à baldaquin, me souriant tristement. Elle portait une chemise de nuit blanche et vague, et ses cheveux épais pendaient mollement autour de sa figure pâle ; ses lèvres étaient entrouvertes, comme si elle s'apprêtait à me parler.

— Quoi ? Quoi ? m'écriai-je, ahurie, battant des paupières dans le noir.

Les rideaux blancs bruissaient sous la brise.

Comme nous marchions dans la pinède un après-midi, ma grand-mère me demanda si je n'aimerais pas rester en France pour achever mes études à la Sorbonne. Je pourrais occuper son appartement derrière l'avenue Victor-Hugo. Je revis ma mère, assise au bord de mon lit en rêve.

— *Mamie**, est-ce que tu rêves de maman, quelquefois ?

— De ta mère ?

Elle me jeta un coup d'œil soupçonneux, et il y avait de la dureté dans sa voix.

— Pourquoi cette question ?

— Ces jours-ci, j'ai recommencé à rêver d'elle. J'ai l'impression qu'elle veut me parler, mais ça n'arrive jamais.

— Pff. Il ne faut plus penser au passé, Céleste.

Et la promenade reprit.

Quelques jours plus tard, elle réitéra sa proposition. Elle ajouta qu'elle me ferait connaître des personnes intéressantes et qu'au printemps elle m'emmènerait dans sa loge à Longchamp et à Auteuil. Me jugeant peu armée pour une telle existence, je lui répondis avec une certaine froideur que j'aurais suivi Nathan au Mexique si je n'avais pas eu l'intention de retourner aux États-Unis pour y reprendre mes études. Elle en fut déprimée et passa des heures dans son rocking-chair, un châle sur les épaules, à siroter son eau-de-vie dans un grand verre tulipe.

— Tu as vraiment tout de ta mère, marmonna-t-elle avec tristesse.

— À quel sujet vous étiez-vous disputées cette nuit-là, *mamie** ?

Elle poussa un profond soupir. Elle semblait réfléchir à l'opportunité d'un aveu.

— À ton sujet. Nathalie voulait rentrer en France avec toi, mais elle craignait que ton père ne lui coupe les vivres. Je lui ai offert un tas d'or pour qu'elle revienne ici, mais elle voulait être à Paris, t'inscrire à l'école bilingue, pour que tu puisses frayer avec d'autres petits Américains…

Elle fit une pause en se balançant, prenant une petite gorgée d'alcool entre ses lèvres pincées.

— J'ai dit qu'il n'en était pas question, qu'on te

mettrait en pension dans l'institution que toutes les jeunes filles de notre famille avaient fréquentée. Ta mère ne voulait pas en entendre parler. Alors on s'est querellées, et elle est partie avec toi.

Je revis le visage radieux, ouvert de ma mère, un jour où nous étions assises à la terrasse d'un café, sur une petite place à Florence. Le soleil aveuglant ricochait sur les pavés blancs et l'eau qui clapotait dans la fontaine. Elle savourait une Sambuca et moi un cappuccino très sucré. En français, elle me demanda si notre voisin italien était, à mon avis, un baron ou un comte. Je jetai un coup d'œil au bel homme aux cheveux bouclés et aux yeux d'un bleu intense.

— C'est un prince ! murmurai-je.

— Oh, en ce cas… ! dit-elle, et elle retroussa subrepticement sa jupe au-dessus de ses genoux délicats.

Elle me regarda du coin de l'œil, pouffant comme une petite fille.

— Arrête, maman ! dis-je en me détournant de honte.

Elle était si belle que lui, naturellement, déplaça sa chaise pour engager la conversation. Ils parlèrent de musées.

— Savez-vous ce que ma fille m'a dit aujourd'hui à propos des scènes de crucifixion dans les tableaux de la Renaissance… ? « Pourquoi ils ne le laissent pas redescendre, le pauvre ! »

Il régla nos consommations et nous invita à dîner. Cela arrivait assez souvent, et ma mère était toujours gracieuse et distante, glaciale mais charmante avec son rire joyeux et faussement effarouché.

Elle ne me laissa toute seule qu'une fois, se glissant furtivement hors de l'hôtel après que je fus endormie. Je me réveillai pour découvrir qu'elle était partie et sortis en courant dans le couloir désert.

— *Maman** *!* Où es-tu ?

Enfermée dehors, je tambourinai à la porte, pleurant et hurlant de terreur. Quelqu'un dut alerter la réception, car on vint me chercher pour m'emmener dans la cuisine, me juchant avec Monsieur Laroq sur un billot tandis que le personnel, qui avait terminé son service et s'apprêtait à partir, restait pour me distraire et m'offrir un ensemble impressionnant de desserts. Je mangeai deux *bombas* – de la glace à la vanille dans une pâte feuilletée nappée de chocolat fondu – et une part de moka. Un jeune serveur nommé Antonio, qui arborait une moustache noire, confectionna un lapin avec une serviette de table et le fit sautiller partout.

Le portier de nuit engueula ma mère à son retour et menaça d'avertir la police.

— Vous êtes peut-être française, madame, mais ici en Italie ce n'est pas ainsi que nous traitons nos enfants !

Humiliée et honteuse, elle le pria de se mêler de ses affaires et m'arracha de force à mon nouvel ami Antonio avant de me traîner dans l'escalier.

— On aurait dû rester chez *mamie**, dis-je. Elle ne m'aurait jamais laissée seule. Si elle savait ce que tu as fait, elle serait très fâchée.

Ma mère me regarda avec des yeux écarquillés, comme si je lui avais donné un coup de pied au ventre.

À la fin du mois d'août, l'argent vint à manquer et il fallut rentrer. Notre absence n'avait pas provoqué le grand retour de mon père, tout inquiet et plein de remords, comme elle l'avait escompté. En fait, il avait pris l'habitude de passer toute la semaine dans son studio à New York.

Elle ne pleurait plus, mais arpentait notre vaste maison vide du Connecticut dans son peignoir bleu pâle, fumant et buvant du scotch.

Me souvenant de tout cela dans un éclair, je contemplai ma grand-mère qui se balançait, le dos bien raide, l'air hypocritement vertueuse, et songeai : *Mon Dieu, elle aurait pu l'aider mais elle n'en a rien fait ! Nos vies auraient pu être complètement changées.* La fureur qui me submergea était si aiguë qu'elle me transperça la poitrine, m'empêchant de respirer. Ayant abandonné toute mesure, je me levai et, avant de m'enfuir en pleurs, lui criai aux oreilles :

— Si seulement tu l'avais aidée ! C'est toi qui l'as tuée ! C'est ta faute si elle est morte !

Je baissai les stores, retournai à la cuisine pour ranger le broc, et allai m'asseoir à mon bureau. La lettre que j'écrivis était en français et sa rédaction m'occupa un certain temps.

15 juin
New York

Chère Mamie,
Ces derniers mois ont été très éprouvants car j'ai été forcée, à la faveur de certaines circonstances, de me pencher sur mon passé. Le mariage, probablement, amène à revoir des choses qu'on aurait préféré occulter. Ta lettre me désole car j'avais espéré contre toute attente que tu pourrais venir. Tu es mon unique parente du côté maternel et je souffre cruellement de notre éloignement.
Il faut absolument que je te présente mes excuses pour ce que je t'ai dit l'autre fois au château. Bien des années ont passé depuis la mort de maman et pourtant son absence me pèse toujours autant. Il y a aussi que je ne parviens pas à me rappeler exactement les faits. J'aimerais aller mieux, tourner la page et avoir une vie remplie et heureuse. Je pense souvent à toi et, si tu

veux encore de moi, j'aimerais te rendre visite. Nous
serons en France à la mi-juillet pour y passer une partie
de notre lune de miel.
De grâce, pardonne-moi. Ta fidèle petite-fille,
Céleste

Je collai des timbres à vingt-neuf cents et les mis sur l'enveloppe. Tout à coup, sans réfléchir, je pris une invitation dans la pile et la glissai dans une autre enveloppe. J'écrivis le nom de Nathan, aux bons soins du Grand Hôtel, Matlan, Mexico, et collai deux timbres. Puis je me ruai dans le couloir et déposai ces deux lettres dans la boîte de l'immeuble avant d'avoir pu changer d'avis.

XV

Après avoir distribué les anthologies, je demandai aux enfants de signer mon exemplaire.

Céleste, s'il vous plaît, venez dans mon école l'an prochain. Sir.

Merci pour tout. Bisous. Shatisha.

Peace and love. Jhamal.

J'ai tellement appris mersi, Rosalia. P-S : Mersi pour le livre sur les poèmes d'amour. Je l'ai déjà lu deux fois jusqu'au bout.

Derrence n'écrivit rien mais signa ses poèmes d'un splendide et impressionnant paraphe. J'avais reproduit quatre de ses textes, un de plus que tous les autres élèves.

Debout au premier rang, Ellie Horowitz lisait les recueils avec grand intérêt.

— C'est vous qui avez écrit ça ? beugla-t-elle. *Vous ?* Jhamal, c'est *toi* qui as écrit cette belle poésie ? Flûte, je veux bien sortir avec toi si tu m'écris un poème pareil.

— Vous aimeriez bien, dit Jhamal.

— Je n'ai pas changé une virgule, remarquai-je.

— Il faut que je signe moi aussi ? demanda-t-elle.

— Bien sûr.

Chère Céleste, écrivit-elle, *Ceci n'est pas un adieu. On se revoit à l'automne. C'est un plaisir de vous avoir. Tous mes vœux pour votre mariage.*

Quand tous les élèves qui le souhaitaient eurent signé mon exemplaire, et moi le leur, je me présentai face à la classe, tâchant de trouver quelque chose à dire. Je savais que les chances que plus d'une poignée d'entre eux parviennent jusqu'à l'université étaient quasi nulles.

— Vous êtes tous merveilleusement brillants. Vous méritez de réussir et d'être heureux. J'espère que vous continuerez des études supérieures car vous y avez droit. Et si l'un d'entre vous a un jour besoin d'une lettre de recommandation, Mme Horowitz sait où me contacter.

Ils me fixaient, de leurs yeux impénétrables.

— Bon, eh bien au revoir, alors !

— Au revoir, Céleste ! braillèrent-ils.

— Merci de nous avoir appris des choses.

— Oui, merci !

— Allez, et vous en faites pas !

Je sortis dans le couloir, toujours vide et tranquille. Mon cœur était lourd. En regardant à travers le rectangle vitré de la porte, je vis la bouche d'Ellie Horowitz grande ouverte sur une gueulante tandis qu'elle reprenait sa leçon, désignant quelque chose au tableau. Les gosses étaient à leur place, se parlant les uns aux autres et écoutant d'une oreille, l'air embêté. C'était comme si je n'avais jamais été là.

Je contemplai les dessins sur les murs bleus du couloir, en écoutant la rumeur des voix, et soupirai. Il était temps de partir.

Je venais de faire quelques pas lorsqu'on me tapota l'épaule. Je fis volte-face. C'était Derrence, ses bras efflanqués remuant le long du corps.

— J'ai lu votre nouvelle, dit-il d'une voix ridiculement basse. Ça m'a plu. C'était bien.

— Vraiment, tu as aimé ?

262

Je sentis mon visage se fendre d'un sourire.

— Oui, c'était facile. Maintenant, je lis du James Baldwin. C'est bien, dit-il, comme surpris. Très intéressant. Je comprends presque tout.

Sur ce, il sourit et son appareil dentaire étincela à la lumière du néon.

— Tu vas vraiment aller à ce stage de photo ?

— Oui, dit-il vaguement. Ma mère vous remercie pour les livres.

— Merci à toi, Derrence.

Je lui tendis la main ; il la serra mollement. Nos regards se rencontrèrent un long moment.

— Ma mère a dit que vous étiez sûrement une bien brave femme.

— Tu peux toujours me téléphoner. Pour parler. De l'école ou d'autre chose.

Il acquiesça gravement.

— Merci.

Il retourna sur ses pas et, un instant plus tard, m'adressa un petit salut.

Je le vis disparaître à l'intérieur de la classe, puis je sortis. Il faisait une chaleur tropicale, et le ciel avait pris des couleurs d'ecchymoses. Rues et immeubles étaient baignés de cette étrange teinte verdâtre. Au moment précis où j'atteignais l'Abribus, un éclair creva le ciel et la pluie se mit à tomber avec fracas. Je n'avais pas emporté de parapluie. Bien entendu. Si Alex avait été à la maison, il m'y aurait fait penser. Il écoutait le bulletin météo tous les matins. En regardant le rideau de pluie, debout sous l'Abribus, je me demandai pourquoi je n'arrivais pas à me rappeler les choses les plus élémentaires.

Le bus était bondé de passagers en sueur, mouillés et mal lunés. Coincée dans le fond, j'observais le spectacle de la rue pour oublier mon inconfort. Certains cavalaient, la tête sous un journal. D'autres restaient plantés sous des marquises et bayaient aux corneilles. Il faisait sombre comme si c'était déjà le crépuscule.

À Central Park West, un homme très grand monta à bord et demeura à l'avant, dominant la multitude. Ses cheveux châtains bouclés, ses lunettes de soleil chics, son costume de coupe européenne attirèrent mon attention et me firent ciller puis écarquiller les yeux.

Branko. Mon cœur bondit dans ma poitrine. Et, pourtant, je savais bien que c'était impossible.

Je tentai de mieux voir sa silhouette mais la foule là-bas était trop compacte. Impossible d'avancer, l'allée étant toujours bourrée de monde. Comme le bus contournait un véhicule stationné en double file, les têtes à l'avant oscillèrent dans un mouvement de vague, et j'entr'aperçus de nouveau son visage. Même s'il avait les yeux cachés par des lunettes noires, à ce moment-là je vis ses cheveux, son nez aquilin, sa bouche aux lèvres fines – et il ressemblait tellement à Branko que j'en eus la respiration coupée.

Je surveillai le coin où il se tenait pour voir s'il descendrait après le parc, mais il ne bougea pas. Quand le bus stoppa à Madison, il se retrouva noyé dans le torrent humain qui se déversait sur le trottoir. Vite, je m'ouvris un chemin jusqu'à la sortie.

Quand mon pied se posa dans l'eau glacée du caniveau, cinglée par une rafale de pluie, j'aurais pu commencer à avoir de sérieux doutes sur ma santé mentale. J'étais en train de tourner sur le trottoir, le cherchant dans toutes les directions, lorsque son grand corps m'apparut enfin qui descendait rapidement l'avenue, dominant distinctement la foule. Il avait ouvert un énorme parapluie noir qui se balançait à plus de soixante centimètres d'altitude au-dessus des autres. La pluie balayait la scène à l'horizontale, comme si des esprits secouaient avec vigueur d'invisibles draps.

J'eus beau allonger le pas, il conserva une certaine avance. Je le suivis pendant quelque temps, esquivant parapluies et passants qui regardaient fixement ma tenue et mon visage battus par la pluie. Puis il s'engouffra dans un bâtiment occupant l'angle de la rue et disparut.

C'était une église en brique dont les soupiraux noirs de suie donnaient sur l'extérieur. Il avait cessé de pleuvoir et j'entendis des applaudissements. En jetant un œil à travers un coin de vitre propre, je vis une foule de gens assis en rangs face à un petit podium. C'était un spectacle singulier, cette pièce surchauffée et suintant l'humidité, bourrée à craquer de visages moites de sueur mais souriants, comme si chaleur et pluie n'incommodaient personne. À une petite porte était accrochée une pancarte, un triangle blanc dans un cercle sur fond bleu. Il y eut des hourras, suivis d'autres applaudissements.

Un homme d'une quarantaine d'années, cheveux poivre et sel et allure svelte, se tenait au-dehors, fumant une cigarette. Il portait un T-shirt, un jean et des bottes de cow-boy en lézard.

— Qu'est-ce qui se passe donc, ici ? lui demandai-je, hors d'haleine, voyant qu'il m'observait.

Il m'examina de la tête aux pieds avec un sourire bizarre.

— Une réunion des Alcooliques anonymes.

— Pourquoi applaudissent-ils ?

— Pour féliciter les gens qui comptent les jours.

Son regard enveloppa ma personne. Mes cheveux tombaient en paquet humide sur ma figure. Je les repoussai avant d'essuyer mon front d'un revers de la main.

— « … qui comptent les jours » ?

— Leurs jours de sobriété.

Il brandit son mégot encore fumant, et ajouta :

— Mon dernier vice.

Il le balança dans le caniveau.

— C'est le moment de rentrer. Vous venez ?

— Non, merci, dis-je, mal à l'aise, me demandant

pourquoi il s'était senti obligé de m'inviter. Vous n'avez pas vu un homme très grand entrer tout à l'heure ?

— Non.

Il avait l'œil pétillant de malice.

— C'est un programme anonyme, vous savez ce que ça veut dire ?

— Merci.

Le rouge me monta brusquement aux joues, et, tournant les talons, je repartis dans la rue.

Une vision de Branko d'une clarté saisissante m'apparut pendant que je marchais d'un pas vif vers l'appartement. C'était la première fois que je l'avais vu, la première semaine de la troisième année, à mon cours de littérature française supérieure. Étant donné sa taille, il tenait à peine entre le bureau et sa chaise, et il n'arrêtait pas de remuer bruyamment, dépliant ses longues jambes et rouspétant d'abondance. Le professeur se tut pour poser un regard indigné sur ce nouveau venu qui ne cessait de rectifier sa position derrière le minuscule bureau. Ses mains étaient gigantesques ; son Bic blanc avait l'air d'une cigarette entre ses doigts. Ses cheveux étaient bouclés et châtains comme ceux de ma mère. Il avait un grand menton carré, une bouche fine et un petit nez droit, à l'extrémité légèrement arrondie. Ses traits étaient si parfaits qu'il ressemblait au *Michel-Ange* de David. Et comme le *Michel-Ange* de David, c'était un colosse. Un type bien trop imposant pour fréquenter une personne aussi insignifiante que moi.

— Tu n'as pas l'accent parisien.

Sa voix grave retentit au-dessus de ma tête, tandis que je rassemblais mes affaires.

— C'est celui de Bordeaux. Ma grand-mère possède là-bas un domaine viticole.

— Ah bon ? Comme c'est intéressant.

J'appris qu'il avait vécu à Paris, avenue Foch, de six à seize ans. Il avait fréquenté l'École bilingue, ajouta-t-il alors que nous marchions dans le couloir.

— J'ai failli y aller, dis-je, ce qui me surprit moi-même.

Jamais je ne livrais de telles informations à des inconnus ; je n'aimais pas parler aux gens que je ne connaissais pas, si bien que je rencontrais rarement de nouvelles têtes, sauf lorsque j'étais avec Candace, qui faisait la conversation pour deux.

Une fois dehors, il s'attarda tranquillement dans la rue, s'étirant pour se soustraire aux crampes, nullement pressé.

— Pour moi c'est un cours facile, dit-il en tapotant son ventre plat. J'aurais besoin de changer de niveau. J'ai pris un an et demi de congé pour aller à Vail. Là-bas, je donnais des cours de ski et, l'été, je faisais le guide.

— C'est sans doute pour ça que je ne t'avais jamais remarqué jusqu'à présent, fis-je.

— Mais moi je t'avais remarquée. Je t'ai vue le jour où tu es arrivée en première année, pour t'inscrire. Je m'appelle Branko Yeretich. B-R-A-N-K-O. On fume un joint ?

— Je n'aime pas la marijuana.

— Un verre, alors ?

Ça ne me ressemblait pas de suivre un inconnu chez lui, surtout quand j'étais sobre. Sauf que je ne le voyais pas comme un inconnu ; j'avais plutôt l'impression de retrouver une vieille connaissance.

Il partageait une maison à l'extérieur du campus avec des étudiants plus âgés, une baraque rouge sur pilotis juchée au sommet d'une colline escarpée. Un escalier extérieur vermoulu permettait d'accéder au premier niveau depuis la pelouse pentue.

Il avait installé ses « quartiers », selon son expression, dans la salle à manger et le salon. Masques africains, statuettes indiennes, lances et épées anciennes étaient exposés au mur. Au-dessus du bureau, une série de portraits en noir et blanc encadrés montraient un homme basané qui lui ressemblait de façon frappante. Sur chacune de ces photos, l'homme fumait une cigarette sans filtre, qu'il tenait de diverses façons, comme si c'était une épingle à cravate. Tantôt il semblait pensif, tantôt il arborait un sourire sibyllin.

— Ton père ?

Branko acquiesça sans lever les yeux. Il était occupé à se rouler un joint.

— Où tu as trouvé tout ça ?

— Oh, en voyageant, répondit-il d'un ton dégagé.

Des visions de Nathan se dessinèrent dans mon esprit, fraîches et nettes.

— Bon, eh bien, où est la jolie chaîne stéréo ? dis-je en riant.

Il alluma son joint.

— Pas eu le temps de l'acheter, fit-il, retenant son souffle.

Nathan aimerait ce type-là, songeai-je.

— Un rhum-Coca ?

— Ça marche.

Le reste de l'après-midi se passa à traîner, à parler de la France et du fait que nous nous sentions partout comme des étrangers, jamais tout à fait à notre place. Pour terminer, il consulta sa montre, se frotta l'estomac et hurla :

— À la soupe !

Nous retournâmes sur le campus principal d'un pas hésitant, discutant des différentes « cantines » et cafétérias. Je déclarai que je n'avais pas encore choisi mon restaurant.

— Viens dîner avec moi à Delta Phi. Je ne suis pas très sociable, mais la bouffe est extra ! Ce soir, je t'invite et tu pourras t'inscrire ensuite si ça te plaît. Comme ça, on pourra dîner ensemble tous les soirs !

Un coup de tonnerre me tira brutalement de ma rêverie. Je me trouvais devant une élégante boutique, à contempler des mannequins sans tête en Bikini à fleurs à travers mon reflet en surimpression. La pluie tombait à grosses gouttes, mon T-shirt et ma robe étaient trempés, mes cheveux dégoulinaient sur ma figure. Rien d'étonnant si cet homme m'avait invitée à cette réunion.

Quand j'atteignis notre appartement, la fraîcheur qui régnait dans ces espaces climatisés me transperça jusqu'aux os et je me mis à frissonner. Quittant mes vêtements, j'allai chercher une serviette dans la salle de bains afin de me sécher. Dans la glace, mon reflet ahuri me dévisagea. J'eus beau me regarder de près, impossible de combler l'écart entre cette personne-là et moi-même. C'était comme si une autre m'épiait par-dessus mon épaule.

Enfilant un peignoir, je retournai dans le living où je remarquai la nouvelle carafe en cristal de chez Tiffany qui trônait sur le bar, remplie d'alcool. J'esquissais un pas dans sa direction quand, du coin de l'œil, j'aperçus le témoin rouge du répondeur qui clignotait. Il y avait eu six appels sans messages. Alex.

Ensuite la grosse voix saturnienne de Lucia me demanda pourquoi je ne lui avais pas téléphoné de la semaine.

Le dernier appel était d'Anna, qui disait qu'elle était en ville, chez sa sœur Theresa, et me priait de la rappeler.

Je cherchai le numéro dans mon agenda.

— Hello ? lança ma belle-mère, dès la première sonnerie, ce qui me fit tressaillir.

— Anna, c'est moi.

— Ah, Céleste ! Plus que dix-huit jours ! Comment te sens-tu ?

Je ne savais que répondre.

— Alex est à Los Angeles…, dis-je bêtement.

— Céleste, il y a quelque chose qui cloche ?

— Oui, *tout*, et j'ignore comment c'est arrivé...

— Le trac, hein ? fit-elle avec compassion. Si on dînait ensemble ce soir ?

— Ça doit être le week-end des dîners en famille, dis-je, lugubre. Aurelia était à New York l'autre jour...

— Et comment va la mère prodigue ? Toujours à s'occuper du continent noir à elle toute seule ?

Aussitôt après, elle me demanda de la rejoindre chez sa sœur à dix-neuf heures.

Ayant quelques heures à tuer, je m'étendis sur le lit, où je me tournai et me retournai, luttant pour libérer mon esprit de la pensée de Branko.

Au bout d'un moment, j'y renonçai et me contentai de rester allongée là, tandis que la pénombre envahissait la pièce.

Le premier week-end de troisième année, il y eut une grande soirée dansante donnée par une fraternité. Branko et moi nous tenions ensemble près du tonnelet, à nous enivrer raisonnablement. Un étudiant en année préparatoire de médecine, qui avait été mon assistant de travaux dirigés en psychologie, vint nous parler. Branko l'ignora, son regard errant sans but pendant que le garçon bavardait.

Quelques instants plus tard, Branko me dit :

— Je crois que je vais faire une virée en ville. Tu viens ?

Je le contemplai, perplexe. Je m'amusais bien et j'étais contente qu'on fît attention à moi. Je secouai la tête.

— Si tu restes là, tu vas t'attirer des ennuis.

— *Ça va**, dis-je avec un sourire vague.

Il s'en alla donc, et l'étudiant en médecine m'invita à danser.

— *Parlay voo Fransay ? Wee, wee Madame. Vous es trez beautiful*, me souffla ce garçon à l'oreille, ce qui excita mon hilarité.

270

Comme nous dansions, enlacés, je songeai qu'il serait bien agréable de m'endormir dans ces bras masculins et de ne pas me réveiller seule le lendemain matin. J'avais envie de faire l'amour.

Mais quand je me réveillai à l'aube, dans le lit de cet inconnu, perdue et écœurée, je me remis à penser à Nathan avec une affreuse nostalgie. Je quittai cette chambre par la fenêtre du rez-de-chaussée. Mon amant n'avait pas bougé.

Le mardi, après le cours de français, Branko me rattrapa dans le couloir.

— Tu viens chez moi ?

— Pourquoi pas ? fis-je en haussant les épaules, tâchant d'avoir l'air calme, cool.

— Tu as fait la vilaine, ce week-end, dit-il avec un sourire taquin, agitant l'index dans ma direction.

— Oui, bon, n'en parlons plus s'il te plaît.

Il avait acheté une énorme stéréo noire dont les enceintes m'arrivaient à la taille.

— Tu vas voir ça, dit-il en sélectionnant un disque des Cars.

Les carreaux des portes-fenêtres se mirent à vibrer, mais les murs résistèrent.

— Incroyable ! hurlai-je par-dessus la basse. Je plaisantais, tu sais, quand je parlais d'acheter une chaîne.

Il versa du rhum et du jus d'ananas dans des verres en cristal taillé qui reflétaient les couleurs de l'arc-en-ciel.

— On est pareils par certains côtés, me confia-t-il au bout du second verre. C'est marrant qu'on se soit trouvés.

— Il me semble que c'est plutôt toi qui m'as trouvée, remarquai-je, lui gardant rancune de son allusion à mon écart du week-end.

— Si tu veux. Toi et moi, on a des attaches en France. J'avais quinze ans quand mon père est mort. Je suis orphelin comme toi.

271

Il commença à se rouler un joint.

— Comment es-tu au courant pour ma mère ?

J'étais de plus en plus sur la défensive.

— Quelqu'un m'en a parlé.

Qui savait pour ma mère ? Personne sauf Candace. Il y avait plusieurs personnes à la fac qui avaient fréquenté mon lycée. Peut-être que ça venait d'elles. Ça m'ennuyait d'être cataloguée en orpheline, comme si cela pouvait avoir déterminé mon caractère.

— Elle est morte quand j'avais dix ans, dis-je froidement. Je ne me souviens pas très bien d'elle.

— Pourquoi tu dis ça ? fit-il sans la moindre malice, stupéfié par mon attitude. La mort de mon père est ce qui m'est arrivé de pire. J'essaie de conserver la mémoire de son visage. Parfois, il s'efface, et ça me fout la trouille. C'est pourquoi j'ai mis ses photos aux murs.

En octobre, les arbres du campus prirent une couleur terre de Sienne brûlée. Leurs feuilles tombaient et valsaient dans le vent sur la pelouse centrale. Après la classe de français, Branko déclara : « J'ai une surprise pour toi », et me conduisit au-dehors. Une Porsche décapotable était garée le long du trottoir.

— Elle date de 1965. Qu'en dis-tu ?

— Je ne connais rien aux voitures. Elle est jolie.

— Jolie ?

Il sauta par-dessus la portière ainsi que procèdent les héros au cinéma et m'ouvrit le côté passager. Mais je claquai la portière, pris mon élan, et sautai moi aussi à bord. Des étudiants s'arrêtaient pour nous regarder. J'avais l'impression d'être dans un *James Bond*, de m'évader.

Il se dirigea vers la pommeraie située sur une colline, à la sortie de la ville. Il faisait encore assez chaud pour rouler capote rabattue.

— C'est bon de s'échapper, dit-il. De voir ce qui se passe dans le monde. On étouffe sur ce campus.

Il y eut un long silence, et le monde se brouilla et vrombit.

— Tu voudrais sortir avec moi ?

— Non, je suis amoureuse d'un autre. Ça fait six ans.

— Ouh là là ! C'est grave, alors.

— C'est ça, l'amour, répliquai-je avec une pointe de cynisme.

— Je t'aime bien, tu sais.

Il se tourna vers moi.

— Je sais que je peux être honnête avec toi.

— Moi aussi je t'aime bien. Ça gâcherait tout si on sortait ensemble.

— Je suis bien d'accord… On se ressemble trop.

Sur ce, il sortit du chemin pour foncer dans le verger, slalomant entre les arbres, donnant de brusques coups de volant.

Pour la première fois depuis des mois, je me sentais libre. Je levai la main en riant pour tenter de décrocher une pomme rouge et jaune. Mes efforts me rappelèrent les tours de manège de mon enfance, quand il fallait décrocher l'anneau d'or à l'aide d'un bâton. Les fois où je réussissais cet exploit, j'avais l'impression d'être privilégiée, comme si des anges veillaient sur ma destinée. Une pomme me dégringola sur les genoux.

— Comment tu as fait pour acheter cette bagnole ? demandai-je en mordant dans le fruit, qui était aigre-doux et trop dur.

— J'ai un pécule, fit-il d'une voix unie.

Je finis par apprendre que la famille de sa mère, originaire du Kentucky, avait de la fortune.

— Ils ont commencé dans le charbon, et maintenant ils possèdent des chevaux et de l'immobilier.

Il me raconta que son père était un ancien prince serbe dont la famille avait été expulsée de Belgrade après la prise du pouvoir par Tito. Il avait vécu ensuite à Paris et à New York, assumant certaines fonctions dans la haute société, menant la vie royale des expatriés. Il avait donné à Branko le nom de son grand-oncle, un malabar qui avait trempé dans l'assassinat de l'archiduc Ferdinand.

Ses parents s'étaient séparés après que son père eut contracté un cancer du poumon.

— Elle l'a tué, me dit-il, sur le ton du constat. Ma mère lui a brisé le cœur. Il était formidable. Je n'ai jamais rencontré personne comme lui. Nous étions comme ceci...

Il croisa ses longs doigts sous mes yeux.

— Il me manque tellement que parfois c'est à peine tolérable.

Je fis la connaissance de sa mère et de Roderic, son frère aîné, en novembre, à l'occasion d'une journée « portes ouvertes ». Je traversais le campus pour rentrer chez moi après avoir fait mes adieux à mon père et Anna. Mme Yeretich et ses deux fils remontaient tranquillement l'allée. Il y avait du vent et les feuilles mortes virevoltaient follement à leurs pieds. Je me détournais, gênée, quand Branko m'apostropha de sa voix de stentor :

— Mademoiselle Miller !

Je me figeai sur place et les regardai approcher. Grande, mince et blonde, Mme Yeretich avait un visage pâle et des pommettes saillantes. Elle portait un manteau de vison foncé et d'exquis escarpins Chanel bicolores. Roderic ressemblait à Branko, en plus petit et plus brun ; il avait un sourire pincé. J'eus de la pitié pour ce garçon qui devait en permanence être comparé à Branko.

Roderic prit ma main et planta un baiser silencieux sur mes phalanges. Mme Yeretich sourit, d'un sourire large et indulgent qui semblait sans aucun rapport avec la situation. Branko était grincheux et pas dans son assiette. Je ne l'avais jamais vu ainsi que lorsqu'il était affamé. Je savais alors qu'il lui fallait rapidement manger s'il était dans cet état d'esprit.

Notre quatuor devisa pendant quelques instants sur absolument rien, tandis que Branko s'agitait tout seul. Avant de s'en aller, Roderic me tendit une carte de visite gaufrée en me priant de l'appeler si jamais je passais un jour par New York.

— On pourra aller au restaurant, ou bien danser...

Il y avait une lueur suggestive dans ses yeux. Je restai pétrifiée sur place, son bristol à la main.

Branko avait un ami dans la marine qui lui envoyait des cartes postales de filles nues depuis d'exotiques ports d'escale. Un mécanicien auto nommé Henry se pointait de temps à autre chez lui, puant l'alcool. Il s'était aussi lié d'amitié avec une call-girl rencontrée lors d'une fête à New York, quelques années plus tôt ; elle l'appelait parfois en PCV, en pleine nuit, pour l'entretenir de sa vie sentimentale. Mais certaines personnes ne lui inspiraient tout bonnement aucun intérêt.

J'habitais cette année-là avec Candace dans un deux-pièces, en haut d'une tour appartenant à l'université. À sa première visite, on s'était attablés tous les trois dans la cuisine, pour boire des bières, quand elle se mit à gloser avec son enthousiasme habituel sur les derniers événements survenus sur le campus. Branko feignit de l'intérêt, regarda ailleurs, pianota sur la table, étouffa un bâillement.

Après son départ, Candace déclara qu'elle ne l'aimait pas.

— Pour qui il se prend... quitter la fac pour aller skier pendant un an et demi... !

Il avait transgressé l'une de ses règles cardinales : on ne lâche pas ses études, même pour d'excellentes raisons.

— C'est un gosse de riche caractériel, conclut-elle sur un ton sans appel.

Pourtant, elle pardonnait à Nathan les mêmes incartades. Mais il est vrai que Nathan avait pour elle une affection sincère et jugeait son sens de l'humour excellent.

Branko était fasciné par les filles perdues qui avaient le crâne rasé, ou les cheveux verts, voire le nez percé, qui avaient l'air au bord de l'effondrement nerveux, arboraient du rouge à lèvres blanc, du vernis à ongles noir et fumaient des cigarettes sans filtre. Quand il en avait repéré une assise toute seule dans un coin sombre du pub, il se levait et allait tranquillement engager la conversation. Pour avoir entendu trop de ces discussions, je savais que les sujets allaient de la dévotion de la fille au punk rock, ses idéaux féministes, sa lutte contre la drogue, l'ennui infini que lui inspirait la vie, à comment-son-papa-menaçait-de-lui-couper-les-vivres. Il me semblait qu'elles ne pensaient qu'à parler d'elles-mêmes en long et en large, et je dis à Branko qu'il perdait son temps.

— Tu crois ? Moi je crois qu'elles auraient bien besoin des bons soins du docteur Branko, disait-il avec le sourire.

Par bonheur, ces liaisons ne duraient jamais plus de quelques jours.

XVI

Juste avant les vacances de Noël, Branko m'emmena passer un week-end chez sa mère. Situé sur la 5ᵉ Avenue, l'appartement avait un plafond haut, orné de moulures en stuc, et de grandes fenêtres. Salon et salle à manger avaient été décorés avec goût dans des tons raffinés de blanc crème et de rose. De fragiles œufs de Fabergé ornaient le bois précieux des consoles, des étagères et du manteau de la cheminée.

Un dîner fut donné en l'honneur de Branko. L'heure de l'apéritif me parut durer une éternité. Enfin, vers les dix heures du soir, l'assistance fut conviée à prendre place autour de la longue table ovale. Branko, qui était assis à côté de moi, le visage un peu congestionné par l'alcool qu'il avait ingurgité, se mit à nous servir très généreusement d'un coûteux vin blanc. À la fin du premier plat, il marmonnait et rigolait tout seul. Soudain, il bascula sur sa chaise, leva les bras et entonna un chant serbe d'une voix tonitruante en claquant des doigts. Les invités cessèrent de parler et le dévisagèrent pendant un moment gênant, après quoi la conversation reprit comme si de rien n'était.

La soirée terminée, j'entrepris de laver la vaisselle, dans

l'espoir de réparer cette gaffe dont je me sentais un peu responsable. Mme Yeretich me dit, de sa voix aimable et neutre, de n'en rien faire, la bonne s'en chargerait le lendemain matin. Mais j'insistai et, par malheur, pulvérisai la carafe à café d'origine italienne.

— Quel dommage, fit-elle de sa voix onctueuse. Elle est irremplaçable.

Plus tard, Branko vint me border dans la chambre d'amis.

— Bonne nuit, petit diable, dit-il en me baisant le front. Ne t'inquiète pas pour la carafe… « elle » s'en remettra.

Le lendemain, il m'emmena faire des courses dans des boutiques de luxe. Chez Sacks, il s'acheta un manteau bleu marine en cachemire lourd comme une couverture, et m'offrit une paire de bottes en cuir noir qui étaient souples comme des chaussettes. Sur mon insistance, il entra dans six établissements à la recherche de la fameuse carafe, mais Mme Yeretich avait, hélas, raison : elle n'était disponible qu'en Italie.

— Pas le temps d'aller à Milan ce week-end ! dit-il en tapant dans ses mains pour les réchauffer.

— Ce n'est pas drôle, marmonnai-je d'une voix pincée.

— Allez, détends-toi !

Après les vacances de Noël, il décida d'avoir une relation sérieuse avec une fille. Il prétendait souffrir de la solitude et désirer « se poser un peu ».

Il découvrit Estelle, une grande fille aux yeux verts qui était en première année et avait la réputation d'être une beauté. Je l'aimais bien, même s'il était évident qu'ils avaient des difficultés à communiquer.

Environ trois semaines plus tard, il vint s'asseoir dans ma cuisine, tout fébrile et dissipé.

— Qu'y a-t-il, Branko ? Tu es aussi agité qu'en cours de français.

— Je ne veux plus sortir avec Estelle mais je ne sais pas comment le lui dire.

— Dis-lui seulement que ça ne marche plus.

— Tu ne veux pas le faire à ma place ? Invente un truc. Dis-lui qu'on est amoureux, toi et moi. Elle ne saura jamais la vérité.

— Allons, Branko. Fais tes commissions toi-même.

Puis ce fut le tour de Titsia, une fille d'origine hollandaise aux yeux bleus impénétrables, une beauté de seconde année. Elle n'aimait pas qu'il s'arrête dans la rue pour me parler. Aux soirées, elle restait un peu en retrait, boudeuse, quand il bavardait avec Candace et moi. Branko aimait qu'on danse ensemble parce que ma mère m'avait appris le « rock » à la française, sa danse favorite. Mais dès lors qu'il fut avec Titsia, il ne m'invita plus jamais, et cela me mit en rogne.

Un jour, après le cours de français, il me déclara qu'elle était folle.

— J'aurais pu te le dire, rétorquai-je avec humeur.

— Complètement folle. De plus, elle est à voile et à vapeur. J'aime pas. Trop de compétition.

Au printemps, il eut une idylle avec une « senior » nommée Margaret. Ils débarquèrent à la fête de printemps, riant en se soutenant mutuellement. Elle portait une robe sans bretelles parsemée de sequins verts. Il la laissa calée contre une colonne pour m'entraîner sur le balcon qui surplombait un jardin. Il me tendit une pilule blanche.

— C'est quoi ?

— Un Quaalude. Formidable pour la baise. Margaret a un dealer à New York. Je lui ai avancé cinq cents dollars pour qu'elle m'achète une pile haute comme le mont

Blanc. Elle va les vendre ici et me rembourser, et entre-temps j'aurai des réserves gratos.

Au bout d'un moment, il ajouta :

— Tu sais, je n'arrive pas à la comprendre.

— Et c'est ce qui la rend intéressante, n'est-ce pas ?

Il fit la grimace et avala la pilule avec une rasade de gin-tonic.

Le lendemain matin, je me réveillai auprès d'un des colocataires de Branko, un type nommé Ned dont le père venait de périr dans un accident d'avion. Au début, je ne savais pas du tout où j'étais. Puis je découvris Ned allongé sur le ventre, son derrière blanc exposé à la face du monde, un bras pendant au-dessus du vide. Je me revis quittant la soirée dans la fraîcheur de cette nuit printa-nière en lui conseillant de lire les poèmes funèbres d'Emily Dickinson car cela l'aiderait à surmonter sa peine.

Je venais de sortir dans le couloir, dans ma robe du soir chiffonnée, quand je percutai justement mon ami Branko, qui revenait sans doute de la chambre de Margaret, la cravate de travers et les yeux injectés de sang.

— Céleste, dit-il, en secouant la tête, une expression profondément peinée sur le visage. Oh, Céleste…

— Branko, je ne suis pas une traînée, tu sais ! Je n'ai couché qu'avec cinq garçons de toute ma vie !

Et je m'enfuis en courant sans un regard en arrière.

Un mois plus tard, Margaret revint d'un long week-end fiancée à son ex-petit ami, Lance, qui était déjà diplômé et vivait à San Francisco.

En avril, Nathan se pointa chez moi sans prévenir. Émacié, barbu et le teint terreux.

— Où étais-tu passé ? dis-je, en reculant d'un pas. Dans quel état tu es !

— On n'avait plus de nouvelles ! ajouta Candace, en se tordant les mains.

Il s'assit dans la cuisine. Aussitôt Candace mit de l'eau à chauffer et des tranches de pain de mie à griller.

— J'étais au Nicaragua, dans les montagnes, avec les sandinistes. J'ai attrapé une dysenterie et j'ai cru que j'allais mourir... Voilà pourquoi je n'ai pas donné de nouvelles, ajouta-t-il en fixant sur moi un regard hanté, épuisé.

Branko arriva avec un devoir à dactylographier et je fis les présentations non sans un certain malaise.

— Yeretich, Yeretich, fit Nathan, pensif, émergeant provisoirement de sa torpeur. Serais-tu par hasard apparenté à ce Yeretich qui fut impliqué dans l'assassinat de l'archiduc Ferdinand ?

— Dans mes bras ! s'écria Branko, en s'élançant vers lui.

Nathan me jeta un coup d'œil faussement inquiet, un sourcil en accent circonflexe.

— C'était mon arrière-grand-oncle !

Il fouilla dans la poche de sa chemise de rugby.

— Voyons, j'avais un joint quelque part...

Nathan sourit.

— C'est bon d'être accueilli...

— Faut-il en déduire, déclara pensivement Candace, que pour partager un joint avec le prince Branko il faut être un spécialiste de la Première Guerre mondiale ?

Branko éclata de rire et lui donna la priorité.

Peu après, nous montions dans la Porsche pour aller boire en ville. Branko et Nathan s'affrontèrent au flipper, en jouant des verres. Nathan perdit, mais rien d'important ne parut avoir été discuté.

Sur le trajet du retour, Branko déclara :

— Lui, c'est le genre de type avec qui je te verrais bien.

J'étais assise entre eux, à califourchon sur le levier de vitesse ; Nathan me pressa contre sa poitrine osseuse.

281

— Je veux être le parrain de votre premier-né ! s'exclama Branko.

— Marché conclu, dit Nathan. Tu seras notre tonton gâteau.

— Minute ! protesta Candace, qui était assise à l'arrière. C'est convenu avec Céleste que je serai la marraine. Est-ce que cela vous va, prince Branko, ou faudra-t-il nous déchirer le corps de ce pauvre petit ?

— Les duels sont interdits, dis-je.

À cet instant, l'avenir me semblait parfaitement clair et lumineux. Branko deviendrait un fameux homme d'affaires, un philanthrope qui trouverait des moyens révolutionnaires pour secourir la veuve et l'orphelin. En dix ans, Candace aurait atteint le grade le plus élevé dans la banque pour une femme. Quant à Nathan et moi, nous serions établis à l'étranger, dans quelque contrée lointaine, élevant une progéniture bilingue très intelligente et écrivant des romans qui seraient lus dans le monde entier.

Je me sentais forte, courageuse, invincible.

Je croyais que nous accomplirions de grandes choses. Jamais je n'aurais imaginé que le succès ne viendrait qu'au prix de terribles difficultés et de choix compliqués dont il nous faudrait assumer toutes les conséquences.

Nathan passa une semaine avec moi puis partit pour Houston rendre visite à ses parents, qu'il n'avait pas vus de l'année.

Il m'appela pour m'informer qu'il avait décidé de rester là-bas. Son père lui avait décroché un petit job chez Exxon, et il s'était inscrit à l'université de Houston pour le semestre d'été afin d'essayer de récolter quelques UV. Quand il m'apprit ces nouvelles, sa voix était plate et sans timbre.

Cet été-là, Branko m'emmena à Block Island, à Martha's Vineyard, et aux Hamptons. Un vendredi, il me conduisit à Amagansett chez une bande d'amis qui avaient loué une maison sur la plage. Nous quittâmes New York à deux heures du matin. Bien que terrifiée par sa façon de conduire, je demeurai calée dans mon siège à regarder le paysage défiler, car je savais que je ne pourrais pas être blessée tant qu'il était avec moi. C'était quand il n'était pas là qu'on me faisait du mal. Branko était mon ange gardien – même s'il expédia en une heure vingt-cinq un trajet qui normalement s'effectuait en deux heures et demie.

Je revois la plage blanche de chaleur, le vent qui souffle du sable dans mes yeux, les vagues grosses et menaçantes, et le drapeau bleu qui claque au-dessus du poste de secours.

— Viens dans l'eau, Céleste. (Je secouai la tête.) N'aie pas peur, je ne te laisserai pas te noyer. C'est très amusant.

Quand je l'eus rejoint, il me donna la main.

— Bon, on va devoir passer sous celle-là, dit-il alors qu'une énorme vague fonçait droit sur nous, la crête dentelée d'écume.

Nous baissâmes la tête et la vague se fracassa au-dessus de nous, dérobant le sable sous mes pieds et me renversant. Branko, lui, ne perdit pas une seconde son équilibre et ne me lâcha pas la main, et je compris que, aussi longtemps que je tiendrais bon, rien ne pourrait m'arriver.

Pendant encore un an, je laissai Nathan me bercer d'illusions avec ses lettres d'amour et ses coups de téléphone, sa visite à Noël. Mais juste avant mon diplôme, il partit une fois de plus pour le Nicaragua, et je compris que jamais il ne changerait. Je ne pus supporter ma fureur – la tristesse n'était rien en comparaison –, c'était comme si on avait répandu du fiel dans ma bouche, que j'essayais de recracher, mais qui s'infiltrait dans mon œsophage et mon estomac.

Je me mis à passer tout mon temps avec Branko, qui

veillait à ce que je sois toujours bien rentrée la nuit. Parfois, je dormais sur son canapé quand le voyage du retour était trop hasardeux.

Une nuit, il me découvrit dans sa salle de bains après une soirée, agrippée à la cuvette des W-C, en train de vomir. Il s'agenouilla pour rafraîchir mon front avec un linge froid et humide.

— Il faut que tu renonces à lui, Céleste, me dit-il gentiment.

J'éclatai en sanglots et me mis à hurler, recroquevillée sur moi-même. Branko me prit dans ses bras. Longtemps, il me berça sans un mot. Quelques heures plus tard, je me réveillai pelotonnée dans ses bras. Il s'était endormi, adossé à la porte.

Ce printemps-là, j'allai visiter l'université Columbia après avoir été acceptée dans le cours supérieur de littérature comparée. Branko m'avait suggéré d'appeler son frère, qui étudiait toujours là-bas en auditeur libre. Ce que je fis – j'avais peur, en effet, de m'aventurer dans la 116e Rue toute seule. Roderic m'offrit de faire le tour du campus avec moi.

Columbia ne lui plaisait pas – avec ses classes surpeuplées, son administration kafkaïenne, son voisinage plein de toxicomanes et de clochards. Il m'emmena dans un restaurant bio débordant de plantes tropicales et m'apprit qu'il avait renoncé à la viande, l'alcool, les cigarettes, les amphétamines et la marijuana. Il étudiait le yoga assidûment et la sociologie avec désinvolture.

— Est-ce que Branko refuse toujours la vérité sur notre père ? demanda-t-il devant un grand verre de jus de carotte.

— Qu'est-ce que tu veux dire ?

Je regrettai aussitôt ma question, car je n'avais aucune envie d'entendre sa réponse.

— Notre père était un play-boy et un alcoolique. Il

aimait Branko, parce qu'il était beau et athlétique comme lui, mais il m'a forcé à skier alors que j'avais horreur de ça et que j'avais une jambe malade… Il me traitait de lâche. Ma mère a pris mon parti contre eux, et Branko la déteste pour cela.

J'ouvris la bouche, éberluée. Roderic souriait tranquillement comme s'il jubilait, mais je voyais bien qu'il était loin d'être calme. Ses yeux étincelaient.

— Branko a été complètement manipulé par mon père, conclut-il d'une voix hachée. Tu sais, tu es vraiment mignonne, Céleste, mais tu ne comprends rien à rien.

Le dernier jour de la semaine d'examens, date butoir pour la remise des thèses, Branko me rencontra au bureau de poste.

— Céleste ! dit-il, se frottant les mains, la tête penchée sur l'épaule. Je t'ai cherchée partout. Tu ne veux pas taper à la machine mon devoir d'histoire ? Je te paierai.

— Je ne veux pas de ton argent, imbécile. Apporte-le-moi tout de suite.

— Le problème, c'est que je ne l'ai pas encore fini. Ça doit faire dix pages. Je n'en ai que quatre.

Je regardai la pendule au mur. Il était onze heures du matin.

— C'est foutu. Tu es bon pour redoubler, mon grand.

— Tu ne veux pas venir chez moi ? J'écris, tu tapes. En plus, tu pourras bronzer sur la pelouse.

Chaque fois qu'il avait fini une page, il descendait en courant son escalier branlant pour me l'apporter ; j'étais assise sur un coussin, dans l'herbe, ma machine à écrire posée sur une caisse. J'avais mis le maillot de bain qu'il m'avait offert l'été précédent à Amagansett.

Le dernier devoir de Branko traitait des conditions de vie de la paysannerie dans l'Empire austro-hongrois. Sa thèse était que les paysans étaient seuls à blâmer pour leur manque d'instruction, les propriétaires terriens leur ayant donné tous les moyens de progresser. Il n'avait trouvé que quelques citations pour étayer ses dires, des citations privées de leur contexte et qui servaient à l'origine dans le manuel à prouver le contraire.

— Branko, ton professeur ne va pas apprécier…

— Et alors ? C'est mon père qui me l'a dit et c'est la vérité.

À trois heures de l'après-midi, il décapsulait sa première bière. Une heure plus tard, je n'en étais même pas à me relire pour éliminer les coquilles typographiques. À quatre heures cinquante, il m'arracha le dernier feuillet.

— Fini ! s'écria-t-il. Adieu, la fac !

À New York, il travailla dans une banque, avant de lancer sa propre société de capital-risque, Baobab, d'après l'arbre de son livre favori, *Le Petit Prince*.

Branko avançait des fonds à des entreprises qui fabriquaient des inventions médicales révolutionnaires : matériel pour faire marcher les paraplégiques ; audiophone qui était implanté dans l'oreille interne des sourds profonds. Rien de bon n'en sortit, mais il continua à chercher, à prospecter. Il rejoignit les rangs de Greenpeace et de la Rainforest Alliance ; il fonda Save the Whales, une organisation qui patrouillait les eaux internationales à la recherche des baleiniers japonais.

Un jour, il fit la connaissance, dans le métro, d'un mannequin roux d'un mètre quatre-vingts. Leurs regards s'étaient croisés par-dessus les têtes des autres passagers. Elle descendit à la même station et lui donna son numéro de téléphone. Elle s'appelait Josie.

Elle avait un visage pâle, un nez fin, parfait, et de grands yeux noisette. Elle était sympathique, ouverte, et j'aimais bien la regarder. Elle adorait danser, et dans les soirées nous roulions les tapis et nous contorsionnions en inventant des danses exotiques, prenant des poses, tandis que Branko nous observait, amusé.

Je lui dis qu'il avait rencontré la femme idéale. Mais il secoua la tête. Il m'expliqua qu'elle était encore sous le coup d'un terrible choc. Quelques mois auparavant, elle avait retrouvé son époux tué par balles à leur domicile. Les murs étaient tout éclaboussés de sang. Apparemment, c'était pour une histoire de drogue. Branko ne donna pas de précisions. Il m'apprit qu'elle se réveillait toutes les nuits en hurlant. Elle ne voulait pas s'engager. Quelque temps après, ils se séparèrent à l'amiable.

Pour mon vingt-deuxième anniversaire, Candace et moi étions assises dans la cuisine, discutant de nos projets pour la soirée, quand on frappa à la porte. Nos regards se croisèrent ; l'Interphone n'avait pas sonné. Elle regarda par le judas et ouvrit la porte, poussant un profond soupir. Nathan était là, en veste de cuir et bottes de motard. Il portait un gros casque noir.

— Tu sais, Nathan, il commence à se faire tard, dit-elle doucement.

Sans dire un mot, il sortit trois bouteilles de champagne de son balluchon et les déposa sur la table de la cuisine.

— Bon anniversaire, Céleste, dit-il d'une voix égale.

— Bon anniversaire, Nathan, dis-je.

Il nous apprit qu'il avait récemment accepté un job de gérant d'une boutique de vins et spiritueux à Cambridge. Il n'avait apprécié ni le Texas ni les Texans ; ils parlaient fort et étaient obsédés par la taille des choses. Son travail à Exxon n'avait rien donné. Il envisageait de reprendre ses études à Harvard. Candace avait raison, « il commençait à se faire tard ».

Bien plus tard, nous allâmes nous coucher sur le futon du living. J'étais trop ivre pour apprécier ses caresses. Il se donna du mal, mais je restai inerte comme si j'avais fait partie du matelas. Il me semblait que son emprise sur moi faiblissait.

Ce matin-là, me faisant l'effet d'être un vieux bâtiment sans portes ni fenêtres pour me protéger du vent, je déclarai à Nathan que je ne souhaitais plus le revoir.

Il acquiesça lentement et me regarda tout en se rhabillant, prenant son temps comme si c'était un matin semblable aux autres. Finalement, il prit son casque et partit sans un bruit.

Allongée là dans la lumière grise du matin, j'éprouvai un vide qui ne ressemblait à rien de ce que j'avais connu. J'avais l'impression d'avoir atteint ce lieu appelé L'Avenir que j'avais si souvent contemplé pendant mes années d'étudiante. Mais L'Avenir n'avait aucun rapport avec ce que j'avais imaginé. Je ne comprenais pas ce qui s'était passé.

À mon retour de Russie, après avoir retrouvé un appartement vide, Candace ayant disparu, Branko fut la seule personne que j'appelai.

— Branko, je ne sais pas quoi faire. Candace est partie pour de bon.

— C'est à cause d'un garçon, n'est-ce pas ?

Je ne répondis pas.

— Tiens bon. J'arrive.

Il débarqua avec une bouteille de vodka glacée, cadeau de bienvenue. Assise dans la cuisine qui était toujours pleine de la présence de Candace, j'attendis que l'émotion me terrasse. J'attendis longtemps, en sirotant le verre de vodka froide et sirupeuse que Branko avait placé devant moi.

— Pourquoi ? lui demandai-je, très calmement.

— Pourquoi quoi ?

Ma réponse tardait. Je me sentais très lasse, vidée de mon énergie.

— Pourquoi... tout, Céleste ? Pourquoi mon père ? Pourquoi ma mère ?

Après une pause, il ajouta :

— C'est toujours ainsi quand les relations sont déséquilibrées.

Qu'entendait-il par là ? Je ne tenais pas à le savoir.

On reprit l'habitude de dîner ensemble au moins une fois par semaine, et d'aller de temps en temps à une fête ou voir un film. Plusieurs années passèrent.

Puis, une nuit que je me sentais seule, une nuit comme tant d'autres, je ne voulus pas rentrer seule. Quelque chose dans cette obscurité, ces rues vides, l'heure tardive, me terrifiait. Branko buvait au même rythme que moi. Si seulement nous avions pu continuer ainsi dans l'ambiance douillette de ce bar jusqu'au lever du jour... mais les lumières finirent par se rallumer et l'on nous pria de partir. J'avouai ma peur de rentrer, et Branko monta avec moi dans l'appartement.

Nous nous déshabillâmes en silence dans une obscurité complète avant de nous allonger sur le futon où je dormais depuis mon retour de Moscou. J'espérais que je n'étais pas en train de me fourvoyer. Son corps m'était à la fois trop familier et trop étranger.

Plus tard, il demeura étendu sur le dos, dans le noir, durant quelques minutes, avant de dire :

— Je dois partir.

— Pourquoi ?

— Mes yeux – mes lentilles de contact vont sécher ; je pourrais devenir aveugle.

— Mets-les dans un verre d'eau.

— Non. Je dois partir. Je t'appelle demain.

Il garda le silence pendant trois semaines. C'était la première fois que je restais si longtemps sans nouvelles de lui. Furieuse, effrayée, je finis par faire le premier pas.

— Branko, qu'est-ce que tu fabriques ? On est amis depuis des années. Pourquoi tu me traites comme ça ?

Il y eut un long silence.

— On aurait pu au moins en discuter. Tu me fuis.

— Désolée, Céleste. J'ai l'impression... j'ai l'impression d'avoir très mal agi.

— On était ivres, où est le problème ? Moi qui croyais que tu rêvais de coucher avec moi !

— Je ne sais plus où je vais, Céleste. Laisse-moi du temps, d'accord ? J'ai besoin de réfléchir...

Il disparut pendant encore deux mois.

Quand enfin il appela pour le Jour de l'An, il avait une voix aussi normale que si nous nous étions parlé la veille. J'étais fâchée, mais également soulagée. Nous convînmes de nous retrouver dans un restaurant mexicain sur Columbus Avenue le lendemain soir.

Il commanda aussitôt : deux *burritos*, un *taco*, une *enchilada*, et un *chili relleno*.

— Et bien relevés, surtout, dit-il à la serveuse.

Le blanc de ses yeux reluisait comme de la porcelaine de Chine et, pour une fois, il n'avait pas de cernes.

— Qu'est-ce que vous buvez ?

— De l'eau gazeuse pour moi, fit Branko en se calant dans son siège. Avec une rondelle de citron.

— De l'eau ? Pourquoi aller dans un restaurant mexicain, si ce n'est pas pour boire des margaritas ? Allons, Branko, bois avec moi.

Il hocha la tête, solennel.

— J'arrête l'alcool. Pour aujourd'hui.

— Qu'est-ce que tu veux dire, pour aujourd'hui ? Tu buvais hier mais pas aujourd'hui ?

— Je veux dire que j'ai choisi de ne pas boire aujourd'hui.

— Bon. Ça t'ennuie si je prends quelque chose ?

— Pas du tout.

Je commandai un margarita et deux tacos. Mais le cœur n'y était plus. Il avait gâché la soirée.

Il soupira.

— Cette nuit où nous avons… tu sais… je me sens si mal quand j'y pense. C'était si lamentable de ma part. Je t'aime, Céleste. Tu es mon amie. Je te demande pardon.

— Écoute, on est de vieux copains. On avait beaucoup bu. Ça ne compte pas.

— Si, ça compte. Ça compte énormément.

Il y eut un long silence. On apporta nos consommations.

— Tu sais quoi ? dit-il en buvant son verre d'eau d'un trait. J'ai l'impression de n'avoir rien fait de ma vie.

— Tu n'as que vingt-neuf ans. Pas de panique.

— Ce n'est pas la question. Si toi tu meurs demain, tu laisseras quelque chose de tangible : tes nouvelles. C'est important. Moi je n'ai rien fait.

— Tu auras sauvé quelques baleines, fis-je en riant.

Il n'eut pas l'ombre d'un sourire.

— Je parle sérieusement, Céleste.

Le dîner arriva, nappé d'une sauce brune. Nous mangeâmes en silence pendant un moment.

— Peut-être que ma plus grande réussite aura été de cesser de boire.

— Je croyais que c'était déjà fait.

— Ça fait déjà deux mois, mais chaque jour je me dis que c'est juste pour aujourd'hui.

Au bout d'un instant, il ajouta, après avoir pris une profonde inspiration :

— C'est dur, tu sais. Un jour, on examine sa vie et on se dit : Qu'est-ce que j'ai foutu jusqu'à présent ? Mais je vais te dire quelque chose : comparé à beaucoup de gens, mon fond est assez haut.

— Qu'est-ce que c'est que ce charabia ? De quoi parles-tu ?

— Je n'ai pas fini dans le ruisseau comme d'autres. Certains doivent avoir tout perdu avant d'abandonner. Quelques-uns n'y arrivent jamais. On croit avoir touché le fond, mais la dégringolade continue. On perd son emploi, sa famille. On finit par vivre dans la rue... C'est un vrai miracle que j'aie pu m'arrêter à temps. Et c'est grâce à toi, Céleste.

— Mon Dieu, j'ignorais que j'étais si nulle au lit.

Il sourit, et je remarquai à la lueur de la chandelle qu'il avait rougi. Je me sentais comme un petit enfant auquel un adulte tente d'expliquer les mystères de l'amour. Je n'avais qu'une très vague idée du sujet de la conversation.

— Que faudrait-il... que faudrait-il, Céleste, pour que tu abandonnes toi aussi ?

— Mais où veux-tu donc en venir ? demandai-je, avec un rire forcé.

— Tu sais, on s'est vraiment bien amusés ensemble. Demain, je pars pour Vail ; cet endroit a toujours eu le pouvoir de me régénérer. Est-ce que tu accepteras de faire quelque chose avec moi quand je serai de retour ?

— Bien sûr. Quoi ?

— J'aimerais t'emmener quelque part, une surprise... tu viendras ?

— Entendu... si ça peut te faire plaisir.

Il me raccompagna dans la rue.

— Quand tu choisis d'arrêter, on te conseille de te tenir à l'écart des gens, des lieux et des choses qui te poussaient à boire.

— Qui, « on » ?

— Les anciens alcooliques. Pour moi, tu faisais partie des gens que je devais éviter. C'est pourquoi je ne t'ai pas appelée.

— Mon Dieu, Branko... Va te faire foutre !

Il stoppa à un croisement. Le vent s'engouffrait dans la cour d'une école déserte qui occupait l'angle de la rue, projetant des bouts de papier et des mégots à travers les mailles du grillage. Soudain Branko m'enlaça et me serra très fort. La figure contre sa poitrine, j'avais vraiment l'impression d'être un tout petit enfant. Je levai les yeux vers lui sous le lampadaire.

— Je t'aime, dis-je, les yeux emplis de larmes.

— Je t'appellerai dans quelques semaines, quand je serai de retour.

— J'y compte bien.

— Je t'aime aussi.

Il fit un pas en arrière, posa sur moi un regard grave.

— Sois sage, Céleste. Tâche d'être raisonnable.

Sur ce, il remonta la fermeture Éclair de sa doudoune. Figée au coin de la rue, je le regardai s'en aller en courbant la tête sous la bise. Au niveau de la 26ᵉ Rue, il se retourna et me fit signe.

À l'instant, une étrange et inquiétante intuition me traversa. *Tu ne le reverras plus jamais.*

J'aurais voulu lui crier d'arrêter, de revenir chez moi, ou de m'accompagner dans un bar. Mais je ne le fis pas.

Et je revins chez moi, transie.

Une semaine plus tard, Branko dévalait une piste à vive allure quand la pointe de ses skis se planta dans l'épaisse poudreuse, l'arrachant de ses fixations et le catapultant tête la première dans un arbre. Son compagnon le retrouva peu après. À son arrivée à l'hôpital, il était en état de mort cérébrale, mais son cœur continua de battre résolument pendant trois jours.

XVII

Je me retournai pour consulter le réveil d'Alex sur la table de chevet. Il était sept heures moins le quart. Je serais en retard au rendez-vous d'Anna. Épuisée, je me traînai hors du lit et m'approchai du placard pour chercher une tenue appropriée. Ayant enfilé une robe sans bretelles, je me rendis dans la salle de bains pour faire un brin de toilette.

La porte de l'appartement de Theresa étant ouverte, j'entrai. Anna préparait deux verres réfrigérés derrière le bar. Ma bouche en saliva, anticipant la morsure du gin glacé servi dans un verre givré. Après le bruit de la rue et cette effroyable chaleur, l'appartement semblait frais et tranquille.

— Tu es ravissante, vraiment, dit Anna.

Quand elle était aussi enjouée, c'est qu'elle avait un souci. Elle portait un tailleur vert clair et un chemisier en coton fleuri, ainsi qu'un collant. Je l'avais toujours entendue dire qu'il est vulgaire pour une femme d'un certain âge de sortir jambes nues.

— Un martini ?

Pourquoi pas ?

— Non, merci, dis-je avec légèreté. Toi aussi, tu es toute pimpante.

— J'ai pensé qu'on allait faire la fête ! Tu es sûre de ne pas en vouloir ? Ce verre te tend les bras...

Qu'est-ce qui t'arrive ? De quoi te sens-tu coupable ?

— D'accord.

— À la bonne heure !

Elle enchaîna aussitôt sur mon frère Jack, qui avait l'intention d'amener à mon mariage sa dernière petite amie en date, avocate dans le même cabinet que lui, Wolfson-Smith, à Chicago.

Riant gaiement, Anna ajouta :

— Je la vois d'ici : une grande fille mince en cotte de mailles. C'est son type...

Elle repoussa une mèche blonde et sirota son verre.

— Alors ? dit-elle après m'avoir dévisagée un long moment.

— Alors ? dis-je.

Soudain, ce dîner me parut une très mauvaise idée.

Je l'accompagnai jusqu'à son restaurant japonais préféré, et nous prîmes place sur des coussins à notre table habituelle après avoir ôté nos souliers. Anna commanda une bouteille de saké frappé, avec des rondelles de concombre dans les petits bols.

Quelques minutes s'écoulèrent dans un silence délicat.

— Tu te souviens, quand on est venus ici avec ton père et ce Larry Sykes ? Tu devais avoir douze ans. Par la suite, tu nous as dit qu'il t'avait fait du pied sous la table. Tu te souviens ?

— Je pense bien. Tu prétendais que c'était pour plaisanter...

Elle me regarda d'un air choqué.

— Pas du tout ! Si tu te rappelles bien, je ne l'ai plus jamais invité à la maison par la suite.

— Mais tu m'avais dit que c'était pour plaisanter.

— Que doit-on dire à un enfant…

Les sakés arrivèrent, et cela l'occupa pendant quelques minutes. Elle versa, remua, proposa un toast à l'avenir. Enfin, elle reposa son bol et sourit.

— Bon, raconte-moi tout, Céleste.

— J'ai reçu une lettre de ma grand-mère. Elle ne vient pas.

— Oh, quel dommage.

Visiblement, elle s'en fichait.

— Écoute, Anna. Je crois que j'ai besoin d'aide.

— Quelle sorte d'aide ?

— Une thérapie.

— C'est à cause du mariage ?

— Peut-être. Je n'arrête pas de penser à ma mère et à… Branko. Aujourd'hui, j'ai même cru le voir dans la rue.

J'ajoutai, après un temps d'hésitation :

— Je bois trop.

— Tu sais bien que Branko est mort, dit-elle, toujours aussi pragmatique. Qu'est-ce que tu veux dire par « trop » ?

Elle remplit de nouveau son bol. Ce sujet me mettait mal à l'aise, surtout en présence d'Anna qui buvait plus que moi.

— Et je me fais du souci pour Alex. Il est trop…

J'aurais voulu dire *violent* mais ce mot était décidément odieux.

— Trop quoi ? Tu sais bien qu'il t'adore.

— Je n'arrête pas de penser à ma mère.

Elle déglutit.

— Ta mère ? Je ne l'ai jamais connue. Commandons le dîner.

— Je suis allée une fois au Japon, dit-elle, en choisissant un shushi avec ses baguettes.

— Vraiment ?

Je n'en avais rien su, mais ce n'était pas étonnant. J'avais toujours préféré ignorer tout du passé d'Anna, de la façon dont elle avait connu mon père et de leurs relations avant le mariage.

— J'accompagnais mon premier mari, Jordan. C'était un musicien de jazz et il avait décroché un engagement là-bas. Ce fut amusant. Tout compte fait, la vie était très amusante à l'époque, mais il se droguait... J'étais si jeune que j'ai mis du temps à comprendre. Pourquoi ce regard ? Tu crois que c'est ta génération qui a inventé la drogue ?

Son humeur menaçait de devenir larmoyante. Je reposai mes baguettes pour prendre une longue gorgée de saké.

— Parfois, j'ai l'impression de n'avoir pas été une très bonne mère de substitution. J'ai eu beau faire, nous n'avons jamais été proches.

— Tu as fait ce qu'il fallait, crois-moi.

Elle chercha un mouchoir dans son petit sac à main et s'en tamponna les yeux.

— Tu ne m'as jamais aimée. Je sais que tu m'aimais bien, mais nous n'avons jamais été amies.

On apporta un grand plat de sukiyaki qui fut placé au centre de la table. Elle remua les légumes et la viande du bout de ses baguettes.

— Mon préféré, c'était Branko, dit-elle sans lever les yeux. J'ai toujours eu secrètement le béguin pour lui. Il était riche, beau et gentil. Je n'ai jamais compris pourquoi vous deux...

Mon cœur tambourinait dans ma cage thoracique, comme s'il voulait en sortir.

— Comment peux-tu dire ça ? lançai-je d'une voix glaciale, en retirant mes jambes de dessous la table. Je me marie dans un peu plus de deux semaines. Qu'est-ce qui te prend ?

— Oh, bonté divine. Ne pars pas ! Excuse-moi !

Je me rassis, en colère.

— Je ne peux pas supporter l'idée que tu puisses commettre les mêmes erreurs que moi. Tu sais pourquoi je n'ai jamais eu d'enfants ? Je me suis fait avorter clandestinement autrefois, et le boucher qui a fait ça m'a bousillé les entrailles. Jordan n'aurait pas pu s'occuper d'un enfant, il avait déjà du mal avec lui-même...

« Le bonheur, ça consiste à savoir se contenter de moins que ce qu'on espérait. Ton père se croit satisfait. Mais, à présent, il a des migraines et la douleur l'empêche pratiquement de bouger. C'est un ornithologue passionné. Tu étais au courant ? Il dit qu'observer la nature l'aide à se détendre.

Elle leva des yeux qui semblaient pleins d'espoir et vulnérables. Je me sentis intolérablement triste.

— Non, dis-je à voix basse. Je l'ignorais.

— C'est très sérieux. Il a acheté une paire de jumelles toutes neuves et il consigne ses observations dans un calepin. L'autre jour, il a trouvé un petit oiseau tombé du nid. Il l'a ramené à la maison pour le soigner, mais l'oiseau est mort. Eh bien, il a pleuré comme un petit garçon.

Je m'efforçai d'imaginer mon père en train de verser des larmes sur le cadavre d'un piaf. Impossible. La dernière fois où j'étais venue chez lui pour essayer ma robe, nous nous étions croisés dans la cuisine. Il sortait des glaçons du frigo.

— Comment ça va, Céleste ?

Il me regardait avec un air d'attente dans ses yeux couleur de vieux jean.

L'espoir me dilata la poitrine.

— Eh bien... en ce moment, je m'amuse énormément à enseigner à Harlem. Ce gosse, Derrence... il t'étonnerait, papa ! Il est si intelligent ! Il a écrit des poèmes sur...

En l'examinant de plus près, je vis l'ennui peser déjà sur ses paupières comme un épais brouillard. J'avais toujours deviné que je l'ennuyais, mais aujourd'hui, à travers ce brouillard, je discernais de la gêne. Il était mal à l'aise en ma présence. Retrouvait-il ma mère en me regardant ?

Peut-être lui rappelais-je qu'il s'était écarté d'elle quand elle était malade, délaissant ses propres enfants.

Je continuai à parler mais l'enthousiasme avait déserté ma voix ; il ne m'écoutait pas. Ma phrase resta en l'air. Il sourit, hocha la tête et battit en retraite.

En écoutant Anna, je compris que je l'avais traitée à peu près comme elle m'avait traitée, ce qu'il m'était difficile d'accepter.

Je demeurai figée, stupéfaite.

— Anna, dis-je lentement, la voix à peine audible, soulevée par des vagues de nausée. Anna, de quoi ma mère est-elle morte ?

— De quoi ta mère...

Elle détourna les yeux après m'avoir jeté un bref regard.

— Je n'arrive pas à me souvenir. D'après mon père, c'était une crise cardiaque, je crois, mais j'ai comme un trou de mémoire...

— Oh, pour l'amour de Dieu, Céleste... pendant toutes ces années j'ai cru que tu savais mais que tu ne voulais pas en parler...

— Quoi ?

Je reposai mes baguettes. L'une d'elles roula et tomba sur mes genoux. Ma gorge se serra. Je pris mon bol de saké et le bus d'un trait. Aussitôt, Anna le remplit de nouveau.

— Céleste, dit-elle dans un souffle. Vraiment, tu ne sais pas ? Oh, mon Dieu...

Elle cacha son visage dans ses mains.

— Moi qui croyais que tu savais. Tout le monde était au courant.

C'est alors que je dis, comme si c'était la chose la plus naturelle au monde, comme si je l'avais toujours su et que la peur immonde qui rôdait en moi depuis si longtemps le sût elle aussi et voulût me le crier aux oreilles :

— Elle s'est suicidée.

Anna acquiesça.

— Comment ?

— Elle a avalé tous ses somnifères en vidant une bouteille de whisky. Apparemment, c'est un miracle si la bonne l'a découverte avant toi. Ton père m'a fait jurer de ne jamais en p…

— J'avais dix ans ! m'écriai-je, fermant très fort les yeux. Tout le monde était parti. On m'avait laissée toute seule !

Je me revoyais, errant au rez-de-chaussée, allumant toutes les lumières, appelant : « Maman, maman ! » Elle attendait toujours avec anxiété à la porte que je sois rentrée de l'école, comme si ce trajet en bus était un périlleux voyage. J'avais compris qu'il était arrivé une catastrophe car jamais elle n'aurait quitté la maison.

— J'ai attendu le retour de la bonne avant de monter à l'étage. Ce n'était pas un miracle… (Je pris plusieurs inspirations profondes, tâchant de rassembler mes esprits.) Pourquoi m'a-t-il menti ?

— Pour te protéger. Pour t'empêcher de souffrir. Tu n'étais qu'une enfant.

— Non, c'est parce que mon père est un lâche.

— Ta mère était une alcoolique ! rétorqua Anna, soudain sur la défensive.

Je m'exclamai, comme si elle m'avait insultée :

— Et toi ? Tu bois plus qu'elle ne le faisait !

— Je ne suis pas dépendante de l'alcool, et encore moins des tranquillisants, affirma-t-elle avec autorité. Je n'ai jamais pris une aspirine de ma vie. *Toi*, tu devrais te surveiller. Ces choses-là sont héréditaires, tu sais.

Là-dessus, elle nous resservit de nouveau, et nous portâmes nos bols à nos lèvres.

Qu'est-ce qui faisait donc la différence ? Était-ce la façon dont on réagissait quand on avait bu ? À la fin, il suffisait d'un verre pour plonger ma mère dans la tristesse, et elle répétait éternellement la même chose, comme si elle avait perdu la mémoire. Anna, en revanche, pouvait boire comme un trou avec pour unique résultat de devenir encore plus gaie. Était-ce cela, la différence ? Et pourquoi Branko avait-il décidé d'arrêter ? Parce qu'il avait couché avec sa meilleure amie en état d'ivresse ? Cela me semblait bien absurde.

— Dieu merci, ton fiancé ne boit pas, ajouta-t-elle pensivement.

— Oh, que si ! Mais il a un sang-froid étonnant. Je vais voir un psy, dis-je avec une conviction renouvelée.

— Si c'est indispensable, attends d'abord d'être mariée... Bon, on va au Carlyle ?

Je ne voulais pas retrouver un appartement vide, sombre. Même si c'était un espace magnifique suspendu très haut dans le ciel de New York.

Le bar du Carlyle était tout aussi sombre et encore plus lugubre. Anna fit servir un verre au pianiste, qui regarda dans notre direction et nous fit signe après *My Funny Valentine*.

— Je l'ai connu dans une autre vie, me murmura Anna.

J'en étais à mon deuxième cognac quand l'artiste annonça :

— Ma vieille amie, Anna Carruthers, est parmi nous ce soir. Voudrait-elle nous chanter quelque chose ?

Anna sourit, rougissant visiblement à la lueur des chandelles, mais déclina l'invitation.

— Pour ça, il me faudrait quelques verres de plus, marmonna-t-elle en touchant le camée épinglé sur sa poitrine, comme pour se rappeler sa position de femme respectable. Ton père en aurait une crise cardiaque !

Elle donna une claque sur la table en riant et prit une nouvelle gorgée de gin-tonic.

Après son numéro, le pianiste vint s'asseoir à notre table. De près, il avait l'air bien plus vieux, et son beau visage était ravagé par de profondes rides. Sa voix, cependant, était douce et lisse.

— Anna, ça fait un bail…

— Pete…

— Enchanté, me dit-il.

— Ma fille, Céleste. Pete Brown…

— De passage ? s'enquit Pete.

— De passage, répondit Anna avec un sourire.

— Ça me fait plaisir de te revoir, Anna Carruthers. Viens chanter une chanson.

— C'est Miller, à présent. Anna Miller. Ces temps sont révolus, Pete. Je ne chante même plus sous la douche.

Il pianota sur la table et se leva. Quelques instants plus tard, la serveuse en minirobe noire revenait avec deux verres de sa part.

— Ma chère Céleste, fit Anna à mon oreille, tu vas devoir apprendre à pardonner. C'est terriblement important de savoir pardonner quand on prend de l'âge.

— Pardonner ! Et apprendre à dire la vérité, d'abord ?

— Je sais, dit-elle gravement. C'est si difficile d'être jeune…

En sortant de là, nous ne marchions pas très droit. Agrippée à mon bras, elle m'entraîna vers la 5e Avenue dans la touffeur de la nuit.

À l'hôtel Pierre, le bar se trouvait au bout d'un labyrinthe de corridors. Il y avait quelques couples assis dans les coins sombres et un type solitaire au comptoir. Comme le barman s'approchait, Anna déclara :

— Cognac Martell et gin-tonic, s'il vous plaît.

Elle se tourna vers moi et me prit le menton.

— Je suis désolée… désolée que tu doives revivre tout ça… J'étais persuadée que tu savais… Je t'aime tant.

Une larme roula sur sa joue, grosse comme une perle.

— Ne pleure pas, Anna, dis-je, gagnée par son émotion. Moi aussi, je t'aime. Tout va s'arranger. Nous allons pouvoir être amies, j'en suis certaine.

Elle appuya sa joue contre la mienne, et je sentis une larme couler sur ma peau brûlante et moite.

— Mesdames, fit le barman, retranché derrière son comptoir. On ne tolère pas ces choses-là, ici.

— Qu'est-ce que vous racontez, espèce d'imbécile ! s'écria Anna. C'est ma fille. Voyez comme elle est belle !

Debout devant le domicile de sa sœur, Anna agita la main tandis que mon taxi repartait. Les éclairages publics conféraient une étrange luminosité au brouillard qui pesait sur l'avenue déserte. Il n'y avait pas un souffle d'air.

Le taxi s'arrêta au feu rouge. J'étais trop étourdie pour parler. Juste à ce moment-là, j'aperçus une très haute silhouette à travers le pare-brise. Une fois de plus, mon instinct crut le reconnaître... Branko était mort depuis plus de un an, je le savais bien. Cette fois, l'homme était vêtu d'un short et d'un T-shirt déchiré. Ma main chercha spontanément la poignée de la portière. C'est alors qu'il jeta un coup d'œil dans ma direction. Nos regards se croisèrent, et j'en eus la respiration coupée. Il sourit et passa en courant devant le taxi, rejetant en arrière son épaisse chevelure bouclée.

Le feu se mit au vert, et le chauffeur prit un virage avant d'accélérer.

À la maison, je m'effondrai sur le canapé devant l'écran aveugle de la télévision. Il y avait eu huit appels sur le répondeur, puis Alex avait laissé un message me demandant de le joindre à son hôtel. J'avais l'impression qu'il était absent depuis au moins un an. Reflétés sur l'écran, je vis le canapé, la table basse et moi-même, sagement assise ; tout était parfaitement ordonné comme dans une publicité. Sauf que je n'y voyais pas très clair. Je me sentais incapable de téléphoner.

Je ramassai la télécommande et, d'une main tremblante, allumai Discovery Channel.

Une montagne de neige s'écroulait à l'écran.

— Les avalanches sont fréquentes dans l'Himalaya, disait le commentateur d'une voix ferme, et nous n'étions pas préparés au drame que nous allions vivre. Deux sherpas dans la première avalanche, et Kraus, lauréat allemand du prix Pulitzer de photographie, dans la seconde.

Un long mille-pattes orange et rouge, composé de sherpas chargés de lourds paquets carrés sur leurs minces jambes brunes, remontait une pente abrupte en se tortillant. La caméra enchaîna sur deux plans d'hommes hilares aux traits si burinés qu'il était difficile de leur donner un âge. Les victimes.

Ensuite une vue au grand-angle sur une vaste étendue de neige. Soudain le sol s'ouvrit, révélant un abîme de glace.

— Encore plus dangereuses sont les crevasses, car il est impossible de prévoir le moment où elles vont s'ouvrir. C'est ainsi que nous avons perdu notre meilleur guide. Un homme qui escaladait l'Everest depuis vingt-cinq ans.

Je trouvais que le commentateur était un peu trop sûr de lui pour quelqu'un qui avait vécu tant de drames. Comme je voyais double, je cachai mon œil droit, un truc pour conduire qu'on m'avait appris à la fac. Je me concentrai sur l'écran.

Les alpinistes campaient dans des petites tentes orange, tandis que la tempête faisait rage. Ils souriaient, leurs figures tannées rouges d'excitation.

— Quoique ayant financé en grande partie cette expédition, je n'ai pas eu la chance d'être parmi ceux qui ont atteint le sommet. En effet, être le plus riche, ou le meilleur grimpeur, ou encore le plus physiquement en forme, ne compte pas ici – c'est celui qui est le mieux placé pour fournir l'ultime effort le dernier jour. Evans, qui planta notre drapeau, était relativement inexpérimenté comparé à d'autres. Mais il était bien reposé parce qu'il ne s'était pas entraîné autant que nous les jours précédents. Pour ma part, j'étais exténué en arrivant à Hilary Step, le dernier grand obstacle. En réalité, peu importe qui a planté le drapeau. C'est l'effort collectif qui fait toute la valeur d'une expédition.

Je coupai l'image et restai immobile dans la demi-pénombre, respirant avec difficulté.

Il devait s'être écoulé un certain temps quand je finis par me traîner dans l'ancienne chambre d'amis, à présent mon bureau, où un menuisier avait fabriqué une bibliothèque qui occupait tout un mur. Sur l'étagère la plus basse se trouvait un vieil album de photos que je n'avais pas regardé depuis des années. En l'ouvrant au hasard, je tombai sur une photo de Branko posant fièrement devant sa Porsche, bras et jambes croisés. Les pages avaient jauni et les coins en plastique s'étaient décollés. Comme je le feuilletais, des clichés s'échappèrent, s'éparpillèrent sur le tapis. En me penchant pour les ramasser, je perdis l'équilibre et tombai sur les rotules.

Une photo avait été retournée sur le tapis. Branko et moi, à une fête. Je suis assise sur ses genoux, en corsage de soie noir très décolleté et short assorti, bas de dentelle noire et porte-jarretelles. Branko porte le haut de son costume anglais, c'est-à-dire le veston, avec la cravate, la chemise Oxford boutonnée jusqu'au cou et les boutons de manchette en or. Mais il a lui aussi un short, des bottes de cow-boy et un énorme Stetson qu'il avait acheté au Colorado. On avait bien dansé ce soir-là, lorsque j'avais été prise d'un malaise après avoir abusé du Purple Jesus, un punch à l'alcool de grain contre lequel Branko m'avait mise en garde. Au beau milieu de la fête, j'étais allée m'étendre sur un canapé, mais, quand Branko était venu me réveiller, il avait découvert que j'étais complètement évanouie. Je respirais à peine et mon pouls était presque imperceptible. Il m'avait giflée, hissée sur mes pieds et forcée à ingurgiter des litres de café noir jusqu'à provoquer mes vomissements. Ensuite, il m'avait fait faire le tour du pâté de maisons pendant des heures.

Je ramassai une autre photo. Elle avait été prise par Branko. Candace et moi, dans nos toges de lauréates, la petite toque à pompons posée crânement sur la tête. Une bonne partie des étudiants avait passé la nuit à boire du champagne, à sniffer de la cocaïne et à danser comme des fous échappés de l'asile sur la pelouse du campus. Nos trois visages juvéniles, moites et sans malice souriaient béatement à l'objectif du photographe. Que savions-nous alors de la vie ?

Moi, en tout cas, je ne m'étais jamais rangée dans la catégorie des vainqueurs.

XVIII

Le vendredi, à sept heures du matin, Alex m'appela du bureau.

— Bonjour, dit-il d'une voix tremblante. Où étais-tu passée ?

Comme je ne répondais pas, il enchaîna :

— J'ai les yeux rouges. Je partirais bien. On déjeune ensemble ? Si on se retrouvait au parc… ?

Je réfléchis un instant, tâchant de faire le point.

— Entendu…

Je dormis encore quelques heures, puis je pris un bain et me lavai les cheveux, sans me presser, me berçant de l'illusion que l'orage était enfin passé et que j'étais prête à affronter les zones dangereuses. J'avais l'intention de rapporter à Alex ma conversation avec Anna et de discuter avec lui de mon alcoolisme ainsi que de la nécessité d'une cure.

En pénétrant dans Central Park, mon courage avait légèrement faibli. Alex était au bout de l'allée, près de la promenade aux poneys. Il observait les enfants installés sagement dans les petites calèches, leurs mains minuscules jointes sur leurs genoux serrés. Son visage affichait un sourire amusé. Il n'était pas loin de midi et le parc regorgeait de mères de famille qui s'égosillaient en coursant leur progéniture, de clochards qui se reposaient sur les bancs ombragés qui ponctuaient l'allée. Alex était l'un des rares hommes à porter le costume, et je remarquai le sourire bienveillant que lui adressaient ces jeunes femmes. À un moment donné, il tourna la tête dans ma direction ; sans réfléchir, je me glissai derrière un individu de haute taille qui marchait devant moi.

Quand je l'eus rejoint, il était de nouveau en train de suivre la promenade des poneys, souriant aux bambins.

— Bonjour, Alex…

J'avais été livrée à moi-même durant plus de trente heures d'affilée, sans parler à personne.

Il me prit dans ses bras et m'étreignit.

— Quand j'étais petit, c'était là mon coin préféré, me confia-t-il à l'oreille.

Sa voix avait perdu cette onctuosité apparente qui m'avait tellement énervée avant son départ, et les effluves épicés de son eau de Cologne avaient quelque chose de rassurant.

— On va au zoo ? reprit-il. Je n'y suis pas retourné depuis sa réfection.

On avait remplacé tous les barreaux dont je me souvenais par des parois de verre. Je pris place sur les gradins qui cernaient le bassin aux phoques pour assister aux évolutions de ces silhouettes félines qui tournaient lentement en rond. Leurs mouvements étaient extraordinairement fluides. Cela me rappela mon expérience de la plongée sous-marine, et l'émotion me gagna.

Ils longèrent le bord, d'abord dans une direction, puis dans l'autre.

— Ce ne serait pas chouette de nager avec eux ? dit Alex, prenant ma main entre ses paumes douces et sèches.

Il y a une forêt de varechs au nord de la Californie où l'on dresse les phoques.

— J'ai vu ça sur Discovery Channel. Les grands requins blancs aussi fréquentent cette forêt de varechs.

— Toi et ton Discovery Channel ! fit Alex en souriant. J'ai essayé de te joindre pendant deux jours. Je me faisais du souci.

— Pardon. Oh, regarde ! Ils nous observent !

Les phoques étaient revenus et tournaient justement la tête dans notre direction. D'un coup de queue, ils projetèrent une gerbe d'eau sur nos pieds. Sortant son mouchoir blanc, Alex essuya ses souliers cirés et tamponna mes espadrilles.

— Céleste, j'ai réfléchi...

Mon cœur se mit à battre plus fort. Le soleil était d'une ardeur extrême, et il me fallut cligner des yeux pour affronter le regard de mon fiancé.

— Tout n'est pas pour le mieux entre nous.

— Ça c'est vrai.

— Je ne me rappelle pas exactement ce qui s'est passé l'autre nuit avec ma mère mais, si je t'ai contrariée, pardonne-moi.

Des frissons de colère parcouraient ma peau, mais je m'efforçai de conserver mon calme.

— Alex, tu m'as fait horriblement peur. Comment veux-tu que je vive ainsi, sans savoir quand tu vas sortir de tes gonds ?

— Tu as raison, dit-il, à ma grande surprise. Je crois que je n'avais pas mesuré vraiment toute l'ampleur du problème...

— Pourquoi me repousses-tu ? Pourquoi ne pas te confier à moi ?

Songeur, il suivit quelques instants encore le manège des phoques. Je me concentrai sur la ligne de son oreille et de sa mâchoire ; les pointes de ses cheveux léchaient sa nuque puissante. C'était un homme splendide.

— Tu m'intimides. Comme cette fois où tu lisais Proust… Comment suis-je censé lutter contre ça ?

— Ce n'est pas une compétition, Alex.

— Tu es plus intelligente que moi. Tu es une intellectuelle, une enseignante.

— Je ne suis pas une intellectuelle.

Un creux se forma entre ses sourcils. Le soleil brillait dans ses verres de lunettes.

— J'aurais voulu que notre union soit parfaite. Je voulais prendre soin de toi, te rendre la vie facile, faire ton bonheur. Mais j'ai beau essayer, j'ai l'impression que ça ne suffit pas.

— Tu voudrais sans doute que je sois quelqu'un de différent, dis-je. Quelqu'un qui soit sans histoire. Écoute-moi, Alex. Mardi, j'ai dîné avec Anna et elle m'a appris que ma mère s'était suicidée.

— Oh, mon Dieu.

Il me serra contre sa poitrine.

— Mais c'est affreux…

— On m'a menti, Alex, dis-je en le repoussant pour pouvoir le regarder en face. Je n'en ai rien su ; on aurait dû me le dire. Je vais consulter un psy…

Le soleil était si aveuglant qu'il me fallait mettre ma main en visière. Je déglutis avec difficulté.

— Je crois qu'on devrait aller voir quelqu'un ensemble.

— D'accord. C'est une bonne idée. (Silence.) Mais pas tout de suite. Après notre lune de miel.

— Pourquoi pas… Dans la mesure où le mariage a lieu dans quelques jours…

— Comment ta mère a-t-elle pu te faire ça ? s'enquit-il calmement. Se tuer et t'abandonner, toi qui étais encore une petite fille. Quel égoïsme.

J'avalai tranquillement ma salive.

— Je trouve qu'il faut du courage, au contraire. Moi, j'en aurais été incapable. Quand j'étais plus jeune et que je souffrais beaucoup, j'y ai souvent pensé, crois-moi. Mais jamais je n'aurais pu…

Je voulais passer à autre chose, à mon alcoolisme, mais je ne savais comment aborder ce sujet.

— Pas étonnant que tu sois déprimée… il te faut peut-être des antidépresseurs.

Ses paroles étaient étrangement rassurantes. Des médicaments pourraient me guérir, et tout rentrerait dans l'ordre. Peut-être que c'était cela, le fond du problème. Peut-être avais-je hérité du tempérament neurasthénique de ma mère. Au milieu des murmures du parc, j'appuyai mon visage contre la poitrine d'Alex et perçus les battements réguliers de son cœur, les petites voix enthousiastes des enfants qui nous entouraient, et l'eau clapotant contre les parois de verre. Ces voix d'enfants me rappelaient ce sentiment de solitude et d'exclusion qui m'avait toujours hantée, même du vivant de ma mère.

— Alex, dis-je, sans le regarder, sachant que les paroles que j'allais prononcer pouvaient avoir des répercussions désastreuses.

Alex, aurais-je voulu dire, *Alex, mon très cher Alex, je suis une alcoolique*… mais cela me semblait bien trop catastrophique, bien trop définitif. *Non, n'en fais pas trop. Si tu lui dis cela, tu ne pourras plus revenir en arrière.*

Aussi lui demandai-je d'une voix calme, posée :

— Tu ne trouves pas que je bois trop ?

— Tu bois beaucoup, dit-il après un temps de réflexion. Mais tu n'es, en aucune façon, une alcoolique. Ce n'est pas comme si tu te soûlais tous les jours. Tu bois beaucoup, mais en compagnie. Et tu as été très stressée ces temps-ci. D'ailleurs, tu as bien diminué la dose depuis qu'on est ensemble. Et on va continuer sur cette voie, n'est-ce pas ?

Il me regarda avec gravité. Un énorme soupir aurait voulu s'échapper de ma poitrine, mais je me retins de peur qu'il ne le remarque. *Tout est redevenu comme avant. Tout est comme il se doit.*

Je décidai, par simple précaution, de m'abstenir de boire jusqu'au mariage.

Lentement, il baisa mes joues, ma nuque, la peau derrière mes oreilles, mes lèvres. Sa bouche était fraîche et douce, comme une douche après un long bain de mer. Je sentis le désir se réveiller en moi ; une lueur d'espoir se rallumait.

— Je vais prendre mon après-midi, proposa Alex. Allons faire la sieste...

— D'accord, dis-je, la bouche contre son cou.

Sortant son téléphone portable, il contacta sa secrétaire.

— Lorraine...

Apparemment, elle avait une nouvelle de la plus haute importance à lui communiquer, car son visage se figea de concentration.

— Qu'est-ce qu'il raconte ? Il me semble qu'on avait réglé ça hier. Pas question qu'il s'adresse aux avocats. Je lui ai déjà dit non ! Appelez-le immédiatement... non, je ne quitte pas.

— Encore George ? dis-je, pour faire de l'humour.

Mes lèvres tremblaient en esquissant un sourire. Mais il avait déjà oublié ma présence.

J'attendis une demi-heure tandis qu'il parlementait ainsi, tâchant d'arranger ce qui devait l'être. Je savais que s'il prenait son après-midi il allait être anxieux et mal à l'aise, et m'en voudrait de l'arracher à son travail.

Je posai la main sur son bras, devinant le biceps sous l'étoffe fine.

— Alex, ça ne fait rien. Retourne travailler...

Il en parut soulagé.

— Je serai là dans une minute, dit-il à son interlocuteur.

Après quoi il glissa son portable dans sa poche.

Présidant à la table du restaurant, je ne pouvais détacher les yeux du grand miroir qui recouvrait tout le mur d'en face. Je nous voyais, nous les jeunes fiancés, au milieu d'une longue table rectangulaire, le dos à la fresque représentant Venise, l'air d'être dans une gondole sur le point de passer sous un pont. Au-delà de ce pont, des gondoliers en chemise à rayures voguaient à bord de leurs embarcations sur l'eau du Grand Canal d'un bleu saphir. Comme ce couple avait l'air heureux, lui dans son costume neuf gris anthracite, elle dans sa robe neuve, bleue à petits pois blancs, avec ses nouvelles boucles d'oreilles qui étincelaient à la lumière.

À chaque table, des petites chandelles blanches brûlaient dans leurs bougeoirs en cristal, et leurs flammes dorées se reflétaient dans les verres et sur les bijoux des dames. La salle résonnait de rires et d'éclats de voix gaies.

La voix d'Alex me ramena brutalement à la réalité.

— Tu ne bois pas ? J'ai commandé du château-laroq spécialement pour toi.

Le vin, rouge rubis, brillait dans mon verre, intact. Je le contemplai, torturée. Mes papilles elles-mêmes réclamaient leur dû. J'avais l'estomac retourné, les extrémités en feu. Il me fallait absolument boire mon château-laroq. Je m'imaginais déjà sentant ce breuvage velouté tapisser le fond de ma gorge, descendre dans ma poitrine pour la réchauffer. Je n'avais pas absorbé une seule goutte d'alcool depuis ma soirée avec Anna dix-huit jours plus tôt.

Si tu n'as rien bu durant tout ce temps, c'est que tu n'es pas alcoolique.

C'est alors que me revinrent en mémoire les paroles de l'inconnu qui se trouvait posté à l'entrée de l'église : « Ils applaudissent les gens qui comptent les jours. » Moi aussi je comptais mes jours d'abstinence et j'en tirais une certaine fierté, comme si j'avais accompli un réel exploit. Les gens normaux ne se comportaient sûrement pas ainsi quand ils s'étaient dispensés de boire pendant un certain temps.

Chaque jour, mon angoisse augmentait, de même que la colère et le dégoût de moi-même, et cette peur qui se manifestait par des picotements sous la peau.

Alex, étrangement, se conduisait comme s'il se croyait profondément menacé par ma résolution.

Le lundi, il m'avait appelée à dix heures du soir pour me prier de le rejoindre dans une boîte de nuit où l'emmenaient des collègues. Je lui avais dit d'y aller sans moi ; j'étais déjà couchée et je n'avais aucune envie de m'habiller pour affronter la tentation dans un club.

— Bon sang, Céleste, qu'est-ce qui te prend ?

— Rien. Je n'ai pas envie de sortir, c'est tout.

Il raccrocha et arriva comme une bombe à quatre heures du matin, se jeta sur le lit où je faisais semblant de dormir, empoigna le col de ma chemise de nuit qui se déchira. Plaquée sous ce grand corps, je me défendis.

— Alex ! Laisse-moi tranquille !

— Ne me crie pas dessus, dit-il entre ses dents serrées.

Ses grandes mains m'étreignaient la gorge, et je commençais à étouffer. Mon visage était sur le point d'éclater. Saisissant la lampe de chevet, je lui en assenai un coup sur le crâne. C'est à peine si cela le désorienta, mais il en fut assez surpris pour me relâcher.

Bondissant hors du lit, j'allai m'enfermer dans la salle de bains. Il se mit à tambouriner contre la porte.

— Ne me force pas à tout défoncer !

— Va-t'en ! criai-je, tout en cherchant une arme d'occasion sous le lavabo. Il n'y avait pas grand-chose dans cette niche, à part des rouleaux de papier hygiénique. Je m'emparai du déboucheur à ventouse.

— Va te coucher, tu es ivre !

— Sors d'abord !

Extirpant du placard des draps, des torchons et des couvertures, je les étalai par terre.

— Pas la peine. Je suis très bien comme ça.

Allongée là, sur le carreau, je pus méditer à loisir sur l'ironie de la situation. Combien de nuits avais-je ainsi passées dans une salle de bains, évanouie après une cuite ? Et voilà que, cette fois, c'était à jeun...

À six heures du matin, il me réveilla en frappant poliment à la porte et se racla la gorge. D'une voix penaude et parfaitement rassurante, il m'informa qu'il avait besoin de son nécessaire de rasage. J'étais si furieuse que je n'avais plus de voix. Nous nous croisâmes tels des inconnus qui prennent l'ascenseur, en détournant les yeux.

Ce soir-là, il rentra du bureau plus tôt que de coutume, avec un petit sac de chez Tiffany qu'il me tendit. À l'intérieur se trouvait un écrin bleu auquel était collé un Post-it jaune : « Monsieur Laughton : j'espère que c'est ce que vous aviez à l'esprit ! Lorraine. » Manifestement, il avait oublié d'ôter le petit mot.

C'était une paire de boucles d'oreilles en saphir, grosses comme des larmes.

— Magnifique, dis-je d'un air morne. Lorraine a bon goût.

Il me lança un regard glacial et préféra se taire.

Sachant qu'il en serait contrarié, je déclarai que j'avais décidé de profiter de notre lune de miel pour aller voir ma grand-mère à Bordeaux.

— Elle me manque...

— Je croyais que tu la détestais, dit-il en quittant son veston.

— Bien sûr que non ! En fait, j'aimerais beaucoup la revoir.

— Je préfère qu'on s'en tienne au programme prévu, si ça ne te fait rien : une semaine à Venise et une autre à Capri. Après tout, c'est notre lune de miel.

315

Je répétai que je souhaitais aller à Bordeaux.

— Moi je ne tiens pas à aller là-bas pour rester muet comme une carpe pendant que tu parleras avec tout le monde en français.

— Alors, le problème c'est que tu ne veux pas être en position d'infériorité par rapport à moi ? Je te signale que je parle aussi l'italien.

— Je n'aurais jamais dû te dire ça, marmonna-t-il. Allons dîner… Que dirais-tu du Bistro ?

On servait là-bas des cocktails fabuleux. Je ne voulais pas être tentée.

— Je préfère rester à la maison. Je vais préparer une *salade niçoise**.

Il me regarda d'un air ulcéré. C'était le regard qu'il réservait au concierge quand il attendait un pli important qui avait apparemment été égaré. Sur le moment, je fus terrifiée par l'idée que je ne savais rien de cet homme, et qu'il avait bien failli m'étrangler la veille.

Et, pour la première fois depuis mon dîner avec Anna, j'eus soudain *réellement* besoin d'un verre. Il y avait une bouteille de Stoli au frais ; elle me réclamait. Mes phalanges blanchirent tandis que j'agrippais derrière moi le coussin du canapé, dans un effort pour rester assise.

Furieuse, je me refusai à céder.

— Je veux aller voir ma grand-mère à Bordeaux, Alex.

J'avais compris, naturellement, que cette dispute n'avait rien à voir avec Bordeaux.

Pendant toute la journée du mercredi, il me relança par téléphone, tournant autour de moi tel un requin, tentant diverses approches dans l'espoir que je finirais par céder. J'étais au contraire bien décidée à me battre jusqu'au bout.

D'une voix mielleuse, il déclara dès son retour :

— J'ai demandé à Lorraine de contacter l'agence de

voyage ; on nous comptera un supplément de neuf cent quatre-vingt-six dollars pour changer nos billets.

— Depuis quand te soucies-tu de ces détails ? dis-je d'une voix tout aussi mielleuse.

— Et si on allait à Bordeaux à Noël ?

Je savais que c'était une ruse et répliquai :

— C'est moins beau en décembre.

Je n'en savais strictement rien, mais ça me semblait plausible. Et cela lui cloua le bec.

— Je n'irai pas à Bordeaux, m'annonça-t-il le jeudi matin.

Ce soir-là, ses amis l'aidaient à enterrer sa vie de garçon. Ils avaient attendu la toute dernière minute pour que James, le témoin d'Alex, puisse arriver de l'Oregon.

Je m'efforçai de l'imaginer, assis avec ma grand-mère dans le solarium, et une atroce sensation d'embarras me terrassa. Il serait incapable de causer littérature avec elle. Il lui parlerait fièrement de ses « fusions et acquisitions », et ma grand-mère le toiserait avec une expression sinistre, ses yeux emplis d'un mépris qu'Alex ne saurait même pas identifier.

Je savais qu'il ne renoncerait pas et que j'avais perdu la partie.

— D'accord, Alex, fis-je, ma voix tremblant de rage. *Merde* pour Bordeaux. On verra ça à l'automne prochain. J'irai seule.

— Inutile d'être grossière, Céleste.

Il revint de bonne heure pour m'aider à accueillir son témoin. James était venu directement de Portland dans sa Nissan. C'était un grand type qui avait des cheveux d'un blond si pâle qu'ils avaient l'air blancs, un petit nez retroussé et des joues rondes. Il portait une chemise de trappeur, un jean, et des bottes Timberland. Quand il entra dans l'appartement, Alex fit un pas en arrière et fronça les sourcils.

— Jusqu'où te mènera l'écologie ! dit-il avec un petit rire.

— Cause toujours…, rétorqua James, riant aussi. Et c'est *docteur* James pour toi, à présent.

— Un homme muni d'un doctorat en sciences de l'environnement est aussi utile qu'une prostituée avec un doctorat de médecine. De grâce, dis-moi que tu as apporté un costume.

— Je ne sais pas s'il me va encore.

Ils se donnèrent de grandes claques dans le dos, en s'esclaffant de bon cœur.

Ils burent quelques rhum-tonics pendant que je sirotais un Coca Light sur le canapé. Alex alla chercher sa seconde guitare électrique dans le placard et l'épousseta. Ils branchèrent les deux instruments sur l'énorme ampli noir qu'Alex conservait dans le living, même s'il ne jouait plus, et commencèrent à pincer les cordes. La bouteille de vodka au frigo se dessina dans mon esprit.

Les murs se mirent à vibrer, et un hurlement menaça de faire voler les vitres en éclats. La vodka m'attirait comme une balise lumineuse. J'allai ouvrir le frigo. Ma très chère amie, la Stolichnaya vodka, était là, un voile de givre la recouvrant. J'aperçus un pot de crème glacée que j'emportai, avec une petite cuillère, dans la chambre ; puis, coiffant les écouteurs, j'allumai la télévision. J'entendais toujours les guitares et les deux compères qui chantaient à tue-tête.

À la télévision, on diffusait un documentaire sur la parade nuptiale des oiseaux de paradis ; je le suivis en prenant de longues inspirations et en priant pour que mon humeur négative se dissipe. *Tu es trop nerveuse, c'est tout.*

Un peu plus tard, Alex vint m'annoncer qu'il partait à sa fête. Je le saluai en souriant, sans ôter mes écouteurs.

Ils rentrèrent vers deux heures du matin et le vacarme reprit.

Plus tard, quand Alex entra dans la chambre, je voulus engager la conversation. Ce n'était sans doute pas le meilleur moment, mais le temps pressait. Demain aurait lieu le dîner au Nero ; et le lendemain, la cérémonie du mariage.

— Pourquoi me fais-tu du mal quand tu es ivre, Alex ?

Il se tenait à la table de toilette, chancelant légèrement comme s'il était sur le pont d'un navire. Je craignais qu'il ne soit encore brutal avec moi, mais dans ce cas James serait là pour me secourir, et ce ne serait pas une mauvaise chose.

— Je te fais du mal, moi ? Qu'est-ce que tu racontes ? fit-il avec un sourire avide, les yeux étincelants. Tu sais quoi ? Tu es vraiment emmerdante quand tu ne bois pas.

Sur ce, il se jeta sur le lit, roula sur le dos et perdit connaissance.

Il était déjà parti à l'heure où je me réveillai, le lendemain matin.

Je préparai du café pour James et attendis qu'il se lève. Il finit par sortir de la chambre d'amis, hirsute, tout bouffi et le teint terreux.

— Pourquoi l'appelez-vous Attila ? lui demandai-je d'un ton détaché, en lui servant son café.

Tout l'alcool qu'il avait ingurgité la veille émanait des pores de sa peau tel un nuage toxique.

— Oh… vous savez, il était assez déluré à la fac. Mais il avait du cran. (Ses yeux, emplis d'admiration, se mirent à briller sous l'effet de quelque souvenir.) Un soir, il s'est attaqué à la moitié de l'équipe de football. J'y étais, je l'ai vu. Ils ont cru qu'il était devenu fou, d'où son surnom d'Attila. Depuis, il s'est un peu calmé. Vous avez une bonne influence sur lui.

Je continuai, songeant qu'il avait peut-être des informations sur ce sujet :

— Il m'a parlé de sa femme. L'ordre de protection et tout ça…

Je laissai ma voix en suspens, conspiratrice.

— Ah oui…, dit-il, en baissant les yeux. C'était un accident. Ça se déboîte si facilement, une épaule. Il ne voulait pas lui faire du mal.

Après un silence embarrassé, il ajouta :

— Au fait, il y a une salle de musculation dans cet immeuble ?

Et tout à l'heure, lui et moi, nous avions accueilli nos invités à la porte. Je m'étais promis un apéritif, pour me récompenser d'avoir tenu bon pendant dix-huit jours.

Pressons, il est temps, disait une voix dans ma tête, tandis que j'embrassais Aurelia et serrais la main de son nouveau fiancé, Frederico, un homme mince et voûté, à la moustache noire, qui n'avait que quelques années de plus qu'Alex.

— Champagne, Madame ? s'enquit un serveur, en me présentant un plateau.

Prends-le ! Vas-y ! Mais je me savais dans un tel état que si je commençais maintenant, il y avait de fortes chances pour qu'avant la fin de la soirée on me retrouve en train de danser nue sur la table, sinon au lit avec un membre du personnel.

— Puis-je avoir un verre d'eau ? lui demandai-je, suave, ce dont je fus la première choquée.

Quoi ? Mais tu avais dit un apéritif !

Maintenant, nous en étions au dîner, et l'on nous avait servi des amuse-gueule auxquels je n'avais pas encore touché, car j'avais la bouche si desséchée que je ne pouvais rien avaler.

Il me suffisait de prendre ce verre de château-laroq qu'Alex avait commandé spécialement à mon intention pour que ma gêne, ma colère, ma peur soient automatiquement dissipées.

Qu'est-ce qui te retient ?

Les gens, les lieux et les choses, avait dit Branko. J'étais justement dans l'œil du cyclone. Pas étonnant si j'avais aussi soif.

— Céleste ? répéta Alex. Ce vin m'a coûté une fortune.

— Je n'en doute pas. Ta Lorraine a dû avoir un mal fou à remplir une mission aussi importante dans des délais aussi courts.

Je vis dans ses yeux qu'il était furax. Si nous avions été seuls, il aurait peut-être encore cherché à m'étrangler.

— Ma grand-mère t'en aurait envoyé gratuitement autant de caisses que tu le désirais, dis-je, la gorge nouée par l'émotion.

Je me détournai, jetai un coup d'œil rapide dans le miroir d'en face, et vis un couple heureux, parfaitement assorti, qui se souriait à lui-même. Je me sentais déchirée.

Pourquoi ne peux-tu croire à l'image que le miroir te renvoie ? Pourquoi ne peux-tu accepter d'être heureuse ? Bois ce vin et tout ira bien.

Je me tournai vers Alex.

— Je n'en veux pas, murmurai-je, en m'efforçant de sourire, menacée par un mal de tête insidieux.

— Qu'est-ce que tu as donc ? dit-il entre ses dents, souriant lui aussi, les yeux lançant des éclairs.

— Il faut que j'arrête de boire, dis-je, d'une voix tout aussi polie.

— Je te répète que tu n'es pas alcoolique. Pourquoi faut-il que tu gâches toujours tout ?

Mon cœur se mit à battre plus fort, mes oreilles bourdonnaient. J'aurais voulu soulever ce verre et le fracasser sur son crâne. Ma main fit le geste de le saisir.

Allez, bois !

Un zéphyr chatouilla ma nuque tandis que je me rappelais les paroles de Branko : *Certains doivent avoir d'abord tout perdu avant d'arrêter. D'autres n'y arrivent jamais. On croit avoir touché le fond, mais la dégringolade continue. Qu'est-ce qu'il faudrait, Céleste, pour te faire arrêter ?*

— Mon Dieu, aidez-moi, implorai-je tout bas.

— Quoi ? fit Alex, en fronçant les sourcils.

C'est alors que quelqu'un lui posa une question, et il se détourna. Dans le miroir, sa figure avait l'air reluisante de bonheur et non pas de colère.

Le vin brillait toujours devant moi, avec sa si belle robe. Soudain, tout devint clair, comme si on avait allumé des projecteurs. Je contemplai l'assistance, croyant voir tous ces gens pour la première fois. Il y avait Aurelia, à une autre table, les yeux vitreux d'ennui à force d'écouter parler le mari de tante Theresa, le chirurgien esthétique - Alex les avait placés côte à côte parce qu'ils étaient tous deux médecins. Le mari de tante Theresa lui avait pris la main et bavait pratiquement sur sa poitrine. Non loin de là, Theresa observait tout, ignorant la conversation qui se déroulait à sa propre table, raide, anémique et mécontente. Comme le médecin croisait son regard, il rectifia la position et saisit son verre.

À une autre table, Anna souriait allégrement à Chester, le père d'Alex, dont la bouche élastique lui rendait machinalement son sourire. Elle leva son verre à l'intention d'un serveur et en agita les glaçons d'un geste impatient.

Je remplis mon verre d'eau et en bus une gorgée. Elle avait le goût impalpable de la déception. Il faudrait que je trouve autre chose à boire, mais quoi ? Qu'est-ce que je consommais, étant enfant ? J'étais tellement habituée à l'alcool que j'avais perdu jusqu'au souvenir d'autre chose…

Mon frère, Jack, assis à l'extrémité de notre table, avait l'air vieux ce soir-là, avec sa peau flasque et grise. Il buvait des doubles whiskies tout en racontant avec chaleur des histoires d'avocat à ma copine Lucia, dont le visage exprimait clairement la surprise qu'il fût mon frère. En quelques années, le rebelle aux cheveux longs qui fumait de l'herbe était devenu un quadragénaire grassouillet en costume.

Je contemplai mon père, grand, imposant, éteint dans son costume foncé. Il ne m'avait pas jeté un regard de la soirée. Sa figure semblait décolorée, comme passée à l'eau de Javel. Ayant resservi Babs en vin, il remplit de nouveau son propre verre, qu'il vida d'un trait. Cela me rappela ces dîners, après la mort de ma mère, où il s'efforçait d'expédier à un rythme effréné toutes les bouteilles de grands crus achetées par maman. Peut-être s'efforçait-il ce soir-là aussi de se débarrasser du château-laroq, pour gommer d'autres mauvais souvenirs ?

Babs lui adressa un sourire encourageant, comme si elle s'était donné pour mission de le faire sortir de sa coquille, comme si cette timidité était un trait de caractère adorable et non une funeste carence. Je le détestais tellement, à ce moment précis, que j'aurais pu braquer une arme sur sa tête et lui crier : « Dis-moi la vérité ! Qu'est-ce que tu ressens ? » Mais je savais que, sa vie en eût-elle été menacée, il se serait contenté de me regarder, confus, et de dire : « Qu'est-ce que tu as ? Ça ne va pas, Céleste ? Faut-il appeler le médecin ? »

Tu sais bien que je ne vais pas bien, fumier ! Comment pourrait-il en être autrement ?

Quel gâchis, songeai-je.

Non, tu as tort ! S'ils sont tous satisfaits, tout est pour le mieux. Pourquoi n'y crois-tu pas ? Bois ton vin et oublie ces bêtises. Tu le mérites, voilà dix-huit jours que tu n'as rien bu.

Pas question. Je ne boirai pas.

Tu ne tiendras pas. Tu ne pourras pas te priver ainsi éternellement ! De toute façon, tu es une ratée. Ta mère t'a abandonnée et ton père n'éprouve pas la moindre affection pour toi.

Mais je me souvins d'une autre chose que Branko m'avait dite : Juste pour aujourd'hui.

Tu entends ? C'est juste pour aujourd'hui. Alex se tourna de nouveau vers moi.

— Tu vas finir par te faire remarquer, Céleste.

— Merde, Alex, dis-je en souriant de toutes mes dents. Sa tête se rejeta en arrière comme si je l'avais giflé. Les muscles de sa mâchoire se contractaient nerveusement. Mon cœur battait à grands coups. J'avais peur de lui.

— Ferme-la, si tu peux. Tu crois que tu en es capable ? (Je repoussai mon verre.) Et si tu m'accuses encore d'être grossière, je te jure que je me lève et que je te plante là !

XIX

— Ma foi, la soirée était très réussie, déclara Anna de son fauteuil.

Conformément à la tradition, j'allais passer la nuit chez mon père, dans le Connecticut. Je ne reverrais pas Alex avant le lendemain, à quatre heures de l'après-midi, quand il m'accueillerait devant le juge, dans la roseraie au fond du jardin. De la banquette arrière, je voyais les larges épaules de mon père, ses cheveux courts et grisonnants qui n'effleuraient même pas le col de sa chemise blanche. De temps en temps, il se tamponnait le front avec un mouchoir. Anna était d'excellente humeur, et j'avais une horrible envie de lui crier de se taire.

— Quel numéro, cette Aurelia ! Draguer ainsi le mari de Theresa.

— Je croyais que c'était le contraire, dis-je dans un murmure, risquant de perdre mon sang-froid.

— Pardon ?

— Rien.

Tout en contemplant le crâne de mon père, je m'imaginai en train d'y porter un coup de hache. Cette pensée avait quelque chose de réconfortant. Si jamais je lui adressais la parole, ce serait sûrement pour lui dire une chose terrible. Impardonnable.

Oh, mon Dieu, cette colère. Comment vais-je pouvoir vivre avec cette colère ?

Les yeux fixés sur la route, je regardais défiler les petites marques jaunes tandis qu'Anna continuait à pérorer.

Sur le point de pénétrer dans le vestibule, mon père abandonna ses clés de voiture dans le vide-poches, s'étira de tout son long et me tapota l'épaule en disant :

— Tu étais charmante ce soir. C'était une charmante soirée. Tout était charmant. Bon, je crois que je vais aller me coucher. J'ai une migraine abominable. Demain sera un grand jour !

Il recula en se frottant les mains, puis se retourna pour monter l'escalier. En voyant son dos bien droit s'éloigner ainsi, je me vis distinctement en train de lui tirer dessus à la mitraillette, puis contemplant son cadavre affalé au bas des marches.

— Hé ho ! Céleste ! lança Anna qui avait disparu dans la cuisine. Que dirais-tu d'un dernier verre ?

Je poussai à mon tour la porte battante. Elle était en train de se servir un petit verre de gin.

Je pris place à table et enfouis la tête dans mes bras.

— Qu'y a-t-il, Céleste ? Tout s'est passé pour le mieux...

— Oh, pour l'amour du ciel, Anna, ouvre donc les yeux !

Je me mis à réfléchir intensément au lendemain, aux sentiments que je croyais avoir – que j'étais censée avoir –, mais que je n'avais pas, pour Alex. Comment la situation avait-elle pu changer du tout au tout en dix-huit jours ? Que s'était-il passé ? Et qu'est-ce qui était le plus insensé : l'épouser dans cet état d'esprit, ou ne pas l'épouser et laisser les gens croire que j'avais perdu la raison ?

— Anna, écoute…, dis-je en relevant la tête. Je ne sais vraiment pas si j'ai encore envie de me marier.

Elle resta pétrifiée devant le plan de travail, le visage défait. Puis, ôtant ses escarpins, elle alla s'effondrer près de moi sur une chaise.

— Bon sang, Céleste… Il est presque une heure du matin. Je crois que j'ai besoin d'un petit remontant. Cognac ?

— Non, merci.

J'ôtai moi aussi mes escarpins. Soudain, l'idée d'un bon chocolat chaud me parut séduisante. Ma mère et Anna me préparaient toujours un bon chocolat chaud quand je ne me sentais pas en forme, autrefois.

— Je voudrais un chocolat chaud.

— En cette saison ?

Elle se leva et alla inspecter l'intérieur de ses placards.

— Un chocolat…, fit-elle en hochant la tête.

S'étant servi un autre petit verre, elle mit une tasse de lait au micro-ondes.

— Tu sais, Céleste, les gens ont souvent le trac la veille de leur mariage. Moi, par exemple, j'ai pleuré dans mon lit pendant trois jours avant de partir avec Jordan. (Elle prit une gorgée de gin.) Mais c'est vrai qu'il s'agissait d'un enlèvement…

Elle apporta la tasse fumante et la plaça devant moi. Le chocolat tapissa mes papilles gustatives, ma gorge, brûla agréablement mon cœur et mon ventre. Je n'avais jamais rien bu de meilleur.

— Je ne peux pas le souffrir, dis-je, retrouvant mes forces. (Je finis rapidement mon chocolat.) J'en veux encore…

— Mais… pardon, mais, tu n'aurais pas pu t'en rendre compte plus tôt ?

Pouvais-je lui dire ? J'attendis mon chocolat chaud, le visage de marbre.

— Écoute, Céleste. Il est tard, déclara-t-elle en toute

logique, posément, au moment où le minuteur du micro-ondes sonnait.

Elle me rapporta la tasse.

— Tu as subi un énorme stress ces temps-ci... Tu sais, cette chose dont nous avons parlé ensemble... tu vois à quoi je fais allusion... Réfléchis bien. Il est encore temps. Tu peux avoir changé d'avis d'ici demain.

Je résolus de lui avouer la vérité.

Non ! Non ! Non !

— Anna, je crois que je suis une alcoolique.

Elle me jeta un regard aigu, puis rejeta la tête en arrière et éclata de rire.

— C'est ridicule, qui t'a fourré cette idée dans la tête ? (Elle prit un air soupçonneux.) Tu n'aurais pas assisté à l'une de ces réunions de fanatiques... ?

Tu vois ? Elle a raison. Mets du cognac dans ce chocolat chaud et nous ferons comme si ça n'était jamais arrivé.

Non, elle a peur.

D'accord, le monde entier a tort et toi seule as raison, comme d'habitude. Pourquoi refuses-tu ce verre ? Pourquoi tiens-tu donc à souffrir ?

Je méditai là-dessus un moment.

Au loin, on entendit hurler un moteur. Cela semblait provenir du haut de la colline. Le bruit s'amplifia, pénétra jusque dans notre allée pour se manifester juste à l'extérieur de la maison. Une étrange clarté se fit dans ma tête.

Le moteur grogna et crachota une dernière fois, puis ce fut le silence. Courant à la fenêtre, je scrutai les ténèbres. Dans un rectangle de lumière jaune, enfourchant une grosse moto crottée, j'aperçus un individu coiffé d'un casque noir, vêtu d'un blouson et d'un jean poussiéreux. Marchant en canard vers la porte, il secoua une jambe bottée, puis l'autre, ôta son casque et agita son épaisse tignasse qui était mouillée de sueur. C'était Nathan. Je frappai à la vitre, riant de tout mon cœur.

Anna regardait par-dessus mon épaule.

— Ça alors… voici la cavalerie !

— Bonsoir, madame Miller, quoi de neuf ? demanda-t-il depuis le seuil, son casque sous le bras, un sourire aux lèvres.

— Quoi de neuf… ? Il me demande : Quoi de neuf ? Entre, Nathan. Tu prends un verre ?

— Volontiers. Ce que vous avez. Du moment que ce n'est pas de la tequila !

Il avait l'air d'avoir déjà éclusé quelques verres. Peut-être s'était-il arrêté dans un bar. Il me dévisagea avec prudence et s'avança dans la pièce. Il paraissait se demander s'il avait bien fait de débarquer à une heure aussi tardive.

— J'ai reçu ton invitation à l'hôtel, là-bas. Et je me suis dit : Pourquoi ne pas venir ? Et je suis parti le lendemain… De toute façon, je commençais à m'ennuyer…

Anna lui tendit un gin-tonic. Il y goûta, en se dandinant sur ses jambes.

— Mais peut-être que je dérange ? J'ai vu de la lumière, et j'ai pensé…

Il sortit un paquet de Marlboro de sa poche, alluma une cigarette avec son briquet Bic, tira une bouffée et souffla un filet bleu par les narines. Anna chassa la fumée de la main.

Mon léger regain d'énergie s'était évanoui. Déprimée, je repris ma place à table. Ma tasse était vide.

— Encore un peu de *chocolat*, Céleste ? fit Anna, en insistant sur ce dernier mot.

Je lui tendis ma tasse.

Nathan prit place de l'autre côté de la table, cherchant des yeux un cendrier. Son regard était toujours aussi impénétrable, son visage impassible, détaché de tout. Anna disposa une grande soucoupe devant lui.

Personne ne disait rien. Le micro-ondes bourdonnait très fort.

— Céleste vient de m'apprendre, dit Anna d'une voix exubérante, qu'elle ne sait pas si elle veut encore épouser son fiancé. Tu n'y serais pas pour quelque chose, non ?

Nathan repoussa sa chaise en arrière et s'y adossa confortablement, les jambes écartées.

— *Moi*, je n'épouserais pas Alex, rétorqua-t-il, en regardant au plafond.

— Ce n'est pas la question, dit Anna d'un ton acerbe depuis son comptoir.

Elle alla placer la tasse devant moi et s'assit entre nous. Silence.

— Je suppose que je devrais être très contrariée et en colère contre toi, me dit-elle, mais je n'y arrive pas. Je me demande bien pourquoi. Ton père a dépensé vingt mille dollars pour ce mariage. Il va complètement disjoncter si tu déclares forfait.

Nathan se mit à rire.

— On en revient toujours à des questions d'argent avec lui, dis-je, le sang me montant au visage.

— Que dois-je faire ? Appeler les gens demain matin pour leur dire de ne pas se déplacer ? Certains viennent de Californie, tu sais…

— Je peux me charger de les prévenir, proposa Nathan.

— Cela ne serait pas comme il faut, ricana Anna. Oh, et puis zut à la fin… Je suis trop fatiguée et j'ai pas mal bu. Je vais aller me coucher et, comme Scarlett O'Hara le disait si justement, demain sera un autre jour.

Sur ce, elle retourna au frigo et remplit de nouveau son verre.

— Ta-ta ! fit-elle, et elle disparut derrière la porte.

Une fois seuls, nous nous regardâmes, Nathan et moi.

— Que dit Alex de tout cela ? demanda-t-il enfin, en allumant une autre cigarette.

Je hochai la tête.

— Il n'est pas au courant.

— Humm...

Il secoua les glaçons dans son verre, puis se leva et s'approcha du frigo.

— Nathan, tu crois que tu pourrais t'arrêter de boire... définitivement ?

— Mon Dieu non ! Rien que d'y penser j'en ai froid dans le dos.

— Moi aussi. Si j'arrive à tenir bon ce soir, cela fera dix-huit jours. Je ne crois pas m'être abstenue de boire pendant aussi longtemps depuis mes quinze ans.

Il revint à sa place.

— Moi non plus !

Il tendit le bras et prit ma main, froide et molle, dans la sienne.

— J'ai pensé que ce mariage serait une erreur dès que je vous ai vus tous les deux à Matlan. Je crois que c'est pour cette raison que je suis venu... Je te devais bien ça... pardon, Céleste.

— Pourquoi ? dis-je platement, mais je le savais bien.

Je savais que nos âmes avaient jadis fusionné et que, en renonçant à lui, c'était comme si l'on m'avait arraché une partie de moi-même. Cette plaie béante n'avait jamais convenablement cicatrisé. Mais la personne qui était ici n'avait qu'un vague rapport avec celle que j'avais autrefois aimée.

— Tu attendais trop de moi, dit-il doucement.

— Tout cela n'a plus d'importance à présent. Aide-moi à me tirer de ce guêpier.

— Ce type n'est pas assez bien pour toi. Moi non plus.

— Ne m'énerve pas, Nathan. Nathan...

Ne lui pose pas cette question-là !

— Nathan, crois-tu que je suis une alcoolique ?

— C'est lui qui prétend cela ?

Je fis non de la tête.

— Moi, j'en suis un, fit-il d'une voix neutre, sans marquer le moindre remords, l'ombre d'un sentiment de culpabilité ou même d'intérêt.

Jamais je n'avais entendu personne prononcer ce mot avec autant de facilité.

Là-dessus, il retourna au frigo, sortit la bouteille de gin et l'emporta sous son bras dans le living désert. Je l'y suivis. La lune éclairait le tapis beige d'une nuance laiteuse. Il s'assit dans un coin du vaste canapé, tandis que j'allais occuper l'autre extrémité en étirant mes jambes. Prenant mon pied nu, il se mit à le masser, en insistant sur la cambrure délicate.

— Et Giovanna ?

— Giovanna. (Il parut un peu perdu.) Ah oui... Elle est rentrée en Italie.

Il se glissa vers moi, puis me caressa les épaules. Au contact chaleureux de ses mains, je commençai à me détendre. Son haleine empestait le gin, mais je n'en étais ni tentée ni dégoûtée.

— Tu en as du courage, de t'arrêter comme ça, murmura-t-il.

— Ma mère s'est tuée, dis-je.

— Ah oui...

— Tu étais donc au courant ?

— Comme tout le monde. Du moins, tout le monde s'en doutait.

— Pourquoi tu ne m'as jamais rien dit ?

— Comme ça... au détour de la conversation ? « Au fait, Céleste, ta mère s'est suicidée... »

— Je ne savais rien, fis-je, perplexe.

— C'est que tu ne voulais pas le savoir.

— Alors, qu'est-ce que je vais faire demain ?

demandai-je, ahurie, pleine d'anxiété à la pensée de la journée qui m'attendait.

Il ne répondit rien.

— Je suis si fatiguée, Nathan.

— Dors. Je suis là. Tout va s'arranger.

La pièce était encore dans le noir, seulement éclairée par le clair de lune qui entrait par les portes-fenêtres. Nathan était allongé contre moi sur le divan. Nous avions dormi si souvent ainsi que cela me semblait tout naturel. Me sentant observée, je m'efforçai de me redresser mais ce grand corps inerte m'immobilisait. En soulevant la tête, j'aperçus une femme assise au bout du canapé, sur l'accoudoir. Elle portait une robe de chambre bleu pâle dont les revers effilochés étaient truffés d'épingles à nourrice. Ses longs cheveux châtains formaient une masse bouclée sur ses épaules.

— Maman ? Qu'est-ce que tu fais ici ?

Elle sourit, comme si elle était sur le point de parler, et je me souvins que jamais, dans aucun de mes rêves, elle ne m'avait adressé la parole. J'eus peur de la chasser par des paroles maladroites.

— Pourquoi gardes-tu toutes ces épingles à nourrice ? chuchotai-je.

— C'est parce que tout tombe en morceaux…

— Pourquoi m'avais-tu dit qu'un chevalier servant viendrait m'enlever, puisque ce n'était pas vrai… ?

— J'avais peur que tu ne sois pas assez forte pour te débrouiller toute seule. Moi, je ne l'ai pas été…

— Comment as-tu pu m'abandonner ainsi ?

— Pff ! Quel gâchis. Il y a toujours une solution. « *Retourne à l'église, ils te diront quoi faire*…* » Puis, en anglais : Ne crains rien, je serai toujours avec toi.

Elle sourit et repartit sans faire de bruit par la porte de la cuisine.

— Attends ! Attends !

Nathan me secoua gentiment par l'épaule.

— Toujours ces cauchemars ? grommela-t-il, à moitié endormi.

— Ça va, dis-je en respirant à fond. Elle m'a parlé.

Quand je rouvris les yeux, j'étais couchée à plat ventre, le nez fourré sous l'aisselle de Nathan. Il dormait profondément, généreusement répandu sur ma personne. Le soleil ruisselait par les fenêtres et il faisait déjà chaud dans notre maison non climatisée. Repoussant son bras, je regardai dans le salon et mon cœur se serra à la vue de la bouteille de gin vide posée sur la table basse. Mais je me rappelai alors, non sans allégresse, que je n'avais pas bu une seule goutte d'alcool en dix-huit jours complets.

— Céleste chérie ! fit la voix aiguë, enthousiaste d'Anna.

Elle sortit de la cuisine en pantoufles et robe de chambre à fleurs et, d'un geste leste, ramassa la bouteille, et le cendrier qui débordait de mégots.

— Ouh-ouh, Céleste. Dix heures trente, c'est le moment de se lever !

Je râlai, tentant de me soustraire au poids de ce grand corps qui était affalé sur moi.

— Il me semble, reprit Anna, qu'étant donné les circonstances il conviendrait de respecter un peu plus les convenances.

XX

Je montai en courant dans ma chambre troquer ma tenue tire-bouchonnée contre une autre, une vieille robe de plage jaune suspendue à l'intérieur du placard. Ma robe de mariée attendait là sagement sous sa housse de plastique.

Allant dans la salle de bains pour me rafraîchir, je m'observai attentivement dans le miroir. *Il n'est encore rien arrivé de définitif,* m'assurait mon reflet, me suppliant des yeux. Tu peux toujours passer cette épreuve et obtenir toutes ces choses que tu désirais tellement.

— Lesquelles ? dis-je à haute voix.

La sécurité. Le respect. De beaux bijoux, de beaux vêtements. Un appartement vaste et bien rangé. Une place au soleil.

Soudain, la chaleur me parut augmenter. Les cigales du jardin se mirent à chanter avec frénésie. J'ouvris le robinet et mis la tête sous le jet. Un souffle d'air caressa mon dos nu ; on eût dit les battements d'ailes d'un ange.

— Qui est là ? chuchotai-je, n'osant lever les yeux.

Seule l'eau me répondit, ce qui me rappela la dernière fois où j'avais vu Sally, la veille de mon départ pour la fac.

La pluie tombait goutte à goutte des arbres, mais ma chambre était un lieu sûr et chaleureux. Assise sur mon lit, l'album sur les genoux, elle m'observait avec des yeux implorants.

— Ne te case pas, Céleste. Pars à la recherche de ce que tu désires. Fais ça pour moi, d'accord ?

— D'accord, dis-je à haute voix.

Dans un coin du miroir, j'aperçus Anna sur le seuil, qui n'avait pas quitté sa robe de chambre.

Je m'essuyai la figure sans cesser de l'observer. Il y avait une vague lueur d'espoir dans ses yeux rouges, comme si elle cherchait à deviner si j'avais changé d'avis. Traînant ses pantoufles, elle alla se percher au bord de la baignoire. Elle transpirait ; un voile de sueur recouvrait son visage. Bientôt, mon père se mettrait à préparer des Bloody Mary dans la cuisine. C'était sûr et certain. Apparemment, son attente avait été déçue, car elle hocha la tête avec tristesse.

— Pauvre Céleste…

— Pourquoi « pauvre Céleste » ?

Elle posa les coudes sur les genoux et sa figure entre ses mains.

— Mon Dieu, que vais-je dire à ton père ?

— Laisse-moi faire. De toute façon, c'est mon problème, pas le tien.

— Bon, d'accord, fit-elle, en se levant avec un soupir. Pas de panique. Allons d'abord le nourrir. Ça le calme toujours.

On avait ouvert la porte de la cuisine pour capter le moindre souffle d'air, car le soleil tapait sans pitié. Mon père était descendu rasé et habillé, en pantalon vert bouteille et chemise blanche bien repassée. Ce n'était pas son genre de s'exposer aux regards en tenue négligée. Nathan, toujours en T-shirt et jean poussiéreux, lui tenait compagnie. Sa barbe, noire et pas très propre, avait poussé pendant la nuit.

Il était en train de lui raconter des histoires de bandits mexicains. Penchée au-dessus d'eux, Anna leur servait du café.

— Une petite brise ne serait pas de trop...

À ma vue, elle se tut aussitôt et retourna à ses fourneaux, où des œufs au bacon étaient en train de frire – mon père adorait ça. Une jatte de pâte à crêpes reposait sur la paillasse.

Mon père s'empara du *Times* et le déplia devant son visage. Nathan resta assis, imperturbable, et regarda une mouche ramper sur la table.

Un taxi jaune s'arrêta à la porte et klaxonna.

— Quoi, encore ? bougonna mon père en jetant un œil par-dessus son journal.

Anna ouvrit la porte.

Deux petites jambes robustes pointèrent hors de l'habitacle, luttant pour s'en extirper. Puis ma grand-mère apparut, tirant sur son tailleur de lin vieux rose. Ses chevilles délicates et ses pieds fins pris dans des escarpins roses ne semblaient pas capables de soutenir son poids respectable. Sur sa tête était perché un petit chapeau de paille, tellement incliné qu'il cachait presque son œil. Attaché au ruban, un bouquet de roses en soie gros comme une grappe de raisin.

— Je me présente : Sophie de Fleurance de Saint-Martin.

— Bonté divine ! s'exclama Anna, en se précipitant à son secours.

S'emparant de la petite valise Vuitton, elle l'escorta jusqu'à la cuisine.

— C'est que nous ne vous attendions pas, madame... euh, madame de Fleurance.

— *Bonjour**, dit ma grand-mère avec raideur, à personne en particulier. Eh bien, moi non plus, je ne m'attendais pas. Et voilà que ce chauffeur de taxi refuse mes traveller's cheques.

Je n'en croyais pas mes oreilles : ma grand-mère parlant anglais ! Un rire s'échappa de ma poitrine. Elle regarda dans ma direction, sourit, puis nota la présence de Nathan et fronça les sourcils.

— *Encore vous* ?*

Nathan se leva et alla à sa rencontre.

— *Bonjour, madame. Ça fait vraiment plaisir de vous revoir*.*

— Pff ! dit ma grand-mère, tandis qu'il lui baisait la main. Et, regardant autour d'elle, elle ajouta vivement et à voix basse en français : Que faites-vous ici, jeune homme ? Ce n'est vraiment pas *comme il faut** !

Le taxi klaxonnait de plus belle.

Giflant la table de son journal, mon père fusilla ma grand-mère du regard. Ses joues s'étaient subitement empourprées.

— Pour l'amour du ciel, marmonna-t-il, et il se leva à son tour.

En allant vers la porte, il lui adressa un regard assassin et elle lui rendit la pareille. Puis elle m'ouvrit les bras.

— *Embrasse-moi, mon petit** !

J'allai enlacer sa personne replète. On s'embrassa sur les deux joues.

— *Qu'est-ce qu'il fait, celui-là* ?* me demanda-t-elle, en désignant Nathan.

— Il est arrivé la nuit dernière. Je l'ai invité.

— Hum…

Mon père reparut, chargé d'un encombrant paquet blanc orné d'un beau nœud rose. À présent, il était tout rouge.

— J'en ai eu pour plus de cent dollars. Elle est venue directement de l'aéroport en taxi !

— Je vous rembourserai avec mes chèques de voyage, dit ma grand-mère tout en retirant ses gants blancs.

— Une tasse de café, madame ? lui proposa Anna.

Elle lui présenta une chaise.

— Volontiers, acquiesça ma grand-mère en prenant place. Je n'avais pas l'intention de venir, me dit-elle en français, prenant ma main dans ses doigts boudinés. (Sa bague de mariée, qu'elle portait à la main droite, comprimait son doigt comme un élastique.) Mais ta lettre m'a fait changer d'avis. Brusquement, je me suis rappelé ce que disait si souvent ton grand-père de Saint-Martin – lui qui était si instruit. Il disait : *Carpe diem...*

— *Carpe diem*, enchaîna Nathan, qui venait de se rasseoir. *Quam minimum credula postero.*

— Bravo ! s'écria ma grand-mère. C'est du Horace, bien sûr, ajouta-t-elle pour mon père.

Ce dernier était de nouveau caché derrière son journal.

— « Mets à profit le jour présent, ne te fie pas au lendemain », traduisit Nathan, penché sur sa tasse comme s'il lisait dans les brins de thé.

Ma grand-mère saisit le journal de mon père, l'arracha de ses mains, le replia délicatement et le dissimula sur ses genoux.

— Le petit déjeuner est prêt ! hurla hystériquement Anna en apportant la poêle à frire. « French toast » et œufs au lard !

— *Mon Dieu* !* dit ma grand-mère. *French* toast ! Ah-ah-ah !

— Je prendrais bien un Bloody Mary, déclara Anna. Charles, tu ne veux pas t'en occuper ?

Mon père bondit sur ses pieds et alla vers le réfrigérateur, les traits figés comme si chaque fibre de son être luttait pour rester impassible.

— J'aime ça, les Bloody Mary, approuva ma grand-mère – qui, en français, ajouta : Ton accent est devenu affreux, Céleste. On dirait une Québécoise. Il faudrait que tu reviennes en France.

— *Écoute, grand-mère*...*

Je toussotai et ajoutai, très vite :

— *J'ai décidé que je ne pouvais pas me marier aujourd'hui. Aide-moi**…

— C'est parce que Nathan l'Explorateur est revenu ?

Elle avait pris une petite mine pincée.

— Pas du tout.

Nathan suivait cet échange comme s'il était à un match de ping-pong. Son regard allait de l'une à l'autre.

— S'il te plaît, écoute-moi. Cela n'a rien à voir avec lui, je te le jure. Tout est ma faute. Je me suis trompée sur toute la ligne. J'avais cru qu'Alex m'apporterait une certaine sécurité, mais il est très… autoritaire.

— Ce n'est pas un faible, alors ?

— Oh, non ! Ou peut-être que si, qui sait… Il est « fort » dans tous les domaines où il ne faudrait pas. Mais, grand-mère, ce n'est pas la question. Je ne sais pas quel homme c'est !

— Je vois. Mais tu sais, les meilleurs mariages ne sont jamais des mariages d'amour…

Quand elle vit que je n'étais pas prête à gober cet argument-là, elle me demanda :

— Qu'attends-tu de moi, *mon ange** ?

— Que tu m'aides à l'affronter, lui…

Discrètement, je désignais mon père.

— Avec plaisir ! dit-elle en redressant les épaules, la bouche en cœur.

En regardant du côté de ce dernier, je vis qu'il était penché sur sa carafe à martini, dosant les ingrédients avec des gestes saccadés. Dans une minute, il allait se servir un verre, après quoi il irait s'enfermer dans son bureau.

Je m'éclaircis la gorge.

— Puisque vous êtes tous ici, j'ai quelque chose à vous dire…

Tous me contemplèrent avec des airs effarés, à l'exception de mon père, qui était en train de déboucher la petite bouteille de Tabasco. Nathan hocha la tête.

— J'ai décidé de ne pas me marier.

Mon père cessa de secouer le Tabasco, et sa main se pétrifia dans les airs. Silence total. Dehors, la stridulation des cigales monta encore d'un cran.

— En bref, si vous vous demandez pourquoi, je peux vous assurer que Nathan n'est pas en cause. Je me mentais depuis trop longtemps sur le compte d'Alex. J'avais peur de finir ma vie seule et fauchée. Je buvais trop et j'espérais qu'il serait capable de me protéger de moi-même. Je regrette d'avoir entraîné tous ces frais. J'ignore si vous pourrez récupérer ou non cet argent. On vous rendra les cadeaux. Je ne vois pas ce que je pourrais ajouter.

Je m'interrompis, la gorge serrée. J'avais les yeux pleins de larmes. Ma grand-mère me tapota la main.

— Depuis des années, ma vie est un cauchemar. J'en ai assez... je suis lasse de mentir, lasse de me fuir moi-même.

Mon père détourna la tête en faisant la grimace. Anna se cramponnait à son dossier, toute pâle et catastrophée. Nathan contemplait le fond de sa tasse, qu'il avait inclinée vers lui.

— Ne pleure pas, *mon petit**, me dit ma grand-mère. Ce n'est pas si grave. Tu aurais pu te réveiller dans les mêmes dispositions d'esprit le lendemain du mariage. Cela m'est arrivé une fois, et il était trop tard pour faire quoi que ce soit, car j'étais bonne catholique. Dieu merci, « il » est mort peu de temps après.

Mon père abattit son poing sur le comptoir, faisant voler les verres de Bloody Mary et les tiges de céleri.

— Ça suffit ! Je ne supporterai pas d'entendre ces conneries chez moi ! Ce mariage me coûte vingt mille dollars... As-tu perdu la tête ? Tu ne peux pas reculer à la dernière minute ! Je ne le permettrai pas ! Anna, parle-lui, veux-tu ?

— *Mon Dieu**, Charles ! protesta ma grand-mère. Comment pouvez-vous parler d'argent à un moment pareil, comme un *petit-bourgeois** ? Nous devons discuter raisonnablement. Voilà trente-trois ans que nous évitions cette conversation, mais malheureusement le moment est venu...

Nathan se leva de table.

— J'ai une course à faire en ville. Personne n'a besoin de rien ?

Comme nul ne bronchait, il se faufila au-dehors. Un instant plus tard, on entendit le moteur vrombir dans l'allée.

— Je vous conseille de rester en dehors de tout ça, Sophie ! Ça ne vous regarde pas. Je me demande où vous avez trouvé le culot de débarquer ici après trente ans pour me faire la morale. Où étiez-vous donc quand Nathalie avait besoin de vous ?

Ma grand-mère se leva, les doigts en contact avec la table, et posa sur lui un regard glaçant de mépris.

— C'est vrai, Charles, je suis bien coupable, et pas un jour ne passe sans que je m'adresse des reproches. Mais parlons un peu de vous. Si vous voulez déballer notre linge sale devant la petite, soit. Mais je serai forcée de dire des choses que vous préféreriez sans doute qu'elle ignore. À présent, parlons-nous raisonnablement ou préférez-vous un duel ? Parce que si vous voulez un duel, je suis prête.

— Oh, non, Charles, chuchota Anna, pétrifiée comme une colonne. S'il te plaît, parlons raisonnablement.

— Je vais appeler Alex, fis-je en me levant.

En quittant la pièce, je sentis tous ces regards brûlants dans mon dos. La porte battante se referma doucement. On n'entendait plus rien dans la cuisine. Je montai les marches deux par deux.

— Qui veut du café ? demanda enfin Anna, comme j'atteignais le palier.

J'allai dans leur chambre et refermai la porte. Le lit était encore défait, découvert, draps entortillés. Il y avait long-temps que je n'étais pas venue dans cette pièce. Anna l'avait redécorée dès qu'elle était venue vivre chez nous. C'était désormais une chambre claire et moderne, avec son mobilier noir, sa moquette beige harmonisée aux rideaux et au couvre-lit. Je n'avais jamais beaucoup aimé entrer ici après la mort de ma mère. Maman dormait dans un lit ancien à baldaquin, avec des rideaux en dentelle et un jeté de lit en chenille. Un lit, en fait, un peu comme celui d'Alex.

Je détestai ce laisser-aller, c'était comme si j'avais surpris mon père et Anna en sous-vêtements.

Je décrochai le téléphone, composai notre numéro et attendis la tonalité. Alex décrocha. J'aurais voulu m'enfuir.

— Allô ?

La crise de la nuit était passée, et de nouveau je ne savais plus où j'en étais.

— C'est moi, Alex.

Ma bouche était complètement desséchée. Ma langue me semblait lourde et inutile.

— Ah, bonjour, chérie…, fit-il avec son onctuosité coutumière.

— Alex, j'ai passé la nuit à y réfléchir et j'ai compris que je ne pouvais pas t'épouser.

— Je ne veux pas parler de ça au téléphone, dit-il aussitôt, sans émotion, comme s'il avait déjà envisagé cette éventualité et s'y était préparé.

Sa voix avait pris subitement la froideur de l'homme d'affaires, et je ne savais plus très bien à qui je m'adressais.

— Ne fais rien tant que je ne suis pas arrivé.

— Alex, pas la peine de…

— Tu m'entends ? Je pars dans dix minutes.

Là-dessus, il raccrocha. Je tentai un nouvel appel, mais le téléphone sonna dans le vide. Apparemment, il avait débranché son répondeur.

Du haut des marches, je pouvais entendre des éclats de voix dans la cuisine. Je descendis lentement et demeurai figée devant la porte.

— Incroyable ! Ce que vous me demandez, c'est de foutre ces vingt mille dollars en l'air ? C'est ça que vous me demandez ? Parce que si c'est ce que vous me demandez, vous êtes folles à lier !

— *Mais ce n'est pas possible** ! s'exclamait ma grand-mère. Contrôlez-vous, Charles ! J'ai toujours pensé que vous étiez un imbécile, mais je ne vous croyais pas aussi vulgaire.

— Oh, pour l'amour du ciel, s'il ne s'agit que d'argent, intervint Anna d'une voix posée, je verserai dix mille dollars sur ton compte, Charles. Mais je doute fort que ce soit une question d'argent. Tu penses surtout à tes voisins, à tes anciens collègues et à ta famille. Tu es terrifié à l'idée de ce qu'ils vont dire. J'en ai assez de cette hypocrisie, Charles. Ça suffit. Conduis-toi en adulte et reste aux côtés de ta fille.

— *Bravo, madame**, dit doucement ma grand-mère.

— C'est à toi de lui parler, Anna. Tu es une femme, intervint mon père.

— Le mieux, à mon avis, serait d'offrir un verre à tout le monde, puis de faire un petit discours pour expliquer la situation – de toute façon, il est trop tard pour appeler les gens. Il est plus d'une heure de l'après-midi. Les invités vont affluer de tout le pays.

— Je suis bien venue de France, moi, déclara ma grand-mère.

En ouvrant la porte, je constatai qu'ils n'avaient pas bougé. Mon père avait le visage pâle et consterné. Il me jeta un bref regard courroucé.

— Alex arrive…

— Non, c'est vrai ? fit Anna, les yeux écarquillés.

— Il m'a raccroché au nez. Il ne voulait pas discuter de ça au téléphone.

— Il reste donc encore un espoir ? dit-elle, en souriant.

Aussitôt, mon courage s'évanouit.

Tu devrais boire un verre. Cela te ferait du bien.

Je me mis à frissonner. J'étais transie.

— Je voudrais un chocolat chaud.

Ma grand-mère me considéra avec inquiétude.

— Un chocolat chaud… par cette chaleur ! s'exclama Anna, et elle se tourna vers ses placards.

Je me trouvais près de la fenêtre de ma chambre, face à Alex. Il était vêtu de son plus beau costume à fines rayures, celui qu'il avait choisi pour le mariage. Mais il arborait une cravate d'homme d'affaires au lieu du modèle Cardin, à fleurs, qu'il avait prévu. Je compris – et j'en fus horrifiée – qu'il avait toujours l'intention de se marier. Il se tenait à la porte, les mains dans le dos, les épaules carrées, affichant un air grave et réfléchi, comme s'il s'agissait de conclure une négociation particulièrement difficile.

Ce côté de sa personnalité m'avait toujours intimidée. Il y avait une trentaine de secondes qu'on s'observait, et pourtant une heure semblait s'être écoulée. Il régnait une chaleur infernale.

— Alors ? Parle, Céleste. C'est à cause de Nathan, n'est-ce pas ? Je l'ai aperçu au rez-de-chaussée. Je ne suis pas complètement stupide, tu sais, même si je n'ai pas ton instruction.

Je détournai les yeux pour contempler le jardin. Pas une feuille ne bougeait. Assis autour de la table en fer forgé, sous les mimosas, ma grand-mère et Nathan sirotaient des Bloody Mary. J'entendis cette dernière lui dire en français :

— Vous faites de bien meilleurs Bloody Mary que lui.

— Il met trop de raifort.

— Exactement !

— J'espère que je ne vais pas devoir lui foutre une raclée…, dit pensivement Nathan.

— Il est plus grand que vous, et, si vous voulez bien excuser ma franchise, en meilleure forme, répliqua ma grand-mère.

Anna sortit de la cuisine. Elle avait passé une petite robe bleu pâle, qui n'engageait à rien. Ils commencèrent à chuchoter ensemble, et Nathan jeta un coup d'œil vers ma fenêtre.

— Céleste ? fit Alex, agacé.

Je me tournai vers lui.

— Ce n'est pas moi qui t'ai demandé de venir, Alex. Je n'ai pas l'intention de changer d'avis. Cela n'a rien à voir avec Nathan. Je ne comprends pas pourquoi tu tiens tellement à m'épouser, connaissant mon état d'esprit.

— Comment pourrais-je connaître ton état d'esprit, alors que toi-même, de ton propre aveu, tu ne sais pas ce que tu ressens la plupart du temps.

— Tu as raison. J'ai été très perturbée. Ces projets de mariage m'ont amenée à déterrer des souvenirs que j'aurais préféré oublier, et maintenant j'ai pris conscience que je n'allais pas bien.

— Tu crains de t'engager, voilà tout.

— Il y a de ça aussi.

Il leva les bras en l'air et fit mine de partir, avant de se raviser.

— Mon père m'avait bien dit que nous étions trop différents, j'aurais dû l'écouter.

— Pourquoi avoir choisi quelqu'un comme moi, Alex ? Quelqu'un qui est en plein bouleversement… Une alcoolique…

— Nous y voilà ! C'est la meilleure. Tu cherches une excuse, n'est-ce pas… Pourquoi ne pas admettre que tu es encore amoureuse de Nathan ?

Tu peux jeter des mots à la cantonade, ça n'en fait pas des vérités pour autant. Personne ne te croit. Surtout pas moi.

Je me laissai choir dans un fauteuil en soupirant.

— Mon Dieu, Alex. Je crois que je n'ai plus rien à te dire.

— Je ne te comprends pas. J'ai des journées chargées, c'est vrai, mais j'ai toujours veillé à partager des moments privilégiés avec toi. J'ai toujours satisfait tes moindres désirs…

— Comment pourrais-tu savoir quels sont mes véritables désirs, puisque je ne les connais pas moi-même ? m'écriai-je.

— … C'est peut-être ça, le problème, dit-il sur un tout autre ton, d'une voix radoucie et caressante. Peut-être que je sais mieux que toi ce qui te convient.

Il a raison. Absolument. Tu n'as pas le moindre bon sens.

Je regardai de nouveau dans le jardin. Les invités avaient commencé à arriver. J'entendais des glaçons s'entrechoquer, des bruits de conversation. Une femme passa, tout en jaune vif, portant un grand chapeau légèrement plus clair.

Alex se mit à marcher de long en large. Sentant qu'il gagnerait des points par la gentillesse, il évoqua en termes poétiques notre rencontre, les moments partagés ; il parla de son appartement et de mon nouveau bureau, si agréable, des cadeaux que nous avions reçus et impossibles à rendre, maintenant qu'ils avaient été utilisés. Il marqua une pause, attendant ma réponse, qui ne vint pas.

Toute force m'avait abandonnée.

— Alex, ne parlons pas de cela. Ne parlons plus de rien, d'accord ?

Soudain, il changea encore d'attitude pour reprendre son ton condescendant et paternaliste.

— Tu ne sais même pas où aller. Sans moi, tu es perdue…

Au loin, j'aperçus Jack qui remontait l'allée d'un pas

alerte dans un costume trop petit. La voix de ma grand-mère me parvenait par la fenêtre ouverte.

— J'ai été bien embarrassée quand Nathalie a épousé Charles. Je l'avais suppliée de n'en rien faire. *Un Américain, mon Dieu** ! Moi qui croyais lui avoir donné une bonne éducation... J'ai pris cela pour un affront personnel... et j'étais tellement soucieuse du qu'en-dira-t-on ! C'est ainsi que j'ai tourné le dos à ma propre fille... Voilà pourquoi, à mon âge, j'en suis venue à cette conclusion que l'opinion des autres, ça ne compte pas.

Comme mon frère s'approchait de sa table, Nathan se leva pour lui serrer la main, puis se tourna vers ma grand-mère et lui dit en anglais :

— Madame, voici votre petit-fils, Jack.

— Jacques ! s'exclama-t-elle en sautant sur ses pieds. Mon petit-fils...

Sur ce, elle fondit en larmes et s'abandonna sur sa chaise, en se couvrant le visage. Après un temps d'hésitation, Jack lui tendit la pochette blanche qui ornait son veston.

— Merci, Jacques, dit ma grand-mère en reniflant. C'est trop pour les nerfs d'une *méchante vieille**.

Mes yeux se remplirent de larmes.

— Qu'y a-t-il donc de si intéressant dehors ? lança Alex. En ce moment même, notre avenir est en jeu et tu rêvasses à la fenêtre !

M'essuyant les yeux, je dis d'une voix lointaine :

— Alex, tu as failli m'étrangler l'autre nuit. Et, au Mexique, tu m'as violentée.

— Tu as de ces mots !

— Il y a quelques semaines, tu as démoli un Abribus au risque d'être arrêté par les flics. Et tu as cassé le bras de ton ex-femme...

— Elle s'était déboîté l'épaule.

— Ne joue pas sur les mots. Ne vois-tu donc pas que tu

as besoin d'aide, toi aussi ? Je pensais jusqu'ici que j'avais mérité un tel traitement, mais j'ai compris que ce n'était pas vrai.

Il recommença à arpenter la pièce tel un fauve en cage, en respirant sourdement. Je pris peur.

— Écoute, marions-nous. Après notre voyage de noces, j'irai voir un spécialiste. On pourra même consulter un conseiller matrimonial. Tu as ma parole. Je ferai mon possible.

Excellente idée ! On pourrait repartir du bon pied...

Peut-être était-il sincère. Peut-être finirait-il par changer. De nouveau, je me tournai vers la fenêtre. La pelouse miroitait sous la chaleur comme un lac. Au bout de l'allée, les voitures en stationnement ondulaient, formant des vagues huileuses.

— On réduira notre consommation d'alcool...

Mon cœur se serra. Il était flagrant qu'il n'avait pas compris. Jamais je ne pourrais diminuer ma consommation. Un seul verre et ce serait la rechute.

— Désolée, Alex. Je ne peux pas.

Il se remit à tourner en rond.

— Qu'est-ce que je vais dire au bureau ? Et les billets d'avion ? Il est trop tard pour annuler.

— On s'arrangera. Trouve un médecin qui te fera une ordonnance...

— Qu'est-ce que tu vas devenir ? Où vas-tu aller ? Tu n'as même pas de situation.

Je me souvins des paroles de Branko. *Peut-être qu'arrêter de boire aura été l'unique réussite de ma vie.* Si seulement je réussissais à ne pas boire aujourd'hui, ce serait déjà quelque chose. Demain, j'irais chercher de l'aide auprès des gens de cette église.

— Je vais devoir apprendre à m'occuper de moi-même, dis-je.

Il parut réfléchir, puis ajouta d'un ton sec :

— Eh bien, moi, je vais devoir te demander de me rendre ta bague de fiançailles et les cartes de crédit.

Je m'approchai de mon sac à main qui était resté sur la chaise et pris mon portefeuille ; j'en sortis les cartes. Alex les rangea dans le sien. Ensuite, j'ôtai mon solitaire et le déposai dans sa main. Je me sentais bien plus légère ainsi. Les doigts d'Alex se refermèrent sur la bague. On frappa à la porte.

— Qui est-ce ? fit-il.

— Euh... Céleste, je peux vous parler une seconde ? murmura Lucia derrière la porte close.

Tournant les talons, Alex l'ouvrit brutalement. Mon amie portait une robe en dentelle noire et un petit chapeau orné d'un bouquet de fleurs blanches. Elle avait une coupe à la main.

— Anna voudrait savoir ce qu'il faut faire. Tout le monde est là, le juge aussi. Ils en sont tous au champagne. Personne n'est encore au courant. Anna n'a même pas prévenu le cercle de voile.

Alex se laissa choir sur mon lit et se cacha le visage, le dos rond. Gauchement, j'allai poser ma main sur son épaule. Des éclats de rire résonnaient dans la chambre.

Au bout de quelques instants, il se releva en redressant les épaules, l'air résolu, contempla sereinement Lucia, puis se tourna vers moi et déclara :

— Céleste et moi, nous avons compris que nous n'étions pas prêts pour le mariage. Notre affection demeure intacte et nous avons bien l'intention de rester bons amis...

Il marqua une pause, scrutant mon visage. Je vis une lueur d'espoir, de connivence, et compris. Je lui adressai un signe d'encouragement.

— Puisque tous nos amis et parents sont venus de partout pour être là aujourd'hui, nous pensons que le mieux est de donner une fête. On ne peut pas les renvoyer chez eux avec le ventre vide. Nous allons donc fêter cette décision et la profonde affection qui nous unit. Plus tard, nous réfléchirons au moyen de rembourser M. Miller.

Lucia le dévisagea, ses lèvres écarlates entrouvertes, puis m'adressa un regard interloqué. J'étais soulagée. Alex avait trouvé une solution qui était acceptable pour lui. Plus tard, il croirait certainement que c'était la vérité. Quelle importance ? Nos conceptions de la vérité n'avaient jamais coïncidé, de toute façon. Je lui devais bien ça.

— Oui, dis-je. Alex et moi avons pris cette décision ensemble.

Les commissures de ses lèvres tremblaient.

— Je vais les prévenir, annonça-t-il, les traits reposés, presque détendus.

Et il quitta la pièce. Lucia s'approcha. Je regardai avec nostalgie sa flûte de champagne ; elle me l'offrit, mais je refusai.

— Tu vas avoir besoin d'une piaule pendant quelque temps ?

— Je ne sais pas. Probablement.

Ma voix ne semblait pas venir de moi.

— Tu n'es pas toute seule, dit-elle en posant la main sur mon épaule.

— Merci.

Quand Lucia et moi nous sommes entrées au cercle de voile, ma grand-mère, mon frère Jack, Nathan et Anna nous attendaient devant les portes-fenêtres closes donnant sur la salle de banquet. Nathan avait fini par se raser et portait une jaquette et une chemise de soie blanche avec des palmiers comme motif, un nœud papillon noir et des bottes de cow-boy. Tous tenaient une flûte à la main, et leurs visages avaient l'air moins contractés. Ils me souriaient. Mon frère, en costume sombre, m'enlaça maladroitement. J'en fus si surprise que mes yeux s'emplirent de larmes.

— Non, non, ne pleure pas, dit ma grand-mère, prenant Jack par le bras. C'est jour de fête aujourd'hui ! Je rencontre mon petit-fils pour la première fois ! C'est une réunion familiale !

Jack rougit et se fendit d'un sourire. Des flots de jazz et de conversations assourdies filtraient par les portes closes.

— Ça va, Céleste ? demanda Nathan.

J'acquiesçai. Puis je m'aperçus dans un grand miroir doré, dans cette robe en soie verte que je portais la fois où j'avais fait la connaissance d'Alex ; elle aurait dû m'accompagner en Europe, pour mon voyage de noces.

— Jacques, disait justement ma grand-mère, il faudra venir voir ton château.

— Ab-so-lu-ment, répondit Jack, et il leva son verre.

Derrière la porte-fenêtre, j'aperçus Alex qui donnait une bourrade amicale à un jeune homme hilare, avant de passer à un autre groupe avec un sourire contraint. J'admirai sa bravoure.

Mon père n'était pas là. Comme si elle avait lu dans mes pensées, Anna toussota :

— Ton père viendra plus tard. Encore ses migraines… il a dû aller s'allonger.

Sa voix s'estompa tandis qu'elle s'efforçait, en vain, de sourire.

Il viendrait – ou pas. L'attendre impatiemment, c'était courir le risque de m'exposer à une nouvelle déception, et rien de bon n'en sortirait. Soudain, je me sentis triste et solitaire. Anna m'avait bien dit qu'il fallait apprendre à pardonner. C'était sans doute vrai, mais le chemin du pardon serait long et ardu.

Ma grand-mère me prit par le bras.

— Tous ces gens sont censés être tes amis. Dans un moment, tu vas découvrir qui fait le poids, et qui est bon pour la poubelle. *Alors… on y va* !*

Et, d'un geste théâtral, elle poussa les portes.

Je marchai droit vers Alex et l'embrassai, plantant un baiser sur son grand menton lisse. Comme il me tenait dans ses bras, l'odeur de son eau de Cologne m'enveloppa et j'éprouvai une pointe de regret, qui s'évapora très vite, me laissant légère comme l'air.

Je sortis avec ma grand-mère pour me promener sur le pont qui surplombait la mer. Les planches à voile avaient été tirées pour la nuit sur le petit croissant de plage, et plus loin des dizaines de voiliers se balançaient légèrement dans les eaux bleu clair, faisant chanter leurs drisses. Par-delà ce pont, un long quai branlant se jetait dans la mer.

À l'intérieur, tout le monde dansait au son de l'orchestre. Alex interprétait un rock endiablé avec sa mère, qui tourbillonnait dans ses bras. Elle riait de bon cœur, oscillant sur ses hauts talons. Le soleil commençait à sombrer derrière le toit pentu.

— C'est très joli ici, fit ma grand-mère en français. Mais tu sais, Céleste, il faudra revenir avec moi à Bordeaux.

— J'ai d'abord certaines choses à régler, mais je viendrai. C'est promis. Merci, *mamie**.

— Tu as besoin d'argent ?

— Non. Merci. Tu m'as beaucoup aidée.

J'avais de quoi tenir quelques mois. Je me débrouillerais pour obtenir un second job.

Elle chercha mon regard.

— Quelque chose de bon est sorti de tout cela, quelque chose de merveilleux. Nous nous sommes retrouvées.

Je lui serrai la main, les larmes aux yeux.

— Je vais sur la jetée. Tu m'accompagnes ?

— Plutôt me casser la jambe ! dit-elle en s'esclaffant, et elle rebroussa chemin, sortant son mouchoir et se tamponnant les yeux.

Je me déchaussai et marchai jusqu'au bout du quai. En regardant en arrière, j'aperçus un petit bout de soleil, rouge vif à présent, qui s'attardait au-dessus du toit. Quand je fermai les yeux, ce rouge chatoya, se transformant en motif kaléidoscopique. Il resta un moment derrière mes paupières. Quand je rouvris les yeux, le ciel était devenu une rhapsodie d'oranges ardents et de rouges, et, parmi les taches blanches qui dansaient encore devant moi, une silhouette sombre s'approcha.

On me tapota l'épaule ; je pivotai sur mes talons. C'était Nathan.

Il appuya la hanche à la rambarde et me demanda :

— Tu pars en voyage avec moi ?

Vas-y ! Pars avec lui ! Ici, rien ne te retient !

Oh, la ferme.

— Impossible maintenant. D'ailleurs, si je m'en allais avec toi, je ne pourrais plus jamais m'arrêter de boire.

Il parut réfléchir, toujours appuyé à la rambarde, les jambes croisées. Une brise souffla du large, faisant jouer une mèche sur son front, et il déclara finalement :

— Boire n'a jamais été un souci pour moi. Le jour où ça me posera un problème, je songerai à arrêter.

J'acquiesçai, sachant qu'il ne servirait à rien de discuter. Ses yeux semblaient tristes, ou du moins fatigués. Il repartit vers la plage. Mon frère se tenait sur le sable, près des planches à voile, une bière dans la main.

— On fait un petit tour ? lui lança Nathan.

— Pourquoi pas ?

Prenant deux planches, ils tentèrent d'y attacher des voiles. Jack tomba à la renverse en riant. Il se déchaussa et roula le bas de son pantalon. Nathan s'appuya à son épaule pour tirer sur ses propres bottes. Le pantalon retroussé sur les mollets, ils traînèrent les planches sur le sable. Il n'y avait pas beaucoup de vent, et ils tombèrent plusieurs fois à l'eau. Au bout d'un moment, le vent forcissant, ils réussirent à prendre de la vitesse et s'éloignèrent du rivage. Bientôt, ils dépassaient la pointe de la jetée. La cravate de Jack lui giflait les joues, et la veste de Nathan claquait dans son dos.

Les ténèbres se répandaient au-dessus de l'horizon, une tache pourpre. Au loin, les eaux opalescentes et le ciel mat ne faisaient plus qu'un. Très haut, des mouettes tournoyaient et criaient dans cet espace bleu. Les vagues venaient clapoter contre les pylônes et la coque vide des bateaux. Je pris une profonde inspiration. L'odeur iodée des algues me piqua le nez et la gorge, tandis que je promenais les doigts sur la rambarde patinée par les intempéries, les creux dans le bois vieilli. Sous les assauts de la marée, les planches craquaient et grinçaient ; des crabes rampaient sur les pylônes moussus, et des bancs de fretins argentés s'abandonnaient paresseusement au ressac.

Bientôt, les voiles ne seraient plus au loin que de petits ailerons blancs, fendant le vaste océan obscurci. Le vent avait pris de la force, et ce pesant brouillard allait se dissiper.

Remerciements

J'aimerais remercier Trena Keating, mon éditeur, pour ses conseils enthousiastes et précieux ; ma chère amie Shaye Areheart, pour son sens critique aigu ; Peter Matthiessen, qui a su me guider avec compréhension ; James Ivory, Ruth Prawer Jhabvala, et Ismail Merchant pour leur inspiration ; David Weild IV pour m'avoir expliqué « fusions et acquisitions » ; et Kevin Heisler, dont la confiance n'a jamais faibli.

Également, Cecile et Buddy Bazelon, Carolyn Blakemore, Gabrielle Danchick, Henry Flesh, Joy Harris, Nan Horowitz, Beth Jones, Gloria Jones, Ellie Weiler Krach, Tim McLoughlin, Kimberly Miller, Haig Nalbantian, Dayle Patrick, Lucy Rosenthal, Ina Schoenberg, Kate Sotiridy, Liz Szabla, Janine Veto, Kathleen Warnock, et Renette Zimmerly pour leur aimable encouragement.

Le généreux soutien du Virginia Center for the Creative Arts, où j'ai passé deux étés extraordinaires à écrire ce roman.

Et mon élève Derby Clarke, pour m'avoir permis, page 182, de reproduire son poème.

Achevé d'imprimer en février 2000
sur presse Cameron
*par **Bussière Camedan Imprimeries***
à Saint-Amand-Montrond (Cher)

N° d'édition : 3699. N° d'impression : 741/1.
Dépôt légal : février 2000.

Imprimé en France